"十二五"江苏省高等学校重点教材

工程经济学

第3版

主　编　郭献芳　申淑娟
副主编　李春晓　刘　雷
参　编　李海波　刘孔玲
主　审　张金锁

机械工业出版社

本书是"十二五"江苏省高等学校重点教材。

本书共 14 章，依据"卓越工程师教育培养计划"、《建设项目经济评价方法与参数》（第 3 版）及《普通高等学校本科专业类教学质量国家标准》等相关规范编写而成。全书系统介绍了经济效益理论、资金的时间理论、资本结构优化理论及价值管理理论，围绕项目评价这个课程中心，对现金流分析与费用效益方法、风险评价方法及价值工程方法进行了重点阐述。

本书在每章章前提示了"内容提要"和"关键词"，并按照知识体系、主要知识点和初学者容易出现的偏误，编写了相应的"学习指导"。为了更加适应高等院校应用型人才的培养需求以及 PBL、PBTL 等模式教学组织的需要，本书此次修订增加了教学案例和核心知识单元的电子讲解，可实现扫码跟学。

本书主要作为高等院校工程管理专业及其他管理类、工程类相关专业"工程经济学"或"技术经济学"课程的本科教材，还可作为建造师、咨询工程师、监理工程师、造价工程师等职业资格考试的应试参考书。

图书在版编目（CIP）数据

工程经济学/郭献芳，申淑娟主编. —3 版. —北京：机械工业出版社，2022.1（2023.9 重印）
"十二五"江苏省高等学校重点教材
ISBN 978-7-111-69957-6

Ⅰ.①工… Ⅱ.①郭… ②申… Ⅲ.①工程经济学-高等学校-教材 Ⅳ.①F062.4

中国版本图书馆 CIP 数据核字（2021）第 266449 号

机械工业出版社（北京市百万庄大街 22 号　邮政编码 100037）
策划编辑：冷　彬　　　　责任编辑：冷　彬　刘　静
责任校对：张亚楠　李　婷　封面设计：张　静
责任印制：张　博
北京建宏印刷有限公司印刷
2023 年 9 月第 3 版第 2 次印刷
184mm×260mm・18.5 印张・456 千字
标准书号：ISBN 978-7-111-69957-6
定价：59.00 元

电话服务　　　　　　　　　网络服务
客服电话：010-88361066　　机　工　官　网：www.cmpbook.com
　　　　　010-88379833　　机　工　官　博：weibo.com/cmp1952
　　　　　010-68326294　　金　书　网：www.golden-book.com
封底无防伪标均为盗版　　　机工教育服务网：www.cmpedu.com

第3版前言

目前,先进的互联网通信技术在我国得到广泛应用与快速发展,高校教学模式也依托新型信息技术不断推陈出新。2020年因新冠肺炎疫情而迅速增长的在线教学将逐渐成为今后一种常态的教学形式。新的教学形式对传统的教材提出了许多新要求,比如纸质和电子形式相结合的立体化教材。为回应这些新问题、新要求,本书此次修订在上一版的基础上对教材内容的呈现形式进行了革新,对工程经济学的关键理论、主要方法等核心知识点增加了MP4电子讲解,实现了扫码跟学,将平面教材升级为纸质、电子交互的立体化教材。

当前,占本科院校半壁江山的新建本科高校承担着应用型转型的历史重任,课程教学转型是应用型转型的基础和根本,应用型人才培养目标对课程的知识体系、技能结构和职业素质等提出了全新的要求。为满足新的教学要求,本次修订坚持产教融合和职业导向的编写原则,将真实工程项目咨询成果作为课程教学案例呈现,使教材内容更贴近工程实践,增强学习的职业针对性。

当前应用型本科教学实践中,PBL(基于项目的学习)、PBTL(基于项目和团队合作学习)等新型教学组织模式很好地体现了以学生为中心和成果导向的理念。为满足这种新型模式的课堂组织方式的教学需要,本次修订坚持以学生为中心和成果导向,按照"先学后教、以学定教、精准教学"的翻转课堂组织原则和"贴近职业、贴近岗位、贴近职责"的教学要求增加了教学项目,对课程内容中难以理解、易于出错的知识点加载了MP4电子讲解,以方便组织教学。

本次修订是在第2版基础上由原编者和工程经济实务专家共同完成的。郭献芳和北京东方华太工程咨询有限公司雄安公司申淑娟总经理提出并确定全书的编写大纲及设计安排具体的章节内容,并负责全书统稿工作。具体编写分工为:郭献芳编写第1、2、3、4、5章,郭献芳和申淑娟编写第7章和第13章,李春晓编写第9、10、11章,刘雷编写第8、14章,李海波编写第12章,刘孔玲编写第6章。全书由张金锁主审。

尽管编者付出了艰辛,也抱有追求卓越的良好愿望,但受编写水平和时间所限,书中还是难免存在谬误,恳请读者批评指正。

编　者

第2版前言

《工程经济学》问世已经3年。承蒙众多同仁和读者抬爱,它发挥了编者起初期待的作用——推动工程经济学学科不断发展,普及工程经济学基本理论与基本方法,增强建设项目经济评价的能动性。正是源于这本教材在工程建设和工程管理领域所呈现的作用与价值,编者才有勇气果敢地对其进行修订。

本次修订承袭了第1版"坚持理论精讲、突出方法论"的原则,强调基本理论与方法在建设项目经济评价中的应用。在过去的3年中,高校的专业建设日臻规范。比如,发布实施了《高等学校土木工程本科指导性专业规范》,使土木工程专业教育的改革和建设有章可循、有规范可依;《管理科学与工程类专业教学质量国家标准》和《高等学校工程管理本科指导性专业规范》也相继发布,必将极大地推进工程管理等专业改革和建设的规范化。在本次修订中,考虑了上述种种标准和规范对工程经济学课程的基本要求。工程类专业建议完成前9章内容的学习(第6章、第8章简介),建议32学时左右;管理类专业建议完成本书全部内容的学习,建议48学时左右。

本次修订维持了大家认可的原有架构。从教学的角度对一些重要理论,比如时间价值理论等进行了更加准确、充分的描述;对一些学习中易出错的知识点,比如资金运动和借贷活动交织,进行了更清晰的解释;对一些易混淆的知识,比如财务评价现金流与国民经济评价现金流的识别,进行了具体的对比;还加入了一些例题和思考练习,目的在于对读者进行拓展思考训练,诸如此类。没有改变原有构造,只是进行了结构"补强"。

本次修订是在第1版基础上由原编者完成的。由郭献芳提出并最终确定全书章节内容设计安排,并负责全书总纂。具体分工为:郭献芳编写第1、2、3、4、5、7章和第13章13.6节;李春晓编写第9、10、11章;刘雷编写第8、14章;李海波编写第12章;刘孔玲编写第6章;刘雷和李伟娜编写第13章13.1~13.5节。全书由张金锁主审。尽管付出了艰辛,也抱有追求卓越的良好愿望,但受编写水平和时间所限,还是难免存在谬误,恳请大家批评指正。

编　者

第1版前言

"十五"期间我曾主持编写了一本《工程经济学》教材。此后浙江大学、北京理工大学、华中科技大学等知名高校同仁鼓舞和激励我在"十一五"期间根据《建设项目经济评价方法与参数》(第3版)和教学中的一些新感受、新体会编著了《工程经济分析》一书。今年,我国社会经济的历史进程已步入"十二五",恰逢国家开始实施"卓越工程师教育培养计划",由此搅动了我多年来为适应应用型人才培养编写《工程经济学》教材的思绪。

从我的第一本《工程经济学》到现在虽不过七年多,但在我国工程经济发展的历史上,却是一段极不平凡的时期。在此期间,京广高铁、京沪高铁等一大批巨型项目开始实施和运营,对工程经济学的学科发展产生了巨大的推动作用。

尽管不断致力于工程经济学的推广,并潜心思考应用型工程经济学教学模式与途径、教学手段与方法,梳理应用型工程经济学的知识架构和体系,但相比工程经济学学科繁荣发展的现状,仍觉原有教材存在缺憾、不足甚至谬误。自认为不能谬以千里,也是下决心编写本书的初衷。

本书由常州工学院郭献芳任主编,河北建筑工程学院李春晓、河南城建学院刘雷任副主编。全书由郭献芳提出并最终确定编写大纲,设计安排具体的章节内容,逐章逐节地对初稿内容进行校阅、删改,并负责全书总纂。具体的编写分工为:郭献芳编写第一、二、三、四、五、七章和第十三章第六节;李春晓编写第九、十、十一章;刘雷编写第八、十四章;河北建筑工程学院李海波编写第十二章;湖南工程学院刘孔玲编写第六章;刘雷和吉林建筑工程学院李伟娜编写第十三章第一~五节。

本书按照"卓越工程师教育培养计划"的精神编写,突出基本理论与方法在建设项目经济评价中的运用,着力在"应用型"上下功夫。为帮助学生学习,在绪论中提示了全书的知识架构及其逻辑关系,在每章章前提示了各章的"内容提要"和"关键词",并按照知识体系、主要知识点和初学者容易出现的偏误,编写了相应的"学习指导"。限于编者的水平、认识,恐初衷难以实现,书中难免存在谬误之处,恳望前辈、同行、读者不吝赐教。

本书邀请河北工业大学张金锁教授担任主审。他以渊博的学识和严谨的治学作风给编者以宝贵的教诲与启示,对本书的初稿提出了具体的修改意见,促进了本书编写水平的提升。在此,对张教授以学界前辈对后生的精心指导致以衷心的感谢。

郭献芳

数字资源（重点授课视频）目录

资源名称	章 节	二 维 码	资源名称	章 节	二 维 码
工程经济学的概念	1.1.2 节		流动资金	3.1.3 节	
工程经济学学习目标及策略	1.1.2 节		成本	3.3.1 节	
经济效益理论	1.2.2 节		利息的处理规则	3.3.2 节	
资金时间价值理论	2.1 节		指标体系	4.1 节	
资金时间价值计量	2.1.4 节		内部收益率	4.4.1 节	
现金流量	2.2.1 节		息税前利润与利润	4.4.3 节	
投资与建设投资	3.1.1 节		偿债能力指标选用	4.4.6 节	

（续）

资源名称	章　节	二　维　码	资源名称	章　节	二　维　码
内部收益率法比选互斥方案	5.2.2节		不确定性与风险评价概述	9.1节	
资金结构优化	6.5.3节		盈亏平衡分析	9.2节	
建设项目财务评价概述	7.1.1节		改扩建项目现金流识别	11.2.1节	
建设项目国民经济评价的提出	8.1.1节		改扩建项目经济评价	11.2.3节	
建设项目国民经济评价界限	8.2.3节		价值工程及特征	13.1.4节	
建设项目国民经济评价价格	8.3.2节		价值工程的逻辑	13.1.6节	

目 录

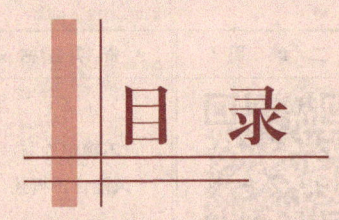

第3版前言
第2版前言
第1版前言
数字资源（重点授课视频）目录

第1章　绪论　/　1
1.1　基本概念　/　3
1.2　工程经济分析的主要方法和基本原则　/　7
1.3　建设项目及其经济评价　/　13
练习题　/　15

第2章　资金的时间价值与现金流量　/　16
2.1　资金时间价值概述　/　17
2.2　现金流量　/　21
2.3　资金的等值计算　/　24
练习题　/　32

第3章　建设项目评价的基本经济要素　/　33
3.1　投资　/　35
3.2　折旧　/　44
3.3　成本　/　47
3.4　税收及税金　/　52
3.5　营业收入和利润　/　56
练习题　/　59

第4章　建设项目的经济性评价指标体系　/　60
4.1　概述　/　61
4.2　时间型指标　/　62
4.3　价值型指标　/　65
4.4　效率型指标　/　69
练习题　/　77

第 5 章 多方案的经济性比较和选择 / 78

5.1 技术方案的相互关系 / 79
5.2 互斥方案的经济性比较和选择 / 80
5.3 资金约束条件下相关方案的经济性比较与选择 / 89
5.4 收益相同（或未知）方案的经济性比较与选择 / 94
练习题 / 96

第 6 章 建设项目融资 / 98

6.1 融资主体 / 99
6.2 资金来源渠道和筹集方式 / 101
6.3 新型项目融资模式 / 105
6.4 资金成本 / 111
6.5 资金结构与筹资优化 / 119
练习题 / 123

第 7 章 建设项目的财务评价 / 125

7.1 融资前财务评价 / 126
7.2 融资后财务评价 / 128
7.3 财务评价的基本报表 / 131
7.4 新建项目财务评价案例 / 137
练习题 / 151

第 8 章 建设项目的国民经济评价 / 153

8.1 概述 / 154
8.2 费用与效益的识别 / 157
8.3 国民经济评价中的价格 / 160
8.4 国民经济评价的步骤及评价指标 / 164
练习题 / 170

第 9 章 不确定性分析与风险分析 / 171

9.1 不确定性分析概述 / 173
9.2 盈亏平衡分析 / 174
9.3 敏感性分析 / 177
9.4 风险分析 / 181
练习题 / 192

第 10 章 可行性研究 / 194

10.1 建设项目寿命周期与可行性研究基础知识 / 195
10.2 可行性研究的主要内容和可行性研究报告编制框架 / 199
10.3 可行性研究与项目评审 / 202
练习题 / 209

第 11 章 改扩建项目的经济评价 / 210

11.1 改扩建项目概述 / 211
11.2 改扩建项目经济评价的主要内容 / 212
练习题 / 219

第 12 章 设备更新的经济评价 / 221

12.1 概述 / 222
12.2 设备大修理的经济性分析 / 225
12.3 设备更新决策 / 227
练习题 / 230

第 13 章 价值工程与价值管理 / 231

13.1 概述 / 233
13.2 对象选择与信息收集 / 237
13.3 功能分析 / 240
13.4 功能评价 / 243
13.5 方案创新与实施 / 246
13.6 建设项目价值管理 / 251
练习题 / 254

第 14 章 项目后评价 / 256

14.1 项目后评价概述 / 256
14.2 项目后评价的程序、内容和方法 / 258

附录 / 266

附录 A 复利系数表 / 266
附录 B F 分布临界值表 / 282
附录 C t 分布临界值表 / 283

参考文献 / 284

第 1 章 绪 论

【内容提要】

(1) 工程经济学知识体系基本逻辑架构。
(2) 工程经济学的逻辑起点、客体和课程目的。
(3) 工程经济学与技术经济学的关系。
(4) 经济效益的内涵。
(5) 工程经济分析的基本原则。
(6) 建设项目经济评价的意义。

【关键词】

工程；建设项目；经济；工程-经济系统；工程经济学；技术经济学；经济效益；建设项目经济评价

【学习指导】

人们遇见的难事中"选择"算是比较重要的一个。比如，高考分数出来了，考生或家长就会在学校的选择上纠结。选高了怕考不上——风险，选低了怕吃亏——收益。所以，选择的实质就是在收益和风险间做权衡。

在工程领域也面临这样的问题。如何帮助投资者或经营者科学决策呢？这就出现了一门学科，叫"工程经济学"。工程经济学就是帮助人们进行经济决策（选择）的学科。

比如，地产商在面临某地块使用权出让公告时，在进行拿地不拿地、什么情况下可以拿地等选择时，就需要得到如下问题的咨询意见：地块开发后的效益状况如何？获得这个收益潜在的风险多大？

而对于咨询工程师（投资），要给出上述问题的咨询意见，就需要思考以下问题：

1) 如何度量收益？如何评价风险？
2) 项目的总投资需要多少？其中，建设投资是多少？流动资产是多少？
3) 项目的成本多高？涉及哪些税种？
4) 项目的运营状况如何？投资收益率多高？
5) 项目合理的融资结构是怎样的？怎样合理安排资金使用计划？
6) 项目的不确定性和风险性因素有哪些？这些因素对项目的影响有多大？

地产商的需求以及咨询工程师（投资）需要回答的问题就构成了工程经济学的任务和

责任。也就是说,"工程经济学"课程的教学目的就是要回答好"项目的效益状况如何?获得这个收益潜在的风险多大?",进而为经济决策提供依据。

学好"工程经济学"这门课程,需要在学真、真学四个字上下功夫。学真就是要走出书本、在真的工程场景下学习。以学真的态度学习,就能深刻悟到解决实际工程问题的理论和方法。真学就要在理论的指导下按照工程的现实要求,围绕"项目的效益状况如何?获得这个收益潜在的风险多大?"等思考,把上述咨询工程师(投资)的那些问题在理论层面一一解决、在实践层面一一落实(绝对不能死记硬背概念)。

本书推荐使用"基于项目和团队合作学习"(Project Based Learning+Team Based Learning, PBTL)、"基于项目的学习"(Project Based Learning, PBL)等教学组织模式开展实际教学。

一方面,通过投资建设形成的工程为经济发展搭建了一个平台。人们借助这个平台,开展生产经营活动,为积累经济财富而努力。另一方面,经济状况又制约着工程的规模、强度。这是工程与经济的辩证关系,它是工程经济学的逻辑起点。

工程与经济辩证统一,共同形成不能分割的有机整体——工程-经济系统。它是工程经济学的研究客体。

工程受制于经济,又促进经济的增长。人们在强烈的经济追求的愿望下,无疑要对工程方案进行合理的评价、选择和优化,这是工程经济学的目的。

经济效益是工程方案评价、选择和优化(或称之为工程经济分析、建设项目评价——运用工程经济学基本原理和方法,对建设项目的经济性予以分析、评价和判断)的核心原则。从项目产出的有用性、产出投入比例关系、全面投入的视角审查项目的经济效益状况,是项目决策最应参考的依据。

项目建设和实施除了应关注现实经济利益之外,还应以更加宽阔的视野关注长远的和环境、生态等社会利益。所以,工程经济分析要坚持可持续、资源合理配置与有效使用等原则。

为经济运行和财富积累而进行的工程建设,占用和耗费大量的社会资源,包括经济资源、劳动资源、生态环境资源等,并将具有长期效应。因此在建设之初就有必要对其建设和未来运行状况进行多方面的影响性评价,把评价环节作为建设程序的重要一环,把评价结论作为决策的重要依据。工程经济分析作为项目评价的重要方面,在项目建设中应发挥重要的"把关"作用。

工程经济学知识体系基本逻辑架构如图 1-1 所示。

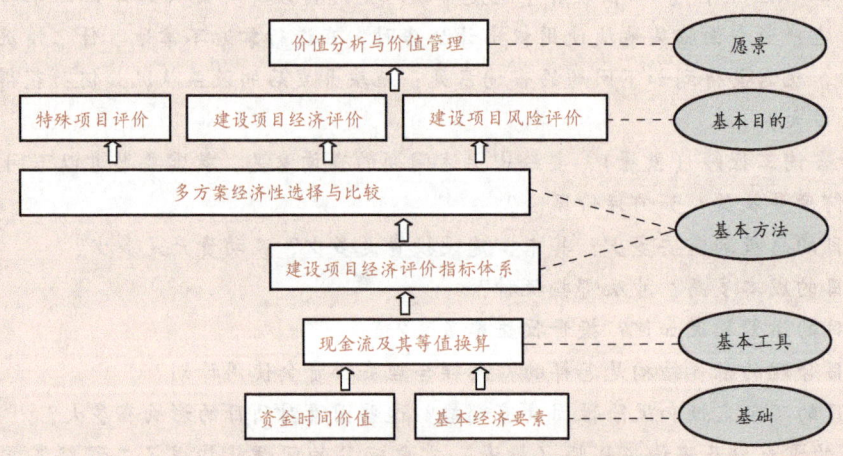

图 1-1　工程经济学知识体系基本逻辑架构

1.1 基本概念

1.1.1 工程与经济

1. 工程

辞典中对工程的解释是"用较大而复杂的设备进行的工作"。人们使用"较大而复杂的设备"是为了满足自身的物质利益需求而对客观世界进行改造,使之为我所用或合我所用——这是工程的目的;人们为满足自身需求而驾驭和利用"较大而复杂的设备",需要凭借科学和技术,在科学思想的指导下,应用现代技术的规程、工艺和方法实现——这是工程的手段;工程是一项复杂的活动,非人类的本能所能及——这是工程的复杂性。所以,工程是指人们在科学思想指导下,利用现代技术改造客观世界的较为复杂的人类组织活动。工程是科学技术的实践和使用过程,是科学思想和理论在改造客观世界中的表现。工程立足于科学技术之上,科学技术因工程而充分表现。科学技术是工程的基础和前提条件,工程是科学技术的具体使用和现实结果。

与工程概念紧密相关的是科学、技术。科学是指人类通过探索而发现和认识的自然及社会的发展规律。科学的本质是人们对自然和社会变化发展客观规律的认知,所以科学属于"认识世界"范畴。人们把对客观规律的这种"认知"以一定的形式表现出来,这就是科学理论体系。

技术是基于科学理论的指导而发展成的改造自然及管理社会的技能、方法、程序、规则等及其物质载体。科学是技术存在的前提,技术是科学的具体化和应用。技术的本质是使用一定的方式、方法对世界进行改造,它属于"改造世界"范畴。技术通常以物质形态、经验形态、信息形态和管理形态表现出来。物质形态有机器设备及其系统、生产线等;经验形态有人们的劳动技能、操作技巧等;信息形态有以各种有形载体表现的规则、规程、标准等;管理形态有管理者在履行职责时体现出的管理理念、管理方略、管理艺术等。因此这是一个广义技术的概念,是在狭义的"改造客观世界中使用和表现出的机器设备、规则、技能等"概念的基础上,向社会领域延伸的结果。以此可以更深刻地理解"科学技术是第一生产力"这一重要思想的深刻内涵。

2. 经济

经济有多种含义,在我国古代有经邦济民、经国济世或经世济民等意,如"识局经济"(《晋书·纪瞻》)、"皆有经济之道而位不逢"(隋朝思想家王通的《文中子中说》),包括国家如何理财,如何管理各种经济活动。古希腊色诺芬说,经济就是家庭管理(《经济论》);亚里士多德称,经济就是一种谋生术,是取得生活所必要的并且对家庭和国家有用的具有使用价值的物品(《政治学》)。俄罗斯经济学家认为,经济就是遵循一定的经济原则,在任何情况下力求以最小的耗费取得最大效益的一切活动;巴拉诺夫斯基说,经济就是人类以外部自然界为对象,为了创造满足其需要所必需的物质环境而不是追求享受所采取的行为的总和(《政治经济学原理》)。西方经济学这样解释经济的概念:经济就是人类和社会如何选择使用自然界和前辈所提供的稀缺资源;经济是指利用稀缺的资源生产有价值的商品并将它们分配给不同的个人;经济是指把稀缺资源配置到各种不同的和相互竞争的需要上,并使它们得到最大满足；等等。传统政治经济学认为经济是指社会生产关系的总和，是人们在物质资料生产过程中结成的、与一定的社会生产力相适应的生产关系的总和；经济是指社会物质资料的生产和再生产过程，包括物质资料的直接生产过程以及由它决定的交换、分配和消费过程；经济也是指一个国家国民经济的总称，包括一个国家全部物质资料生产部门及其活动和部分非物质资料生产部门及其活动。

在工程经济学中，经济的上述含义均有所体现。而表现比较鲜明的是如下两种含义：①经济是物质资料的获取活动。如在工程和经济的关系上，"以工程为手段，以经济为目的"主要指的就是这种含义。②经济是在资源稀缺情况下的一种选择。如经济效益、工程方案优化选择等中都具有这种含义。

3. 工程与经济的关系

人类从事工程这种"需要较大而复杂的设备进行的""复杂的人类组织活动"，其目的就是满足物质利益需求。从这个意义上说，工程是实现人们理想的手段，经济是人们所追求、所期待的目标，它们是手段和目的的逻辑关系。人们发挥自身的聪明才智，把科学技术积极应用到建设实践中来，使这个平台更加坚实，但这仅仅是手段的先进，还远远不够；还要看它是否有利于社会再生产，是否能带来经济发展，这才是目的。两者结合起来，就是工程的有效性，即技术的先进性和经济的合理性。技术是工程的前提，经济是工程的目的。从事或准备从事工程实践的人，必须要有这样的认识。

人们追求经济不断发展，生活更加富庶幸福的美好愿望。工程活动的良好开展是经济发展的逻辑基础，工程活动是经济建设的舞台。工程建设为经济发展提供了更加丰富、更加先进、更加合理的条件。没有工程活动，没有科学技术的实践活动，就没有社会再生产，又如何有"物质丰富，生活幸福"的经济效果呢？归根到底，科学技术及作为其表现形式的工程是支撑经济发展的永恒动力，以其先进的生产力为经济的"又好又快"发展提供坚实的平台。

反过来，经济状况又制约和刺激着工程建设、技术进步。一方面，工程活动需要物质资料的投入作为保障，工程建设建立在良好的经济支撑基础上。所以一个时期的经济状况影响着工程建设的范围、规模和强度，经济成了制约工程建设和技术进步的因素。另一方面，人们对于经济现状的永不满足，又成了刺激和拉动工程建设和技术进步的动力。正是由于人们不断地追求，才不断产生了新技术、新工程。

4. "工程-经济系统"及其与社会环境的关系

投资、工程与经济是"工程-经济系统"的三要素（图1-2）。用投资促进工程建设，为经济发展搭建平台，进而促进经济的发展。经济发展积累的盈余资金为再投资提供了保障，并刺激投资欲望，这就是"工程-经济系统"的运行规律。所以，"工程-经济系统"承载着人们追求更美好生活的理想。人们要审视这个系统，力求这个系统的最优，并在这种思想和原则的指导下，选择有效地实现经济目的的工程平台，并评价其合理性。

而站在更广的视野角度上，"工程-经济系统"只不过是社会环境的一个组成部分。因此，在通过"工程-经济系统"到达美好理想的过程中，又必须注意这个系统和社会环境的协调性。失去了与社会环境的和谐融洽，即在追求经济利益的同时，忽视了对资源、生态环境和社会的影响，特别是对其危害，又如何获得更富庶和幸福的生活呢？因此，人们对"工程-经济系统"审视、评价和选择时，除了要立足系统本身考量其实施和运营对投资者的"私人"影响和贡献之外,还有必要跳出系统本身的小圈子,站在更大的社会系统的角度,关注"工程-经济系统"的可持续性、可协调性、可补偿性,考量项目的建设和运营对大环境和公共利益的影响与贡献。"工程-经济系统"与社会环境的关系如图 1-3 所示。

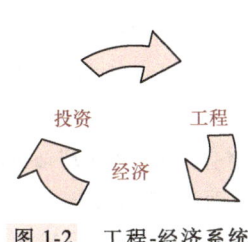

图 1-2 工程-经济系统

图 1-3 "工程-经济系统"与社会环境的关系

1.1.2 工程经济学概述

1. 工程经济学的概念

工程经济学是研究工程与经济相结合的发展规律的学科,它以工程-经济系统为客体,以实现工程中资源的合理配置和有效使用,提高工程有效性为目的。工程经济学是工程科学与经济科学的交叉学科。

工程经济学以工程与经济的关系为逻辑起点,以工程-经济系统为客体,致力于"工程的有效性"。鉴于工程与经济辩证统一的关系,人们在极力试图把作为经济平台的工程最大化时,而限于经济条件的制约作用,不得不在工程的建设方向、建设规模、建设强度等方面做出选择和优化。应当指出,这种选择既是站在技术的角度,审视建设项目技术的先进性和可实施性,更是站在经济的角度,审视项目建设的经济投入与经济回报。"有效性"的内涵包括:有效果——建设项目有助于出资人价值政策目标的实现;有效率——合理的投入产出关系。这正是工程经济学的基本使命。

工程经济学
的概念

工程经济学
学习目标及策略

2. 工程经济学的客体

工程经济学的客体即工程经济学的研究对象,是构成经济学学科独立存在的首要问题,没有明确的研究领域和具体的研究对象,以及实现自身任务的理论和方法体系,就不能作为一个独立学科存在。工程经济学的研究领域是工程与经济相结合的发展规律,既有工程学的规律问题,又有经济学的规律问题,更注重两者结合的规律问题。工程经济学的客体是工程-经济系统,具体地说,是工程的经济评价问题和经济对工程的影响问题。前者侧重于从微观方面进行研究,探讨有利于实现"工程中资源的合理配置和有效使用,提高工程有效性"目的的经济评价理论体系、方法体系和指标体系,也称为工程经济分析。后者可从宏观和微观两个层面进行研究,探讨工程建设和经济发展的相互影响及协调发展,寻求两者的最佳结合点。本书主要介绍前者。

工程-经济系统的基本载体是建设项目,所以工程经济分析的主要对象是建设项目,即需要投入一定社会资源来规划、设计、建设、运营的具有一定使用功能、有相应产出回报的技术方案。它可以是一个能独立运行的整体，如一个工厂；也可以是整体当中的一部分，如工厂的一个新产品方案，甚至于生产线上的一台设备。所以，建设项目在工程经济学中是一个应广义理解的概念。

3. 工程经济学的产生和发展

工程经济学源于1887年亚瑟·M. 惠灵顿（Arthur M. Wellington）的著作《铁路布局中的经济理论》(*The Economic Theory of Rail Location*)。他首次将成本分析方法应用于铁路的最佳长度和曲率选择上，开创了工程领域的经济评价工作的先河。他将工程经济学描述为"少花钱多办事的艺术"。

20世纪20年代，戈尔德曼（O. B. Goldman）在他的《财务工程学》(*Financial Engineering*)中，提出了决定相对价值的复利程序，并说："有一种奇怪而遗憾的现象，就是许多作者在他们的工程学著作中，没有或很少考虑成本问题。实际上，工程师的最基本责任是分析成本，以达到真正的经济性，即赢得最大可能数量的货币，获得最佳财务效率。"

1930年，格兰特（E. L. Grant）在其《工程经济原理》(*Principles of Engineering Economy*)一书中指出了古典工程经济的局限性。他以复利计算为基础，讨论了判别因子和短期投资评价的重要性，以及资本长期投资的一般比较。他的许多观点得到了社会承认，为工程经济学的发展做出了突出贡献。因此，他被西方尊称为"工程经济分析之父"。

1982年，工程经济学家里格斯（J. L. Riggs）教授出版了《工程经济学》(*Engineering Economics*)一书，使工程经济学的学科体系更加完整与充实，这本书从而成了国外许多高等学校的教材，使得工程经济学发展到了一个新高度。

我国是在20世纪70年代开始工程经济研究的，所以，工程经济学在我国还属于新兴学科。尽管时间较短，但工程经济学的理论研究和实际应用出现了两旺的局面。目前有一批从事工程科学领域研究的学者投身到了工程经济的研究领域，全国高校的绝大多数工程类专业也都开设了"工程经济学"课程，这些都是不断丰富和发展这个学科的可喜现象。

在现代社会，随着科学技术的快速发展和经济社会的长足进步，大型乃至巨型项目，诸如我国的三峡工程、京沪高速铁路等，逾越了已往技术和经济的障碍，变成现实。这样一些大型乃至巨型项目，不单单表现为投资巨大、建设和使用周期长久，更表现为其系统的复杂性以及对区域乃至整个社会、经济系统影响的久远性和巨大性。同样，现代社会系统中的战略利益格局也在不断发生变化和调整。例如，传统市场的零和竞争已为现代市场的双赢博弈所替代，在新的市场利益格局中，更加注重买卖互利、供需双赢。因此，国产的经济性不仅体现在生产-营销系统中，关注生产成本的优化，而更体现在生产-营销-使用系统中，关注全寿命周期成本的优化。这样一些新的课题，为工程经济学的学科发展提供了新的舞台，也使工程经济学的独特作用表现得更加突出。

1.1.3 工程经济学与技术经济学

工程经济学与技术经济学的关系可以从两方面观察。

1. 一般理论与具体应用的关系——基于我国的学科分类

在我国学科分类国家标准《学科分类与代码》（GB/T 13745—2009）中，经济学学科门类下，技术经济学为一级学科，工程经济学为技术经济学科下的二级学科：

```
790 经济学
    79041 技术经济学
        7904110 工程经济学
        7904115 工业技术经济学
        7904120 农业技术经济学
            ⋮
```

因此可以说，技术经济学与工程经济学是一般理论与具体领域应用的关系。

2. 具有相似性的姊妹学科——基于国内外学科的发展和内涵

我国技术经济学学科创始人之一的傅家骥教授在《技术经济学前沿问题》中写道："技术经济学是20世纪60年代，一批50年代留学苏联的工程经济专家与50年代前留学英美的工程经济专家在中国创立的。前者在外学习的主要是技术经济评价和设备管理，后者在外学习的主要是项目的财务分析，因此，技术经济学学科创立之初，主要研究的是'项目和技术活动中的经济分析'。"可见，技术经济学的创建乃至以后在我国的发展，都与国外的工程经济学有着千丝万缕的联系，并且就其内涵来讲，两者有着诸多相同或相似之处，可以称为姊妹学科。

1.2 工程经济分析的主要方法和基本原则

1.2.1 工程经济分析的主要方法

工程经济分析的主要问题是在追求工程有效性目标的引导下，进行建设方案的经济性比较和优选方法论研究。其主要方法有以下几种：

1. 费用效益分析法

费用效益分析法是工程经济分析的基本方法，是通过对项目经济活动的得失、优劣进行评价和比较以为合理决策提供依据的一种经济数量分析方法。通过项目的投入（即费用）和产出（即效益）的对比分析，定量考察工程项目的费用、效益状况，研究建设项目的经济性。

费用效益分析还被当作一种特殊形式的经济系统分析。因为它所比较的费用与效益都是作为与该经济活动的目标相关的后果而从社会的观点来考虑的，分析本身也是为了提供建议和帮助决策。

费用效益分析是从20世纪50年代中期出现的费用效果分析发展而来的。它的兴起，从经济实践看，与公共投资的增加、公共事业的发展分不开；从理论渊源看，与经济理论（福利经济学与资源有效分配理论）、工程经济学、运筹学的发展相联系。费用效果分析只适用于性质相同或目标相同的活动的经济选择问题，而费用效益分析不仅能表明每个项目或方案是否值得执行，而且还能计算与比较几种不同性质的活动相应的效益与费用的差额。这是更有力的决策工具。它对决策的作用不单纯地表现在分析的结论上，更表现在分析过程中所提供的有用信息和反映出来的详细内容上。

费用效益分析着重于费用与效益两方面的分别计量与相互比较。但它与财务会计核算不同，它不仅从项目（企业）观点，而且还从社会观点来计量；不仅分析直接效益与费用，而且还分析包括间接效益与费用在内的全部效益与费用。

在费用和效益的识别与度量上，费用的确定应与稀缺资源的有效配置与合理使用相符合，效益的计量应与项目政策发展目标相符合。具体说来，一个项目的费用除包括支撑项目实施和运营的投资费用和经营费用等直接费用外，还包括为充分发挥该项目效益其他项目付出的代价等辅助费用以及项目所造成的生态破坏、环境污染等相关费用；同样，一个项目的效益除了包括其直接提供的产品或服务的价值的直接效益之外，还包括项目外其他主体获得的相关收益等派生效益以及增加就业、技术扩散、生活质量提高、美化环境等相关效益。

费用效益分析为评价一个或几个方案提供了能全面处理多种因素的逻辑结构，可为有效决策提供经过处理的大量有用信息。它是一种"次优"方法（Second Best Method），不同于最优分析，也就是不研究经济中为使最优状态得以存在的条件，而只是比较两种或有限几种方案，从中得出相对较优的结论，而所有方案本身不一定就是最优的，只是对既有方案进行评价并在其中进行选择，这是费用效益分析的局限性。

2. 费用效果分析法

费用效果分析也称成本效果分析、成本效用分析等，有广义和狭义之分。广义的费用效果分析泛指通过比较所达到的效果与所付出的耗费，用以分析判断所付出的代价是否值得。广义的费用效果分析并不刻意强调采用何种计量方式。狭义的费用效果分析专指耗费采用货币计量，效果采用非货币计量的分析方法。而效果和耗费均用货币计量的称为费用效益分析。工程经济分析中一般采用狭义的概念。

一般情况下，需要进行费用效果分析的项目，在充分论证项目必要性的前提下，重点要制定实现项目目标的途径和方案，并根据以尽可能少的费用获得尽可能大的效果（亦即经济）的原则，通过多方案比选，提供优先选定方案或进行方案优先次序排队，以供决策。正常情况下，进入方案比选阶段，不再对项目的可行性提出质疑。费用效果分析只能比较方案的相对优劣，而不能像费用效益分析那样通过费用和效益的分别计算和比较保证所选方案的效果大于费用。因此这种分析方法更加强调充分挖掘方案的重要性。

费用效益分析和费用效果分析各有其优缺点和使用领域。费用效益分析的优点是简洁、明了，结果透明，易于被人们接受。在市场经济条件下，货币是最为统一和认可的参照物，在不同产出物（效果）的叠加计算中，各种产出物的价格往往是市场认可的公平权重。项目的财务盈利能力、偿债能力分析和评价必须采用费用效益分析。在项目工程经济分析中，当项目效果或其中主要部分易于货币化时，也采用费用效益分析。费用效果分析回避了效果定价的难题，直接用非货币化的效果指标与费用进行比较，方法相对简单，最适用于效果难于货币化的领域。在项目经济费用效益分析中，当涉及代内公平（发达程度不同的地区、不同收入阶层等）和代际公平（当代人福利和未来人福利）等问题时，对效益的价值判断将十分复杂和困难。环境的价值、生态的价值、生命和健康的价值、人类自然和文化遗产的价值，以及通过义务教育促进人的全面发展的价值等，往往很难定价，而且不同的测算方法可能有数十倍的差距。勉强定价，往往引起争议，降低评价的可信度。另外，在可行性研究的不同技术经济环节，如场址选择、工艺比较、设备选型、总图设计、环境保护、安全措施等，无论进行财务分析，还是进行经济分析，都很难直接与项目最终的货币效益直接挂钩测算。这些情况下，都适宜采用费用效果分析。

3. 预测方法

工程经济分析主要是针对拟建项目进行的，要科学地把握项目的未来运行情况，描述项目建设和运营中自身的投资、经营成本、营业收入、运营年限、资产回收、税金及利息等经济要素，以及项目建设和运营对相关主体、社会经济与环境等方面产生的有利和不利的影响，度量项目的费用和效益或效果，从而准确地对方案做出评价，用科学预测来揭示事物的发展规律及具体发展规模、发展水平，为其他具体评价方法的使用提供未来项目信息支持。

预测方法的选择、预测基础信息的获取和选用、预测模型的选用等直接影响着预测的精度，进而影响工程经济分析的结论。所以在进行项目工程经济分析时，应把握事物是联系的、发展的观点，在占有大量项目相关信息的基础上，科学选用预测方法，力求获取准确的数据。当然，事物的发展受着诸多因素的影响和制约，其发展轨迹不可能为人类所精确模拟，因此，工程经济分析所选用的资料具有客观的不确定性。

4. 价值工程方法

价值工程是工程经济分析的专门方法。价值工程在剖析功能（效用）和成本的基础上，研究功能（效用）和成本两者的对比关系——价值，并自始至终追踪影响价值的功能，通过对价值工程对象的功能定义、功能分析、功能评价，全面、系统地认识研究对象的功能结构及其内在关系，从而找到完善功能设计、降低费用和提高研究对象价值的途径。

5. 系统分析法

项目的规划、设计、建设和运行是复杂的系统工程，既涉及项目内部的人、财、物资源配置，也涉及项目与所处技术、经济和社会环境的融合，即使项目系统自身，其建设和运营状况也受融资、决策、生产、质量、营销等子系统的影响。其外在表现状况也反映在多个方面，既有技术的、经济的，也有环境的、社会的等，因此对建设项目的考察不能局限在一方面或几个方面，要做全面综合评价，进行系统分析。

项目评价和选择是一个多目标决策的过程，项目投资主体和项目实施人有着多样性的决策发展目标，这也决定了必须对项目进行系统的、综合的评价和分析。

1.2.2 工程经济分析的基本原则

1. 经济效益原则

经济效益是全部经济活动的中心，是工程经济分析的核心和基本依据。所谓经济效益，是指有用的产出与投入的对比关系。经济效益的概念首先强调产出的有用性，即项目实施所带来的产品、服务及其他产出（广义的产品）是有利于市场、有利于经济、有利于社会的，是对繁荣市场、发展经济和推进社会文明进步有贡献的。这是经济效益质的规定性，是进行项目评价不容有丝毫偏差和懈怠的地方。其次强调产出与投入的对比关系，即以较少的社会资源投入，获取较多的社会产品的回报。这是经济效益量的规定性。最后，经济效益概念中的投入，不仅包括消耗的社会资源，还包括项目实施所占用的社会资源，是一个全面的概念。在经济学的意义上，由于资源的稀缺性，必须格外关注每一次、每一份资源的配置，应力求使稀缺的资源发挥最大的效用。因而全面投入的概念能更准确地反映项目的经济性。

经济效益理论

经济效益是一个比较的概念，是在产出有用性的前提下，比较产出和投入的数量关系。

这种比较既可以是绝对量的比较，也可以是相对量的比较。前者如以产出和投入的绝对差值（净效益）来衡量项目经济效益状况，后者如用产出和投入的比值（效益费用比）、净效益和投入的比值（净效益费用比）来度量经济效益。需要指出的是，尽管经济效益可以有多种表示方式，但不同方式所表达或揭示的内涵不尽相同。净效益反映了项目的总量经济状况，用其作为方案经济可行性或优劣的判断依据，符合投资者的一般经济追求。而效益费用比和净效益费用比则是从资源效率方面反映项目经济状况的，用其作为方案经济可行性的判断依据毋庸置疑，但直接用于评判方案优劣时，则需要根据不同的情形区别对待。

经济效益可依据不同的标准进行分类。

(1) 有形效益与无形效益

有形效益是指由建设项目的产出产生的可以用货币量化的效益，即能用实物度量、有价格标准的项目产出，如营业收入、资产回收等；无形效益是指不能用货币量化的建设项目的产出（效益），如就业影响效果、技术扩散效果等。

(2) 直接效益与间接效益

直接效益是指由建设项目的产出产生的计入项目范围内的效益，包括项目增加国内产出满足需求产生的效益、增加出口或减少进口带来的外汇收入增加或支出减少的效益、替代国内效益低的项目带来的资源投入减少的效益等；间接效益（或相关效益）是指由建设项目的产出产生的体现在项目范围之外的效益。与直接效益和间接效益相对应，还有直接费用和间接费用。直接费用是指由项目投入形成并在项目范围内计算的费用，包括增加项目投入消耗的资源费用、增加进口或减少出口带来的外汇支出增加或收入减少、挤占国内既有项目带来的收益损失等；间接费用是指项目使用投入物所形成的未计入项目范围的费用。因为间接效益和间接费用发生在项目之外，所以统称为项目的外部效果。例如节能汽车项目，由于汽车的节能性而增加的国内外产销量、增加的销售收入即为项目的直接效益；其他方面如汽车用户、社会系统，由于节能汽车的使用而减少的营运开支、减少的危害气体排放等即为间接效益。

(3) 宏观效益与微观效益

宏观效益是指站在国民经济立场上，以社会资源的合理配置和社会财富的增加为标准计算的效益。显然，有形效益、无形效益、直接效益、间接效益均属于宏观效益；微观效益是指站在项目所有人的立场上，以项目为边界，以所有人权益市场价值最大化为标准计算的效益。

(4) 短期效益与长期效益

短期内可以实现的效益即短期效益，在未来较长时期可以实现的效益是长期效益。

经济效益原则就是坚持把经济效益作为工程经济分析、评价和判断的基本标准、基本依据，就是用经济效益的视角审视建设项目或建设方案的产出与投入，通过产出与投入的对比分析，对建设项目或建设方案的经济效益做出判断，为方案选择或投资决策提供基本依据。

费用效益分析、费用效果分析等方法立足于费用、效益或效果的对比分析，体现了经济效益的基本原则。

2. 可持续发展原则

进行工程经济分析必须立足于可持续发展，这是实践证明必须坚持的一条原则，是人类自身发展的必然。因此，建设项目工程经济分析要立足于人类需求、欲望不断提高，永续追求生活幸福之上，既要关注代内社会产品的生产和分配，更应关注代际的资源占有和利用。

首先，要注意资源的可持续利用。任何项目的实施都有赖于社会经济资源的投入，离开了资源的可持续利用就不可能有可持续发展。所以，在项目分析评价中，应关注资源的合理配置，关注资源的节约、节省，关注资源的循环利用，关注紧缺资源的可替代使用等问题。其次，应注意项目和生态-社会系统的协调和优化。必须把项目置于生态-社会大系统中来考查项目的"有效性"。全面分析论证项目的投入、产出对生态、环境和社会系统的影响，致力于项目和其赖以存在的生态-社会系统的协调。最后，要从长远和全局的角度来分析问题、研究问题，不仅关注眼前的、局部的利益，更应关注未来和全局的利益。

费用效益分析、费用效果分析、价值工程、系统分析等方法立足于分析对象的全寿命周期、全面费用和效益（效果），体现了可持续发展原则。

3. 资源合理配置和有效使用原则

资源合理配置和有效使用，就是力求把社会经济资源配置到最能发挥其最大效益之所在。这是经济效益原则和可持续发展原则的必然要求。一方面是人类自身无限的需求，另一方面是相对于人类无限的需求稀缺的社会资源，破解这道难题，就必须基于"资源稀缺性"的基本经济学命题和可持续发展的要求，务必要通过工程经济分析，科学地、合理地解决工程项目的"资源稀缺性"与人们日益增长的需要之间的矛盾，恰当遴选方案，慎重投资决策，努力实现资源的合理配置和有效使用，使资源的边际收益最大化和系统整体优化。

在投资决策之前，设置必要的建设项目评价环节，通过对不同备选方案的经济效益、社会效益比较，遴选相对优秀的项目作为实施项目，其实质就是坚持资源合理配置和有效使用原则。

科学的建设项目评价指标体系和评价标准是贯彻资源合理配置和有效使用原则的具体表现。

4. 可比性原则

工程经济分析是一个比较和优选的过程，在多方案的评价中，必须建立共同的比较基础，统一计算口径，保证比较和优选的客观与公正。

（1）满足需求可比

各备选方案应满足同样的需求，实现同一经济目标。这样，方案之间才有相互替代性，才存在选择问题。例如，房地产项目与厂房建设项目同是建设项目，但它们之间不具有可比性，因为前者是满足居住需求，后者是满足生产需求。需求的满足是以产品为特征的，需求可比就是要求各方案的产品具有可比性，这就要求产品在一定程度上是同质的；同时各产品要有替代性，这又要求产品之间存在一定的差异。因而满足需求可比的关键是对有差异的产品进行等同化处理，即对各方案的产品在产量、品种、质量、性能等方面的差异因素进行修正和调整。例如，在一个方案内可以主导产品为主，对各相关产品按照某个技术参数进行折算，然后在各个方案之间以主导产品为主进行比较。

（2）满足价格可比

价格是工程经济分析中十分重要的一个参数，它可以综合反映产品的各种信息，如供求、质量、价值等。在市场经济条件下，以市场价格作为计价基础可以满足价格可比原则的要求。但由于目前我国市场经济还不成熟或不完善，有些领域的价格体系还没有理顺，价格作为资源配置的指导信号还有一定的问题，这时如果按照现行价格进行方案的经济评价，可能会虚增或虚减项目运行效益，误导决策。因此有必要时，应以计算价格或理论价格作为市场价格的补充和替代，以避免因价格"失真"对计算结果的影响。

（3）满足时间可比

时间可比包括两个方面。一方面应采用相同的计算期作为比较的基础，如果相互比较方案的寿命周期不相同，则是不能直接进行比较的，可以通过一定的处理，使方案之间的寿命周期变为相等，然后再进行比较。

时间上可比的另一方面是要考虑资金的时间价值问题，方案在不同时间点发生的费用和收益不能直接进行代数运算，必须在时间价值换算后进行比较，才会得出正确结论。

5. "有无项目对比"原则

准确识别和估算项目的效益和费用是正确评价项目的前提。在识别和估算项目的效益和费用时，应遵循"有无项目对比"的原则。分别对"有项目"和"无项目"两种状态下项目的未来运行情况进行预测分析，而后通过对比分析确定项目的效益和费用，保证估算的准确性和可靠度。避免因为忽略"无项目"时状态自身的优化作用，而导致对项目效益估算的"虚增"或费用估算的"虚减"，夸大项目自身的经济效益水平；也要克服因为忽略"无项目"时状态自身的劣化作用，而导致对项目效益估算的"虚减"或费用估算的"虚增"，缩减项目自身的经济效益水平。

6. 定量分析和定性分析相结合以定量分析为主原则

工程经济分析以定量分析为重点，力求把费用效益因素货币量化，以增强评价结论的科学性和说服力。但并不排斥、忽略定性分析，在进行量化计算之前，首先要对问题进行定性描述，以把握问题的全貌，使工程经济分析更全面。同时，对难以量化的因素，也有必要进行定性分析。

7. 静态评价与动态评价相结合以动态评价为主原则

静态评价就是指在不考虑影响项目诸多因素的发展变化的前提下，用一定的指标考察工程项目经济性的方法。动态评价方法是指在考虑影响项目诸多因素的发展变化的前提下，计算分析工程项目经济效益，并对方案实施情况做出评价的方法。在工程经济分析中，影响项目诸多因素的发展变化主要是用"资金的时间价值"这一要素来反映的。静态评价是在其忽略了"资金的时间价值"，忽视了项目存续过程中诸多因素的发展变化的背景下进行的，因而其评价结论是粗略的，通常适用于项目初评。动态评价建立在基本反映项目真实发展变化的基础上，并通过"资金的时间价值"来有效模拟这种变化，所以比较全面地评价了项目的经济效益状况，真实地反映了项目经济效益水平，因而是常用的评价方法。

现金流分析方法就是项目动态评价原则的基本体现。

8. 利益和风险权衡原则

工程经济分析建立在科学统计预测的基础上。尽管在预测和统计方法的选择上，力求完善和科学，但事物发展的不确定性的存在，使得评价本身就存在着客观上的不确定性，潜伏着风险，这些都影响决策的有效性。所以在进行工程经济分析时，不仅要通过确定性评价揭示项目收益、关注项目收益，还要通过不确定性分析和风险分析揭示风险、关注风险，使得投资人在权衡了项目收益和风险后再行决策。项目建设是经济学上的一种投资行为，是投资主体理财的组成部分。在理财规划中，显然不仅要考虑财富的积累，还要考虑财富的保障，即对项目风险的管理和控制。

工程经济分析的基本工具是现金流分析,就是要选择不确定性和风险最小的价值流,并在此基础上揭示项目的经济效益,这无疑是相对稳妥的选择,而这正是利益和风险权衡原则的具体体现。

1.3 建设项目及其经济评价

1.3.1 建设项目及其特点

1. 项目与建设项目

（1）项目

按照 Jack Gido 和 James P. Clements 所著的《成功的项目管理》中的解释：项目是指一系列独特的、复杂的并相互关联的活动,这些活动有着一个明确的目标或目的,必须在特定的时间、预算、资源限定内,依据规范完成。项目参数包括项目范围、质量、成本、时间、资源。项目侧重于过程,它是一个动态的概念。例如,可以把一条高速公路的建设过程视为项目,但不可以把高速公路本身称为项目。那么到底什么活动可以称为项目呢？安排一个演出活动、开发和介绍一种新产品、策划一场婚礼、设计和实施一个计算机程序、进行工厂的现代化改造、主持一次会议等,这些在人们日常生活中经常可以遇到的一些事情都可以称为项目。

（2）建设项目

建设项目是指在一个总体设计范围内,由一个或多个有内在联系的单项工程组成的统一管理、统一核算的建筑工程总体。

建设项目是投资项目的主要类型,是固定资产投资的基本表现形式,通过项目建设实现投资的目的。建设项目是投资行为和建设行为相结合的活动,是投资决策和建设实施的统一。通过建设项目形成社会固定资产,形成社会生产能力,以此来获得投资补偿和回报,并推动和促进社会经济发展。

建设项目通过"建设"来形成新的固定资产。单纯的固定资产购置,如购进商品房屋,购进施工机械,购进车辆、船舶等,虽然新增了固定资产,但一般不能视为建设项目。建设项目包括从预备、筹建、勘察设计、设备购置、建筑安装、试车调试、竣工投产,直到形成新的固定资产的全部工作。

2. 建设项目的特点

（1）明确的目的性

任何建设项目都有明确的建设目的,也就是投资者最主要的投资意图。国家投资的建设项目的目的通常是关注社会公众的福利和国家经济社会安全,企业或自然人投资的建设项目的目的是实现微观盈利最大化。项目的目的性是项目管理和评价的基本依据。

（2）目标的约束性

建设项目目标受着多种因素的约束,既有项目的市场因素、技术进步因素、资金供应因素、宏观经济因素等外部环境约束,又有项目的建设工期、建设质量、产品方案、工艺技术路线、项目管理以及运营管理等内部环境约束。所以,有必要在项目建设前期进行科学、合理的方案设计,也有必要对设计方案进行客观、公正的评价。

(3) 项目的一次性

项目建设在特定的地点上，具有设计的单一性、建设的单件性、建设成果的不可移动性和不可逆性等建设特点，因而建设项目比其他项目有着更高的要求，只能成功不能失败。所以，建设项目比其他项目对评价的要求更为迫切。

(4) 建设的风险性

建设项目建设和实施周期长、涉及部门单位多、投资巨大、建设成果不可移动和不可逆，这些都决定了建设项目的风险性。因而有必要在建设前期对项目运营的不确定因素和风险因素进行分析评价，为提示项目运营风险、提高项目运营可靠性提供依据。

1.3.2 建设项目的实施程序

基本建设程序是指建设项目从酝酿、提出、评价、决策、设计、施工到使用整个过程中，各项具体内容的顺序安排。基本建设程序是基本建设经验的总结，反映着基本建设的内在规律要求。

建设项目按其寿命周期大致可分为三个基本阶段：投资前期、投资时期和生产时期。每个阶段又由诸多按照一定程序连接的具体内容组成。建设项目的实施程序如图1-4所示。

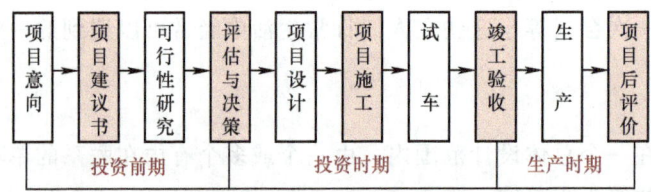

图 1-4　建设项目的实施程序

1.3.3 建设项目的分类

建设项目可以从不同分析角度分类。

(1) 按照项目目标分类

建设项目按照项目目标，可分为经营性项目和非经营性项目。通过投资以实现所有者权益的市场价值最大化为目标的项目是经营性项目，以投资谋利为行为趋向。不以盈利为目标的项目是非经营性项目，包括本身就没有经营活动的项目和产出具有公共产品属性、价格不能通过市场机制形成的项目。

(2) 按照项目产出的属性分类

建设项目按照项目产出的属性，可分为公共产品项目和非公共产品项目。项目的产出直接表现为给社会公众提供基本生活需要的项目是公共产品项目。提供公共产品是政府公共财政的一项职能，以此增加公众社会福利。该类项目不具有盈利性，即使向受益人收费，其价格也要政府干预，不能由市场价格机制形成。相对于"政府部门提供"的公共产品，非公共产品是"私人部门提供的商品"，其厂商要通过投资从购买者那里获取回报。

(3) 按照项目与企业原有资产的关系分类

建设项目按照项目与企业原有资产的关系，可分为新建项目和改建、扩建项目。改建、扩建项目不同程度地利用了原有企业的资源，目的在于要使增量带动存量。

(4) 按照项目融资主体分类

建设项目按照项目的融资主体，可分为新设法人项目和既有法人项目。新设法人项目由新设的项目法人为融资主体，承担融资责任。既有法人项目由现有的企业法人为项目融资，承担融资责任。

1.3.4 建设项目经济评价

建设项目经济评价是指运用工程经济学的基本理论和方法，对拟建项目计算期内的效益和费用要素进行调查、预测、估算、分析和论证，考察建设项目的经济效益状况，判断建设项目经济合理性，为决策提供依据。

建设项目经济评价是项目可行性研究和项目评估中十分重要的内容，是项目投资前期十分重要的一项工作，是科学的基本建设程序的体现。建设项目具有明确的目的和约束条件，又具有一次性、风险性等特征。项目从策划、规划、论证到设计、实施、运营，要占用和耗费大量社会经济资源，并且长期存在，对区域、产业经济产生相应的影响。这些都决定了建设项目必须通过科学评价、缜密论证，而后决策实施。这也正是工程经济分析的基本职责。

建设项目经济评价是在建设项目初步方案设计基础上进行的。通过建设项目经济评价，可以考察不同设计方案各自的未来经济运营状况，以此评价方案设计的经济合理性并对方案优化提出建议；通过项目经济评价，考察不同融资组合、融资方案的经济性，并因此对项目融资组合和融资决策提出建议；通过项目经济评价，可以全面考察项目的财务盈利能力、偿债能力和生存能力，为项目法人和其他相关利益主体的决策提供科学依据；通过项目经济评价，可以考察项目的社会经济资源配置和使用状况及其对社会福利的贡献，为国家有关部门审批（核）项目提供科学依据；通过项目经济评价，还可以考察项目运营的不确定性因素和可能的风险，为项目的可靠运营提供建议。

在市场经济条件下，基于资本的趋利性质，建设项目的投资主体有自发的微观利益最大化要求。在其追求和实现自身利益的同时，可能会对其他微观利益相关主体、社会经济资源和社会环境构成威胁，甚至造成破坏。因而，在建设项目经济评价中，除了追踪微观效益、进行项目微观评价外，还应进行宏观评价，追踪项目的国民经济效益、环境效益和社会效益。

练 习 题

1. 举例说明一个建设项目（比如地产开发项目）的基本建设流程。
2. 举例说明一个建设项目（比如地产开发项目）一般有哪些投入、哪些产出？
3. 一项具体的建设项目其经济效益应从哪些方面来反映？

第 2 章 资金的时间价值与现金流量

【内容提要】

(1) 工程经济分析的基本工具。
(2) 现金流量（CO、CI、NCF、现金）。
(3) 资金时间价值产生的前提、本源及其实现的背景。
(4) 资金的等值换算。

【关键词】

资本运动；时间价值；现金流量；现金流入；现金流出；净现金流；现值；终值；年金；永久年金；等值换算；名义利率；实际利率；应计利息；应付利息；实付利息

【学习指导】

现金流是工程经济分析的基本工具。现金流分析方法是工程经济学中一种独特的方法。

所谓现金流，就是对于一个既定的工程-经济系统——建设项目而言，为使这个系统顺利规划、设计、建设和运营而付出的现金，称为现金流出（Cash Outflow, CO），项目付诸运营后产出的现金称为现金流入（Cash Inflow, CI）。现金流入和现金流出统称为现金流量。CO 和 CI 的识别依据是目标价值政策。

这里的现金是指库存现金、可随时用于支付的存款和具有持有期限短、流动性强、易于变现且价值转换风险小等特征的现金等价物。可见，现金是价值风险最小的一种资产。工程经济学选择现金流作为基本工具，正是基于谨慎原则，目的在于为决策提供较为稳妥的建议。

现金流存在于项目存续的不同时点上。处于社会再生产或资金运动中的现金流因在不同时点上而具有与其"面值"不等的经济价值。这是由社会资金运动的客观规律决定的。所以，正确使用现金流这个工程经济分析的基本工具，就需要深刻理解社会再生产和社会资金运动规律。

社会再生产和社会资金运动周而复始，循环往复，永无休止。在社会再生产和社会资金运动中，资金的增值表观上因时间推移而产生，所以称之为"资金时间价值"。资金时间价值是社会再生产和社会资金运动客观规律的反映，是一种客观存在。其产生的前提是通过"购买"过程，资金由货币资本转换成了生产资本，即具备了劳动和劳动对象结合的条件；其实质是经过"生产"阶段，劳动作用于生产资料创造的新价值；时间价值表现出来是通过销售过程，商品资本转换成了货币资本。

因为现金流在不同时点上而具有与其"面值"不等的经济价值，为了处理处于不同时点的现金流问题，就需要把现金流在不同时点之间转换。这个过程就是资金的等值换算，它是使用现金流这个基本工具必须要解决好的一个基本问题。

2.1 资金时间价值概述

资金时间价值是一种客观存在，是社会再生产和社会资金运动客观规律的反映。因此对于具有时间分布长期性特征的建设项目的评价，引入资金时间价值十分必要。

资金时间价值理论

2.1.1 社会再生产与资金运动

永无休止的社会生产再生产运动是与资金生产再生产运动紧密结合在一起的。可以将资金生产再生产运动依据其职能分解为三个阶段：购买阶段（或建设阶段）、生产阶段和销售阶段。在购买阶段（或建设阶段），厂商用货币资本投资建设项目生产运营所需要的厂房、机器设备等，从而实现了货币资本向生产资本的转换；在生产阶段，劳动作用于劳动对象，创造出商品，生产资本又转换成了商品资本；在销售阶段，劳动所创造的商品经由商家的营销，销售给使用者，厂商的个别劳动变成了社会劳动，商品资本也转换为了货币资本。三个阶段循环往复，周而复始，永无休止。

购买阶段为劳动提供了场所，搭建了劳动作用于劳动对象的平台；在生产阶段劳动作用于劳动对象，凸显了劳动的重要职能——创造了新价值，实现了个别劳动状态下的价值增量；销售阶段使得厂商的个别劳动被社会接受，个别劳动状态下的价值增量得以在市场上实现。社会再生产和社会资本运动如图2-1所示。社会生产再生产运动是资金时间价值产生的土壤和温床。

社会再生产（资本再生产）运动呈现出一个突出特点，这就是每经过一个社会再生产（资本再生产）循环，就会得到一笔相对于初始资本投入更多的货币回报，即获得一笔增量回报。因此，社会资源不断丰富，社会财富不断增加。这也正是人类自身不断发展进步的源泉。

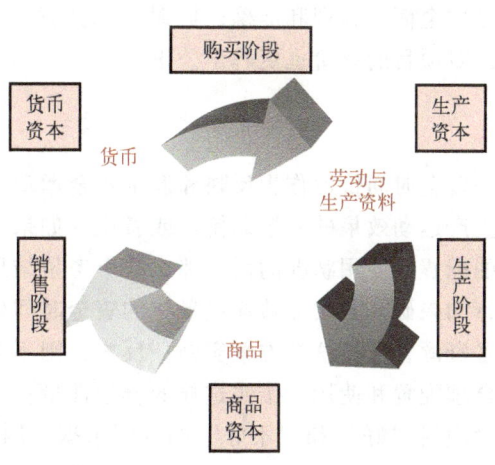

图2-1 社会再生产和社会资本运动

2.1.2 资金时间价值的概念

1. 资金时间价值的含义

所谓资金时间价值，是指资金在社会再生产过程中随着时间推移而产生的增值。社会再生产和社会资金运动的基本规律是，经过再生产的循环运动，能够产生比初始投入资金量大的资金产出量。这个相对于初始资金的增量资金,是资金在再生产运动中产生的增值。从表观上看,它是随着时间的推移而产生的,随着时间的变化而变化,是时间的函数,所以,形象地称之为资金时间价值。

由于资金时间价值的存在,因此两笔绝对数等额的社会资金,由于发生在不同的时期,它们在价值上就存在着差别。发生在前的资金价值高,而发生在后的资金价值则低。也就是说,等额资金在不同的时间点上的价值是不一样的。

2. 资金时间价值的理论分析

从社会再生产和社会资金的运动过程不难看出,货币资本转换为生产资本,即资本进入社会再生产过程,是产生时间价值的前提;在生产资本的平台上,劳动作用于劳动对象是产生时间价值的本源,也就是说,从根本上资金的时间价值是由劳动者新创造的价值;生产资本经过销售阶段,是资金时间价值得以实现的条件。这就是资金时间价值的实质。

由资金时间价值的实质可以看出,资金时间价值是社会生产再生产运动和社会资金运动规律的客观反映。所以,资金时间价值是一种客观存在。

资金只有进入社会再生产运动,才可能产生增值,具有时间价值。如果是处于闲置状态,则不管时间多长,都不会增值。同时,只有在劳动过程中才会有新创造的价值,即时间价值产生于一个时间过程。所以,资金的时间价值依赖两个因素:其一,资金参与社会再生产,即投入社会生产和流通中;其二,有时间上的推移,就是有参与社会再生产的过程。

3. 研究资金时间价值的意义

影响方案经济效益的因素是多方面的,其中时间是一项重要的因素。研究资金时间价值,就是研究项目在整个寿命周期中,时间因素对方案经济效果的影响,正确评价包含时间因素在内的方案的经济效益。

具体来讲,在工程经济分析中引入客观存在的资金时间因素,从而使得对建设项目的评价更加全面、客观和准确。同时,用这样一个客观存在的因素作为考量项目效益状况的参数,对项目的评价也更趋于公正。

2.1.3 资金时间价值量化的一般理论

资金时间价值作为反映和衡量资金运动效果的一般社会经济指标,应能满足人们对社会再生产运动效果的一般期待。或者说,如果以量化的资金时间价值为判断依据来考量社会资源的配置和使用状况的话,那么这个考量结果应该能反映出社会对资源配置的期待。也就是说,如果研究方案能够通过量化的资金时间价值为判断依据的考量,那么社会就向这个方案配置资源,支持这个方案实施;反之,则不予资源支持。这样,才有助于实现社会资源的科学合理配置和使用。按照这样的合理性量化要求,社会资金时间价值的量化将能够用来作为建设项目"好"和"不好"的判断依据。因此,可以给出资金时间价值量化的一般表达式:

$$资金时间价值 = 边际项目收益率 \quad (2-1)$$

式(2-1)建立在这样的理论假说基础上:社会资金总量在一定时期、一定条件下是既定的,同时,备选的建设项目也是一定的,并且可以按其收益率排序。在这个假设条件下,显然应当优先选择收益最好的项目,而后选择其次项目,以此类推,直至可使用的社会经济资源总量被分配完毕。在这个选择过程中,最终被选择的项目就是边际项目,其收益率就是社会资金时间价值的量化值。资金时间价值量化的一般模型如图 2-2 所示。

收益程度好于边际项目的建设项目应入围可实施范围，收益程度不及边际项目的应予淘汰。这样就确定了一个客观的项目评价标准。在经济生活中，这个量化标准成为选择项目的基本依据，同时也是调节社会经济总规模的有效杠杆。

虽然这个假说具有一定的客观性，但仍然使资金时间价值量化的一般表达式很难具有可操作性。在实务中，通常是首先研究分析影响边际项目收益率的因素及影响强度，然后结合具体情况适当修正，建立资金时间价值量化的可操作方程。通常做如下处理：

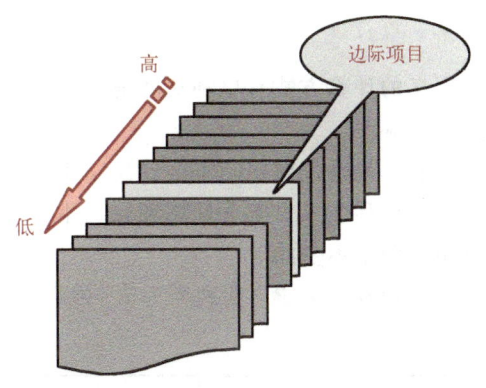

图 2-2　资金时间价值量化的一般模型

$$资金时间价值 = 资金的机会成本 + 投资风险率 + 通货膨胀率 \tag{2-2}$$

2.1.4　资金时间价值的衡量尺度

资金时间价值衡量的尺度有绝对尺度和相对尺度。

1. 资金时间价值的绝对尺度——利息

利息在本质上就是资金的时间价值，或者说利息是资金时间价值的另一种称谓。利息有狭义与广义之分。狭义的利息通常是指信贷利息，是指借款（资金借入）者支付给贷款（资金贷出）者超出本金的那部分金额。广义的利息是指一定时期内，资金积累总额与原始的资金的差额，即：

资金时间价值计量

$$利息 = 资金积累总额 - 原始的资金 = 本利和 - 本金 \tag{2-3}$$

关于利息涉及以下三个概念，应注意：

1）应计利息。应计利息是指按照资金运动规律，资金在经过一段时间增值后产生的、应予记录下来的利息。它体现了资金增值规律，与资金的实际借贷、偿还无关。

2）应付利息。应付利息是指根据资金借贷、偿还的约定，按照权责发生制债务人在约定时刻应当予以付出的借贷利息。

3）实付利息。实付利息是指债务人实际付出的借贷利息。如果借贷双方当事人依约履行了各自义务，则应付利息和实付利息相同；否则，实付利息有别于应付利息。

在工程经济学中，会计信息的归集原则采用权责发生制。所以工程经济分析中使用的利息概念就是应计利息和应付利息。

2. 资金时间价值的相对尺度——利率

利率是指单位资金在一定时期内所产生的利息，通常用百分比（%）表示：

$$利率 = \frac{利息总额}{本金} \times 100\% \tag{2-4}$$

利率是一个严格的时间概念，在使用这个概念时，一定要准确界定利率所基于的期间，即计息周期，如年、季、月等，通常用"年"表示。以年为计息周期的利率称为年利率，以月为计息周期的利率称为月利率，等等。

2.1.5 计息方式

利息的计算方式有单利法和复利法两种。

1. 单利法

单利法就是仅对初始本金计息，不对计算期内产生的利息计算利息的计息方法。

由于单利法只对本金计算利息，不计利息的利息，即息不生息，因此，每个计息周期的利息额是固定不变的。

设期初本金为 P，期利率为 i。单利法的计息过程见表 2-1。

表 2-1 单利法的计息过程

计息期 n	期初资金 P_j	当期计息本金 P_0	当期应计利息 I_j	期末资金（本利和）F_j
1	P	P	Pi	$P(1+i)$
2	$P(1+i)$	P	Pi	$P(1+2i)$
3	$P(1+2i)$	P	Pi	$P(1+3i)$
⋮	⋮	P	⋮	⋮
n	$P[1+(n-1)i]$	P	Pi	$P(1+ni)$

从表 2-1 可得出单利法计算 n 期期末本利和的一般可表示如下：

$$F = P(1+ni) \tag{2-5}$$

显见，由于单利法忽略了期间利息的增值性，因此它不能完全反映资金的增值规律，资金时间价值是不完全的时间价值。

2. 复利法

复利法即复合利息法，在计息时不仅要考虑初始本金的利息，还要考虑期间所产生利息的利息，就是每一个计息期的利息额都是以上一个计息期期末的本利和为基础计算的。

由于复利法不仅对本金计算利息，也对利息计算利息，也就是息生息、利滚利，因此，每个计息期的利息额都是不断改变的。

设期初本金为 P，期利率为 i。复利法的计息过程见表 2-2。

表 2-2 复利法的计息过程

计息期 n	期初本金 P_j	当期计息本金 P_j	当期应计利息 I_j	期末资金（本利和）F_j
1	P	P	Pi	$P(1+i)$
2	$P(1+i)$	$P(1+i)$	$P(1+i)i$	$P(1+i)^2$
3	$P(1+i)^2$	$P(1+i)^2$	$P(1+i)^2 i$	$P(1+i)^3$
⋮	⋮	⋮	⋮	⋮
n	$P(1+i)^{n-1}$	$P(1+i)^{n-1}$	$P(1+i)^{n-1}i$	$P(1+i)^n$

从表 2-2 可得出复利法计算 n 期期末本利和的一般表达式：

$$F = P(1+i)^n \tag{2-6}$$

显见，复利法不仅对本金计算利息，也对利息计算利息，它充分体现了资金的增值规律，此时的资金时间价值是完全的时间价值。

【例 2-1】

有一笔 50 000 元的借款,借期 3 年,年利率为 8%,试分别按单利法和复利法计算到期的本利和,并比较。

解:1) 单利法。根据式 (2-5),得:

$$F = P(1+ni)$$
$$= [50\ 000 \times (1+3 \times 8\%)]\ 元$$
$$= 62\ 000\ 元$$

2) 复利法。根据式 (2-6),得:

$$F = P(1+i)^n$$
$$= [50\ 000 \times (1+8\%)^3]\ 元$$
$$= 62\ 985.60\ 元$$

3) 列表比较 (表 2-3)。

表 2-3 单利法和复利法计算比较表 (单位:元)

年份	单利法			复利法		
	年初本金	当年利息	年末本利和	年初本金	当年利息	年末本利和
1	50 000	4 000	54 000	50 000	4 000	54 000
2	54 000	4 000	58 000	54 000	4 320	58 320
3	58 000	4 000	62 000	58 320	4 665.60	62 985.60

从上述计算的结果可以看出,复利法计息比单利法计息多出了 985.60 (62 985.60 - 62 000) 元的利息,这就是 3 年计息期间各年利息所产生的利息。

复利计息方式可分为普通复利和连续复利两种类型。普通复利,是指有明确计息期间的复利,认为利息产生于这一个个确定的计息期间过程,在期间当中不会产生利息。例如,计息期间是年,则认为每经过一年的计息期间过程,资金才会产生利息,在这一年中忽略资金的增值性。连续复利是指无明确的计息周期,随时间的进程资金连续不断产生利息。显然,连续复利更准确地反映了资金的增值规律,是完全充分地表示资金时间价值的方法。但由于其计算比较烦琐,因此通常采用普通复利。本书中后文未予特殊说明时,均指普通复利。

2.2 现金流量

2.2.1 现金流量的概念

将建设项目视为一个独立系统,为使这个系统顺利规划、设计、建设和运营而付出的现金称为现金流出 (Cash Outflow, CO),项目付诸运营后产出的现金称为现金流入 (Cash Inflow, CI)。现金流入和现金流出统称为现金流量 (Cash Flow),简称为现金流。这里的现金是指库存现金、可随时用于支付的存款和具有持有期限短、流动性强、易于变现且价值转换风险小等特征的现金等价物。

现金流量

项目在计算期内某一时点上的现金流入与现金流出的代数和，称为该时点上的净现金流量（Net Cash Flow，NCF），简称净现金流。一般把现金流入计为正值，现金流出计为负值。

现金流是以项目作为一个独立系统，反映项目在整个计算期内的效益和耗费。项目计算期可参照项目经济寿命确定，一般分为建设期、投产期、达产期和回收处理期四个期间。

现金流是工程经济分析的基本工具。现金流分析方法是建设项目经济评价的基本方式。工程经济分析选择现金流作为基本分析工具，在于现金具有"流动性强、易于变现且价值转换风险小"的特征。在资产的所有形态中，唯有现金是价值风险最小的。所以，用现金流分析比其他工具更稳妥地反映了项目的投入产出或费用效益状况，在此基础上得出的评价结论和决策建议会更加稳妥。

2.2.2 现金流的识别

现金流识别的基本依据是项目的目标价值政策。在建设项目这个独立系统中，对于项目的目标价值政策有影响的现金活动是项目现金流；反之，对项目的目标价值政策没有影响的现金活动或有影响的非现金活动，则均不是项目现金流。

具体说来，现金流入、现金流出的鉴别依据是：

1) 在微观层面，项目的目标价值政策是微观利益最大化。对此具有正贡献作用的现金流量是现金流入，如营业收入、补贴收入、资产回收等；对此具有负贡献作用的现金流量是现金流出，如投资、经营成本、税金、还本付息等。

2) 在宏观层面，项目的目标价值政策是社会公共福利最大化。对此具有正贡献作用的现金流量是现金流入，如营业收入、资产回收等；对此具有负贡献作用的现金流量是现金流出，如投资、经营成本等。

在对项目进行宏观评价时，诸如项目实施中在流转环节发生的流转税，因为它对社会公共福利最大化的价值目标没有影响，既不因流转税的存在降低社会公共福利水平，也不因流转税的不存在而增加社会公共福利水平，所以它只是一种转移支付。

2.2.3 现金流量图

现金流量图就是描述现金流量作为时间的函数的图形，它能形象、直观地表示项目不同时点的现金流入与现金流出情况，便于分析项目的现金流及其经济效益状况。

现金流量图包括三个要素：大小——现金流量的数额；流向——现金流入或流出；时点——现金流所发生的时间点。

现金流量图的一般形式如图 2-3 所示。

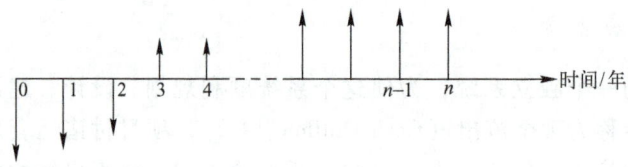

图 2-3 现金流量图的一般形式

以横轴表示时间轴，从左向右进行等分格，每一格代表一个时间单位（年、季、月、周等，通常是一个计息期）。每个分格点（从 0 开始到 n）表示一个时点，除 0 时点表示第

1期期初，n时点表示第n期期末外，其他时点既表示本时段结束，同时也表示下一时段的开始。

现金流量用按大小比例的箭线表示。在时间轴上方、箭头向上的箭线表示现金流入，在时间轴下方、箭头向下的箭线表示现金流出。

需要注意的是，对于一项经济活动，站在不同的角度上，所绘制的现金流量图是不同的。例如，某企业从银行取得100万元贷款，3年后偿本付息120万元。若站在企业的角度上，获取贷款是现金流入，还本付息是现金流出；而站在银行的角度上，则放贷是现金流出，收取本息是现金流入，其各自的现金流量图如图2-4所示。

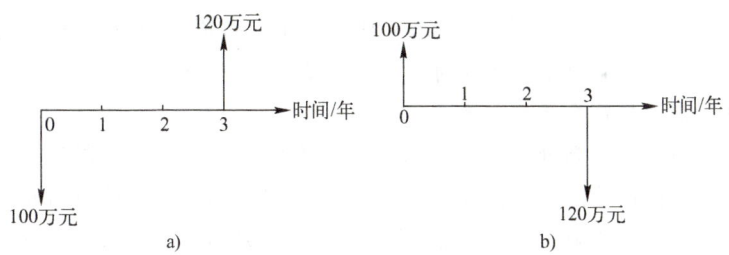

图2-4 不同立场的现金流量图
a）银行 b）企业

【例2-2】 某工厂现在投资P_1，2年后再投资P_2建一车间，从第3年开始的5年中，每年获利为A，残值为L，年利率为i。试画出现金流量图。

解：现金流量图如图2-5所示。

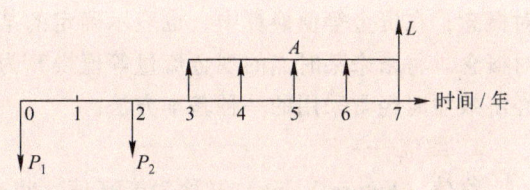

图2-5 某工厂现金流量图

2.2.4 建设项目现金流量的组成

建设项目的完整现金流量通常由三部分组成，即反映项目运营活动的现金流、反映项目筹资活动的现金流和反映项目投资活动的现金流。每一种活动产生的现金流又分别揭示了现金流入和现金流出，使项目各种经济活动的经济信息明晰、有用。

反映项目运营活动的现金流主要包括购销商品、提供和接受服务、经营性租赁、缴纳税款、支付劳动报酬、负担经营费用等活动形成的现金流入和现金流出。

反映项目筹资活动的现金流主要包括吸收投资、发行股票、发行债券、借款、分配利润、偿还债务资金等筹措项目投资所需要的资金活动而形成的现金流。

反映项目投资活动产生的现金流主要包括购建和处置固定资产、无形资产等长期资产，以及取得和收回不包括在现金等价物范围内的各种股权与债权投资等收到和付出的现金。

需要指出的是，在建设项目经济评价中，鉴于经济评价的事先性，确认项目现金流量发生时点和产生数额，应借鉴权责发生制原则，以现金流入、现金流出权利和责任的确立作为归期依据。

在工程经济分析实务中，一般认为：建设项目的投资活动现金流（如建设投资、流动资金投资等）发生在期初，建设项目的生产活动现金流（如营业收入、经营成本等）发生在期末。

2.3 资金的等值计算

2.3.1 资金等值的概念

由于资金时间价值的客观存在，存在于不同时点的两笔或多笔绝对值不相等的现金流，当其具有相同的经济价值时，称之为资金等值。例如，当资金时间价值率为10%时，存在于0时点的1 000元现金流和存在于5时点的1 610.51 $[1\ 000 \times (1+10\%)^5]$ 元现金流，具有相同的经济价值，也就是资金等值。

将现金流由一种时点分布换算为另一种时点分布的过程称为资金的等值换算。

资金等值是一个很重要的工程经济学概念，经常要借用其概念建立等值算式，用以不同时点的资金价值的比较。影响资金等值的因素有资金的数额、资金发生的时点及期利率。

2.3.2 几个重要概念

1. 现值——P

现值（Present Value）通常表示项目建设初期，即0时点上的资金价值，这是现值的绝对概念；在资金等值换算中，也表示确定的某时点之前任一时点的资金价值，这是现值的相对概念。将未来某时点的现金流量等值换算为现值，称为折现或贴现。折现是评价投资项目经济效益时经常采用的一种基本方法。

2. 终值——F

终值（Future Value）又称为未来值、将来值。与现值一样，终值也有绝对和相对两层含义。用以表示计算期期末的资金价值，是终值的绝对概念；在资金等值换算中，表示确定的某时点之后任一时点的资金价值，是终值的相对概念。

3. 年金——A

狭义的年金（Annuity）表示连续地发生在每年年末且绝对数值相等的现金流序列，广义的年金是连续地发生在每期期末且绝对数值相等的现金流序列。

2.3.3 复利等值计算的基本公式

1. 一次支付终值公式

条件是：已知P、i、n，求终值F。

一次支付终值现金流量图如图2-6所示。

计算公式如下：

$$F = P(1+i)^n = P(F/P, i, n) \quad (2-7)$$

式中 $(1+i)^n$——一次支付终值系数，记为$(F/P, i, n)$。终值系数可查复利系数表获得。

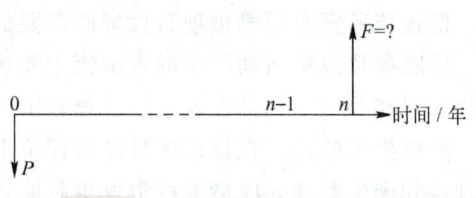

图2-6 一次支付终值现金流量图

【例 2-3】

某企业向银行借款 1 000 万元，期限为 5 年，年利率为 12%，问借款到期时企业应归还银行多少钱？

解：画出现金流量图，如图 2-7 所示。

根据式 (2-7)，得：

$F = P(F/P, i, n)$
$= [1\,000 \times (F/P, 12\%, 5)]$ 万元
$= (1\,000 \times 1.762\,3)$ 万元
$= 1\,762.30$ 万元

因此，借款到期时企业应归还银行 1 762.30 万元。

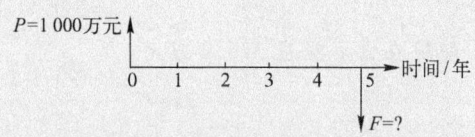

图 2-7　某企业借款及偿还现金流量图

【例 2-4】

某项目第 1 年投资 1 000 万元，第 3 年再投资 1 200 万元，年利率为 6%，问：第 4 年年末至少应回收多少项目才可行？

解：画出该项目现金流量图，如图 2-8 所示。

将有关数据代入式 (2-7)，得：

$F = [1\,000 \times (F/P, 6\%, 4) + 1\,200 \times (F/P, 6\%, 2)]$ 万元
$= (1\,000 \times 1.262\,5 + 1\,200 \times 1.123\,6)$ 万元
$= 2\,610.82$ 万元

所以，第 4 年年末至少应回收 2 610.82 万元该项目才可行。

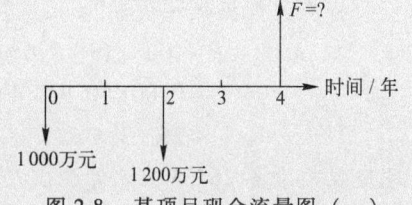

图 2-8　某项目现金流量图（一）

2. 一次支付现值公式

条件是：已知 F、i、n，求现值 P。

一次支付现值（复利现值）公式可以通过一次支付终值（复利终值）公式变换获得。

一次支付现值现金流量图如图 2-9 所示。

计算公式如下：

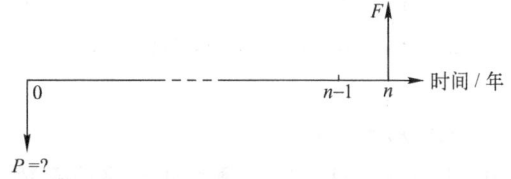

图 2-9　一次支付现值现金流量图

$$P = F(1+i)^{-n} = F(P/F, i, n) \tag{2-8}$$

式中　$(1+i)^{-n}$——一次支付现值（复利现值）系数，记为 $(P/F, i, n)$。现值系数可查复利系数表获得。

【例 2-5】

某公司对收益率为 15% 的项目进行投资，希望 8 年后能得到 1 000 万元，问现在需要投资多少？

解：画出该项目现金流量图，如图 2-10 所示。

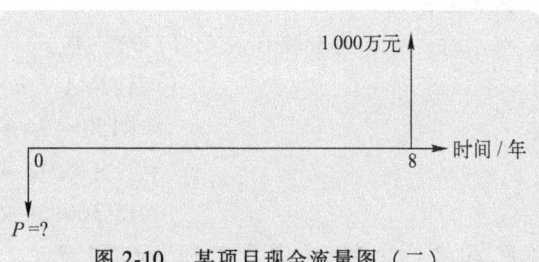

图 2-10　某项目现金流量图（二）

将有关数据代入式（2-8），得：

$$P = [1\,000 \times (P/F, 15\%, 8)] \text{万元}$$
$$= (1\,000 \times 0.326\,9) \text{万元}$$
$$= 326.9 \text{万元}$$

即现在需要投资 326.9 万元。

【例 2-6】

某项目预计在今后 3 年内每年需要 100 万元进行技术改造，若年利率为 6%，问现在应准备多少资金才能满足未来技改的需要？

解：画出该项目现金流量图，如图 2-11 所示。

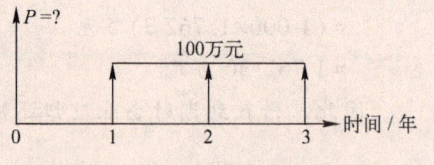

图 2-11 某项目现金流量图（三）

将有关数据代入式（2-8），得：

$$P = 100 \times [(P/F, 6\%, 1) + (P/F, 6\%, 2) + (P/F, 6\%, 3)] \text{万元}$$
$$= [100 \times (0.943\,4 + 0.890\,0 + 0.839\,6)] \text{万元}$$
$$= 267.3 \text{万元}$$

即现在应准备 267.3 万元才能满足未来技改的需要。

3. 年金终值公式

条件是：已知 A、i、n，求终值 F。

年金终值现金流量图如图 2-12 所示。

根据式（2-7），可得：

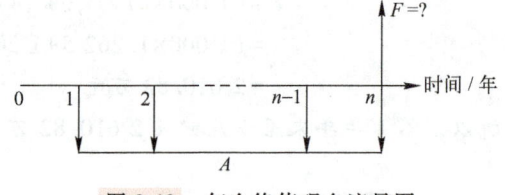

图 2-12 年金终值现金流量图

$$\begin{aligned}
F &= A + A(1+i) + A(1+i)^2 + \cdots + A(1+i)^{n-2} + A(1+i)^{n-1} \\
&= A[1 + (1+i) + (1+i)^2 + \cdots + (1+i)^{n-1}] \\
&= A[(1+i)^n - 1]/i \\
&= A(F/A, i, n)
\end{aligned} \tag{2-9}$$

式中 $[(1+i)^n - 1]/i$——称为年金终值系数，记为 $(F/A, i, n)$。年金终值系数可查复利系数表获得。

【例 2-7】

某企业每年可实现留存利润 150 万元，若年增长率为 15%，问 20 年后企业可积累多少资金？

解：将有关数据代入式（2-9），得：

$$F = A(F/A, i, n)$$
$$= [150 \times (F/A, 15\%, 20)] \text{万元}$$
$$= (150 \times 102.443\,6) \text{万元}$$
$$= 15\,366.54 \text{万元}$$

即 20 年后企业可积累资金 15 366.54 万元。

【例 2-8】

某人从当年年末开始连续 5 年，每年缴纳 6 000 元住房公积金，按规定在第 7 年年末可一次提取公积金总额。若公积金缴存年利率为 15%，问：此人到时可提取多少公积金？

解：画出公积金偿还现金流量图，如图 2-13 所示。

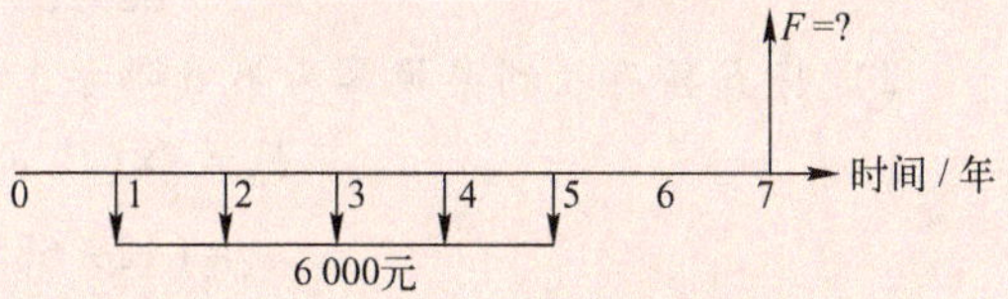

图 2-13　公积金偿还现金流量图

根据式（2-9）和式（2-7），得：

$$
\begin{aligned}
F &= [6\ 000\times(F/A,15\%,5)\times(F/P,15\%,2)]\text{元}\\
&=(6\ 000\times6.742\ 4\times1.322\ 5)\text{元}\\
&=53\ 500.9\text{ 元}
\end{aligned}
$$

即此人 7 年后可一次提取公积金 53 500. 9 元。

4. 偿债基金公式

条件是：已知 F、i、n，求年金 A。

偿债基金公式与年金终值公式为互逆运算。

现金流量图如图 2-14 所示。

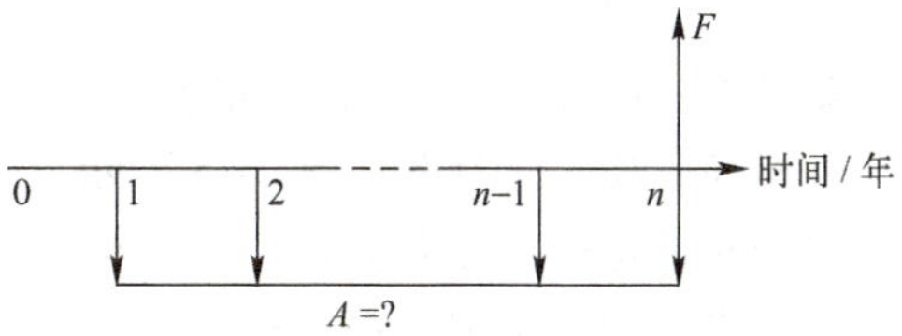

图 2-14　偿债基金现金流量图

根据式（2-9）变换得：

$$A=F\frac{i}{(1+i)^n-1}=F(A/F,i,n) \quad (2\text{-}10)$$

式中　$i/[(1+i)^n-1]$——偿债基金系数，记为（A/F，i，n）。偿债基金系数可查复利系数表获得。

【例 2-9】

某企业 5 年后需要 50 万元的资金用于固定资产的更新改造，如果年利率为 5%，问从现在开始企业每年年末至少应存入银行多少钱？

解：将有关数据代入式（2-10），得：

$$
\begin{aligned}
A &= F(A/F,i,n)\\
&=[50\times(A/F,5\%,5)]\text{万元}\\
&=(50\times0.181\ 0)\text{万元}=9.05\text{ 万元}
\end{aligned}
$$

即从现在开始企业每年年末至少应存入银行 9. 05 万元。

【例 2-10】

某企业年初向银行贷款 50 000 元购买一设备，年利率为 10%，银行要求在第 10 年年末本利一次还清。企业计划在前 6 年内，每年年末等额提取一笔钱存入银行，存款利率为 8%，到 10 年年末刚好偿还借款。问：在前 6 年内，每年年末应提取多少？

解：本题有多种解法，此处仅介绍一种，其他解法请读者自行补充。

1）计算还贷额度。根据式（2-7），得：

$$F = [50\,000 \times (F/P, 10\%, 10)] \text{元}$$
$$= (50\,000 \times 2.593\,7) \text{元}$$
$$= 129\,685.00 \text{元}$$

2)将 F 按存款利率换算为第6年年末值。根据式（2-8），得：
$$F_6 = F \times (P/F, 8\%, 4)$$
$$= (129\,685.00 \times 0.735\,0) \text{元}$$
$$= 95\,318.48 \text{元}$$

3)将 F_6 换算为 1~6 年的等额存款。根据式（2-10），得：
$$A = F_6 \times (A/F, 8\%, 6)$$
$$= (95\,318.48 \times 0.136\,3) \text{元}$$
$$= 12\,991.91 \text{元}$$

即在前6年内，每年年末应提取 12 991.91 元，才能满足还款的需要。

5. 资金回收公式

条件是：已知 P、i、n，求年金 A。

资金回收现金流量图如图 2-15 所示。

资金回收公式可以通过式（2-7）与式（2-9），引入 n 时点中间变量 F 变换求得。

计算公式的推导如下：

由式（2-7），得 $F = P(1+i)^n$。

由式（2-9），得 $F = A[(1+i)^n - 1]/i$。

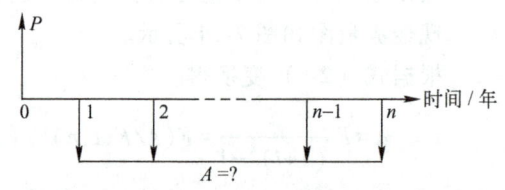

图 2-15 资金回收现金流量图

所以

$$A[(1+i)^n - 1]/i = P(1+i)^n$$

$$A = P\frac{i(1+i)^n}{(1+i)^n - 1} = P(A/P, i, n) \tag{2-11}$$

式中 $i(1+i)^n/[(1+i)^n - 1]$——资金回收系数，记为 $(A/P, i, n)$。资金回收系数可查复利系数表获得。

【例 2-11】

按揭贷款 60 万元，按揭期 10 年，按揭期间内等额偿还本息。若年利率为 8%，问每年应还款多少？

解：根据式（2-11），得：
$$A = P(A/P, i, n)$$
$$= [60 \times (A/P, 8\%, 10)] \text{万元}$$
$$= 8.94 \text{万元}$$

即每年应还款 8.94 万元。

6. 年金现值公式

年金现值公式与资金回收公式为互逆运算。

条件是:已知 A、i、n,求现值 P。

年金现值现金流量图如图 2-16 所示。

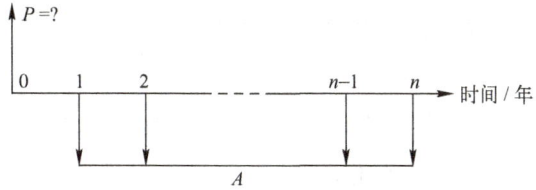

图 2-16 年金现值现金流量图

$$P = A\frac{(1+i)^n - 1}{i(1+i)^n}$$
$$= A(P/A, i, n) \tag{2-12}$$

式中 $[(1+i)^n - 1]/[i(1+i)^n]$——年金现值系数,记为 $(P/A, i, n)$。年金现值系数可查复利系数表获得。

特别地,当 $n \to +\infty$ 时,A 称为永久年金,通过极限求解得:

$$P = \frac{A}{i} \tag{2-13}$$

在工程经济分析中,像桥梁、道路、水库等具有公共产品属性的项目,经常被视为永久项目。对其进行经济评价,常用到永久年金的概念。

【例 2-12】

某人计划用租赁的方式解决住房问题,若年租金为 12 000 元,折现率为 5%,问现在拥有多少资金才能满足住房要求?

解:租房年限 $n \to +\infty$,属于永久年金问题。

根据式(2-13),得:

$$P = \frac{A}{i} = \frac{12\,000}{5\%}元 = 240\,000 元$$

即现在拥有 24 万元才能满足住房要求。

【例 2-13】

某投资者购得价值为 50 万元的商品房(含交易费用),首付款支付自有资金 20 万元,其余款项用银行贷款。银行贷款复利为 10%,还款期限为 10 年,要求从首付之日起每年年末等额分期付款。若该投资者从购房第 2 年开始将房屋连续出租 10 年,租期结束同时将该房屋销售,估计扣除交易费用后实得款为 80 万元,该投资者要求的基准收益率至少为 15%。问:该投资者每年所得租金不低于多少(假设每年租金收入年末一次获得)?

解:1) 由题意可知,该购房者贷款额度为 30 万元,贷款、还款现金流量图如图 2-17 所示。

根据式(2-11),得:

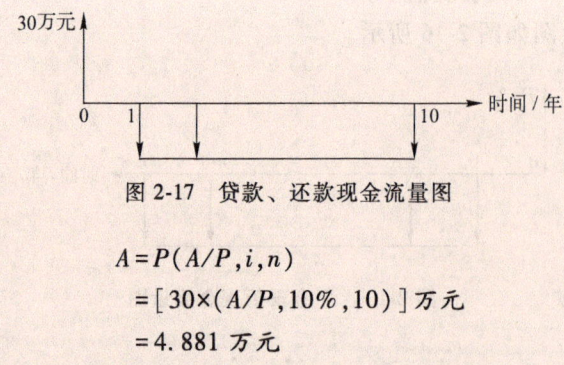

图 2-17 贷款、还款现金流量图

$$A = P(A/P, i, n)$$
$$= [30 \times (A/P, 10\%, 10)] 万元$$
$$= 4.881 万元$$

即购房者每年向银行付出的贷款本息为 4.881 万元

2) 购房者购房支出和出租收益现金流量图如图 2-18 所示。

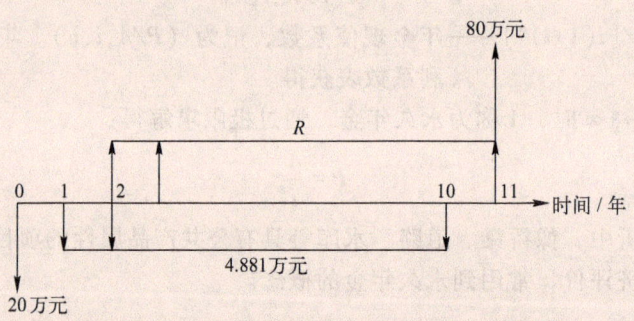

图 2-18 购房者购房支出和出租收益现金流量图

设年租金收入为 R 万元，则有：
$$R(F/A, 15\%, 10) - 4.881 \times (F/A, 15\%, 10) \times (F/P, 15\%, 1) - 20 \times (F/P, 15\%, 11) = 80$$
$$R = 14.1361$$

即该投资者每年所得租金不低于 14.1361 万元。

2.3.4 名义利率与实际利率

1. 名义利率与实际利率的概念

年利率为 r，一年计息 m 次，当 $m \neq 1$ 时，称 r 为名义利率。所谓名义利率，即非实际计息的利率。名义利率的概念缘于上述习惯称谓。此时，每个计息期的利率（即期利率）为 r/m。对资金计息不以 r 为利率标准，而在每个计息期间以 r/m 为利率标准计息，这才是实际利率。

2. 名义利率与实际利率的换算

假设名义利率为 r，每年计息 m 次，若本金为 P，一年后的本利和为 F：
$$F = P(1 + r \div m)^m$$

一年的利息总额：
$$I = F - P$$

根据利率的定义，得：

$$i = \frac{I}{P} = (F-P)/P = (1+r/m)^m - 1 \tag{2-14}$$

这就是名义利率和年实际利率的一般换算公式。

显然，在名义利率确定的情况下，随着一年内计息次数的增加，名义利率和实际利率的差距也就越大。因而计息次数通常是研究债务资金偿还的关键。

【例 2-14】

某企业向银行借款，有两种计息方式：A，年利率为 8%，按月计息；B，年利率为 9%，按半年计息。问：企业应选择哪一种计息方式？

解：依题意，显然 8%、9% 均为名义利率，根据式 (2-14)，得：

$$i_A = (1+r \div m)^m - 1$$
$$= (1+8\% \div 12)^{12} - 1$$
$$= 8.30\%$$
$$i_B = (1+9\% \div 2)^2 - 1$$
$$= 9.20\%$$

所以企业应选择计息方式 A。

【例 2-15】

某项目使用 300 万元借款进行建设，借款利率为 8%，半年息。约定从投产后的第 3 年年末开始还款，3 年还清。还款方式为本金等额偿还，利息照付。问：每年应偿本付息各多少？

解：年实际利率：

$$i = (1+8\% \div 2)^2 - 1 = 8.16\%$$

第 1 年应计利息：

$$(300 \times 8.16\%) \text{万元} = 24.48 \text{万元}$$

第 2 年应计利息：

$$[(300+24.48) \times 8.16\%] \text{万元} = 26.48 \text{万元}$$

因第 1 年、第 2 年发生的利息实际并未支付，所以在未来转为借款本金。因此，投产后第 3 年应偿还的本金总额：

$$(300+24.48+26.48) \text{万元} = 350.96 \text{万元}$$

每年应偿还的本金：

$$(350.96 \div 3) \text{万元} = 116.99 \text{万元}$$

第 3 年应付的利息：

$$[(300+24.48+26.48) \times 8.16\%] \text{万元} = 28.64 \text{万元}$$

第 4 年应付的利息：

$$[(300+24.48+26.48-116.99) \times 8.16\%] \text{万元} = 19.09 \text{万元}$$

第 5 年应付的利息：

$$[(300+24.48+26.48-116.99-116.99) \times 8.16\%] \text{万元} = 9.55 \text{万元}$$

上述计算分析的过程，可以用表2-4清晰表现。

表 2-4 借款还本付息计算表　　　　　　　　　（单位：万元）

年份	期初资金	当期计息	当期付息	当期偿本	期末资金
1	300	24.48			324.48
2	324.48	26.48			350.96
3	350.96	28.64	28.64	116.99	233.97
4	233.97	19.09	19.09	116.99	116.98
5	116.98	9.55	9.55	116.98	0
	资金运动		借贷活动		

表2-4中，"当期计息"体现的是资金运动规律，与借贷及还款无关。也就是说，无论这笔款项是否付出（偿还），根据资金增值规律，其增值都已经发生，所以应该记载下来。"当期付息"是按权责发生制，应该在当期归集的借贷利息中付出。

练 习 题

1. 某人借款10万元，年利率为10%。约定借款2年后开始偿还，还款期为5年，采用本金等额偿还、利息照付的还款方式。问每年偿还本息各多少？

2. 某人借款10万元，年利率为10%。利息照付，本金在借款2年后开始偿还，5年内等额偿还。问每年偿还本息各多少？

3. 某人采用按揭贷款方式购房，贷款60万元，按揭期间10年，按揭期间内本息等额偿还。贷款年利率为8%，半年计息一次。由于还款利息可以抵扣所得税，请问他每年偿还的贷款利息分别是多少？

4. 某企业计划经过5年，从企业留存利润中提取部分资金建立起一支奖励基金。设计的奖励基金年奖励额度为10万元。若折现率为10%，问每年至少应提取多少资金？

5. 某大坝管理处预计大坝10年后的年维修资金支出为10万元。现在开始为大坝维修筹集资金。第1年筹集了10万元，第2年筹集了12万元，第3年筹集了15万元。若折现率为10%，问后7年每年至少应筹集多少资金？

6. 某人已工作5年，其间每年缴存住房公积金1.5万元。目前有12万元现金。未来可用于还款的年收入为3万元。可选用不同方式解决住房问题。理想住房的市值为60万元。

（1）商业贷款购房，贷款年利率5%，贷款最长年限为30年。

（2）公积金贷款购房，贷款年利率4%，贷款最长年限为20年，贷款额度最多为30万元，假定公积金留存额度为1万元。

（3）租赁，年租金为3万元。

已知公积金缴存年利率为2%，房屋最终残值忽略不计。若折现率为6%，试筹划合适的住房方式。

7. 政府把5 000元的扶贫资金购买成粮、油等生活消费品，提供给生活困难群众，一年后受助者依然贫困。后来政府转变扶贫方式，用扶贫资金购买了10只羔羊送给生活困难群众。一年后，受助者拥有羊群，实现了脱困。试用资金时间价值理论对此案例进行分析。

第 3 章　建设项目评价的基本经济要素

【内容提要】

(1) 投资的经济内涵。
(2) 建设项目总投资的构成。
(3) 各类资产的形成及其现金流特征。
(4) 成本的经济内涵。
(5) 经营成本的经济内涵。
(6) 工程经济分析涉及的主要税种。
(7) 工程经济分析中的价格体系。

【关键词】

投资；建设投资；资本化利息；流动资金；折旧；成本；经营成本；费用化利息；营业税（现已废止）；增值税；企业所得税；影子价格；基价；实价；时价；营业收入；利润

【学习指导】

建设项目评价的基本经济要素是构成项目现金流的基本单元。要正确使用现金流这个基本工具，就要准确界定各个经济要素的内涵，把握不同经济要素各自的特征。

投资是投资者为了获得未来期望收益而预先垫付的资本。通过投资为项目经济性运营搭建平台，以支撑其作为投资者获益方式的存在。资本投放到项目中，就被该项目占用，所以投资是被项目占用的经济资源——投资通常发生在项目寿命期初，项目终结时，被投资者回收。这是投资的现金流分布特征。

建设项目总投资由建设投资、建设期利息和流动资金构成。建设投资和建设期利息最终形成固定资产和其他资产（建设期发生的借款利息做资本化处理，计入资产原值），流动资金投资形成流动资产。固定资产通常表现为劳动条件，由于磨损的客观存在，固定资产的价值随着时间的推移逐渐贬损，最终以残值的形式被回收。因此，固定资产投资的现金流特征是，项目建设初期发生大量的固定资产投资（现金流出），寿命终结时回收固定资产残值（现金流入）。为了在价值量上弥补贬损了的固定资产价值，财务上用计提固定资产折旧的方式来解决。所以，固定资产原值恒等于固定资产累计折旧值与固定资产净值之和。流动资金通常用于劳动对象投资，在项目存续期间一直存在，项目寿命终结时全额回收。

成本是指为了获得未来收益而付出的代价，是消耗在产品或服务中的物化劳动价值与活劳动价值之和。成本是使产品（或服务）得以实现而消耗的生产力要素。所以，成本必须在商品销售中得到补偿才能维持再生产过程。

投资和成本反映的都是经济效益中的投入，初学者极易混淆，并因而造成现金流识别的错误。区分两者的关键是把握其经济特征：通过追踪投入的最终去向做出正确判断。如果投入的最终去向是形成了投资者拥有的资产，则为投资；如果投入的最终去向是形成了供投资者经营的产品（或服务），则为成本。

投资和成本付出的目的都是获得"期望收益"，但其实现期望收益的路径不同。投资是通过社会再生产和社会资本运动中（图2-1）的"购买阶段"使货币资本转变为生产资本而实现"期望收益"的，而成本是通过社会再生产和社会资本运动中的"生产阶段"使生产资本转变为商品资本而实现"期望收益"的。

经营成本是工程经济学中的特定概念。经营成本是现金流概念下的成本，或者说是现金流成本。因此非现金支出的项目不包含在经营成本中。

经营成本＝总成本－折旧、摊销费－财务费用

工程经济分析中涉及的税种主要有关税、增值税、营业税（现已废止）、流转税附加、消费税、资源税、企业所得税、城市维护建设税和教育费附加等。特别提醒，增值税是价外税，实行价外征收。所以增值税的计税基础分别是不含税的销项收入和进项额。当采用含税值时，需要按照适用的税率进行调整。

在对建设项目进行国民经济评价时，基于社会资源合理配置的原则，价格采用完全市场条件下的价格体系——实务中用影子价格模拟。在对建设项目进行财务评价时，基于考察项目自身的财务盈利能力、偿债能力和财务生存能力的目的，采用现行市场价格体系，即市场价格基础上的预测价格。

进行建设项目财务盈利能力分析时，运营期内各年采用的价格，是在基价基础上预测的实价，以消除通货膨胀等因素对盈利性指标的影响。进行建设项目财务偿债能力分析时，计算期内各年采用的价格是在基价基础上预测的时价，以反映通货膨胀因素对偿债能力的影响。

【本章教学案例】

某地块出让面积为40 000m²，政府有关部门下达的主要规划指标是：容积率不小于1.6、不大于2.0，建筑密度不大于35%，绿地率不低于30%，允许开发企业以出让面积的3%在该地块规划建设办公与营销用房，其余用于商品房开发。

经预测，土地使用权出让费为8 000元/m²，项目可研等前期咨询费用为20元/m²，工程项目的勘察设计费用为40元/m²，工程建安费为2 000元/m²，工程监理费为50元/m²，绿化费用为80元/m²。

按建设计划，土地使用权一次获得，勘察设计整体一次完成，按计划使用。预计土地使用权出让费、勘察设计费用均需在第一年付出，办公与营销用房第三年完成建设。商品房建设预计在第二、三年分别完成总工作量的60%和40%。开发商应向承建商拨付当年建安费的20%作为工程预付款。

商品房计划从第三年开始销售，当年售出总量的70%，次年完成其余部分销售。预计销售单价为18 000元/m²。销售费用忽略不计。项目均按一般纳税人计征增值税。商品房销售、土地使用权转让、建筑安装、绿化等增值税税率为9%，可研、勘设、监理增值税税率

为 6%。企业所得税税率为 25%。

项目计算期安排到商品房销售完成。固定资产价值按原值在计算期期末回收。

项目以平价发行普通股新股的方式筹集资本金，以溢价率 10% 发行票面价格为 50 元债券的形式筹集债务资本。债券票面年利率为 8%，发行费用率为 6%。资本金不低于 35%。行业基准折现率为 10%，投资期望收益率为 15%，社会折现率为 8%。

1. 确定项目的投资规模，并进行固定资产投资、其他资产投资、流动资产投资及项目投资的现金流量分析。
2. 确定项目的经营成本，并进行其现金流量分析。
3. 确定项目的营业收入、增值税并进行其现金流量分析。

建设项目评价的基本经济要素是构成项目现金流的基本单元，是进行建设项目费用效益度量和进行项目经济评价的基本单位。准确界定经济要素的内涵，把握不同经济要素各自的特征，特别是区分各要素在工程经济分析与其他学科中的不同，是做好建设项目评价的基础和前提。

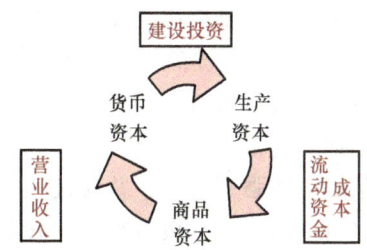

图 3-1　社会生产和再生产运动在具体建设项目上的表现

对建设项目基本经济要素的认识应在社会生产和再生产运动的背景下进行。实际上，社会生产和再生产运动在具体建设项目上的表现如图 3-1 所示。

3.1　投资

3.1.1　投资的概念

投资是投资者为了获得未来期望收益而预先垫付的资本。这是从名词角度定义的投资。从动词角度说，投资是为了获得未来期望收益而预先垫付资本的活动。从费用构成和资产形成的角度看，投资是付出在资产中的人工费用和物质费用。通过投资而形成的资产是投资者获得"未来期望收益"的平台，对这个平台进行经济性运营——生产经营，可以实现投资者获益的期望。这体现了经营性资产的运营价值。在项目的存续期间，资本一直存在于项目中，以维持其作为获益平台的存在。

投资与建设投资

投资产生"期望收益"的逻辑是，因为投资使得"资金"变成了"资本"，也就是通过投资使货币转化成了供投资者经营的资产（生产资本），为劳动作用于劳动对象搭建了平台，为劳动创造新的价值提供了机会。投资者所追求的"期望利益"实质就是资本的"增值"。它是资本和劳动的共同结果。

需要强调的是，投资只是一种经济资源的预先"垫付"。所以当项目终结时，项目资本（残值）会被投资者回收，如图 3-2 所示。因此，投资是被项目占用的经济资源。

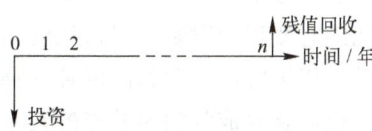

图 3-2　投资的现金流特征

消费与投资是相对的概念。消费是指现在享受，放弃未来的收益；投资是指放弃现在的享受，获得未来更大的收益。

对于具体的工程经济评价对象——建设项目（或技术方案）而言，投资是维持其存在的基础。通过投资活动使得项目具备和维持基本的运营条件，以支撑其作为投资者获益方式的存在。在项目的存续期间，投资活动维系着投资者的这种获益方式，并保持使其效能不致劣化。所以，从经济效益的意义来讲，投资是反映劳动占用的耗费类经济要素。

3.1.2 投资的分类

1. 直接投资和间接投资

（1）直接投资

直接投资是指用于经营性资产的投资，以期通过资产运营获取利润。通过直接投资，投资者便可以拥有全部或一定数量的企业股权或所有权，直接进行或参与投资的经营管理。直接投资是资金所有者和资金使用者的合一，是资产所有权和资产经营权的统一。直接投资通常形成实物资产，投资者或其他利益相关者在趋利原则下，有着资产合理配置、有效利用和保值增值的强烈愿望，并通过其决策权和经营权直接推进其实现。直接投资可以直接形成生产经营能力，在一般情况下，投资回收期较长，变现速度较慢，在投资形成的资产存续期间，还需投入相关人力、财力、物力，对其进行组织与管理。

（2）间接投资

间接投资又称证券投资，主要是债券性投资、权益性证券投资，是指用于证券等金融资产的投资，以期取得股利、利息等金融收入。与直接投资相比，间接投资的投资者除股票投资外，一般只享有定期获得一定收益的债权，而无权干预投资对象对这部分投资的具体运用及其经营管理决策。间接投资是资金所有者和资金使用者的分解，是资产所有权和资产经营权的分离。投资者对企业资产及其经营没有直接的决策权和控制权，他们将取得资本收益或保值增值的愿望寄托于经营者。间接投资易变现，资本运用灵活，其中债券投资风险较小。

2. 短期投资和长期投资

（1）短期投资

短期投资是指能够随时变现、持有时间不超过一年的投资，主要包括对现金、应收账款、存货、短期有价证券等的投资，长期有价证券如能随时变现也可用于短期投资。短期投资的变现能力非常强，因此常被人们称为"准现金"。

（2）长期投资

长期投资是指不可能或不准备在一年内变现的投资，主要包括对厂房、机器设备等固定资产和对专利权、商标权等无形资产的投资，也包括股权投资、债券投资和其他投资。

长期投资除资金投出时间有别于短期投资之外，其投资的性质与目的也与短期投资不同。进行短期投资主要是利用正常经营中暂时多余的资金，购入一些不是本身业务上需要、但能随时变现的财物，以供经营周转之用，同时达到谋取一定利益的目的。而进行长期投资不是利用正常经营中暂时闲置的资金以谋求一定的投资收益，也不是作为调节工具在面临营运资金需要时成为随时补充的资金来源，而是投资者在财务上合理调度和筹划资金，参与并控制其他企业经营决策，实现某些经营目的的重要手段。

3. 初创投资和后续投资

（1）初创投资

初创投资是在建立新企业时所进行的各种投资。它的特点是投入的资金通过建设形成企业的原始资产，为企业的生产、经营创造必备的条件。初创投资是设立运营项目的必要条件，通过初创投资构建可以赢得未来期望收益的生产经营条件。

（2）后续投资

后续投资则是指为巩固和发展企业再生产所进行的各种投资，主要包括为维持企业简单再生产所进行的更新性投资、为实现扩大再生产所进行的追加性投资、为调整生产经营方向所进行的转移性投资等。

3.1.3 建设项目的投资构成

建设项目总投资是指从项目规划开始到项目运营终止，整个寿命周期内所发生的投资总和。它包括建设投资、建设期利息和流动资金三部分，如图3-3所示。

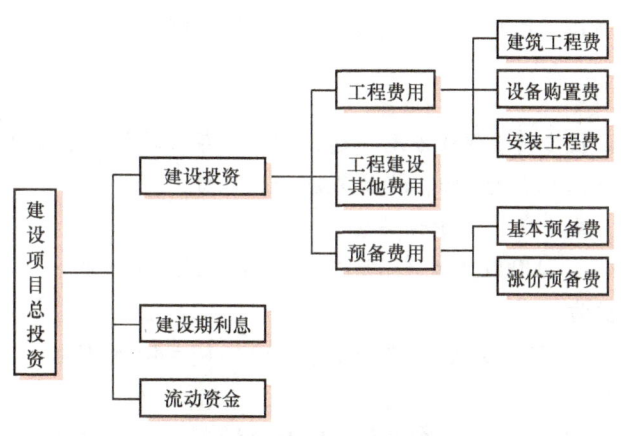

图3-3 建设项目投资构成

1. 建设投资

建设投资是指按拟订的建设规模、产品方案、工程技术方案和建设内容进行建设所需的费用。建设投资是投资中重要的组成部分，是建设项目经济评价的基础。

按照概算法的费用归集形式，建设投资可分为工程费用、工程建设其他费用和预备费用。

（1）工程费用

工程费用是指构成固定资产实体的各项投资，包括生产工程费用、辅助生产工程费用、公用工程费用、服务工程费用、环境治理工程费用等。工程费用按性质划分，包括建筑工程费、设备购置费和安装工程费。

建筑工程费是指为建造永久性建筑物和构筑物所需要的费用。它包括建筑物、构筑物自身的建造费用，列入建筑工程预算的供水、供电、供暖、通风、燃气、卫生等设备费用，列入建筑工程预算的管道、线缆等费用，施工场地清理、平整费用，建设环境绿化、美化费用等。

设备购置费是指为购置生产运营设备及辅助生产设备、工具、器具而发生的费用。它主要包括设备及工器具的购置费、运输装卸费、包装费、采购费等。

安装工程费是指为安装、定位生产运营设备所需要的费用。它主要包括设备的装配费用，与设备连接的工作台、梯子、栏杆等装设费用，设备管线的敷设费用，调试运行费用等。

（2）工程建设其他费用

工程建设其他费用是指建设投资中未包含在建筑工程费、设备购置费、安装工程费中的，与工程建设相关的其他费用。它包括项目可行性研究与评估费用，土地使用权出让费，建设单位管理费，勘察设计费，研究试验费，工程建设监理费，工程保险费，前期工作费，职工培训费，办公、生活家具购置费等。

（3）预备费用

预备费用是指为工程顺利开展，避免不可预见因素造成的投资估计不足而预先安排的费用。

它包括基本预备费和涨价预备费。基本预备费也称工程建设不可预见费，是指项目实施中可能发生的难以预料又需要事先预留的费用，主要包括设计变更费、工程变更费等。

涨价预备费也称价格变动不可预见费，是对建设期内由于物价上涨、汇率变化等因素引起投资增加而预留的费用。涨价预备费主要是为应对建设期间价格总水平波动而准备的。

【例 3-1】 某项目估算建设投资为 1 000 万元，建设期为 3 年，其间分别完成投资的 20%、50% 和 30%。预计年价格上涨率为 4%，试估算涨价预备费。

解：根据题意，第 1 年的涨价预备费为

$$1\ 000\ 万元 \times 20\% \times [(1+4\%)-1] = 8\ 万元$$

第 2 年的涨价预备费为

$$1\ 000\ 万元 \times 50\% \times [(1+4\%)^2-1] = 40.8\ 万元$$

第 3 年的涨价预备费为

$$1\ 000\ 万元 \times 30\% \times [(1+4\%)^3-1] = 37.5\ 万元$$

即涨价预备费为

$$(8+40.8+37.5)\ 万元 = 86.3\ 万元$$

投资最终形成了项目的经营资产。按照形成资产法的费用归集形式，建设项目投资可分为：形成固定资产的投资、形成其他资产的投资及形成流动资产的投资，如图 3-4 所示。

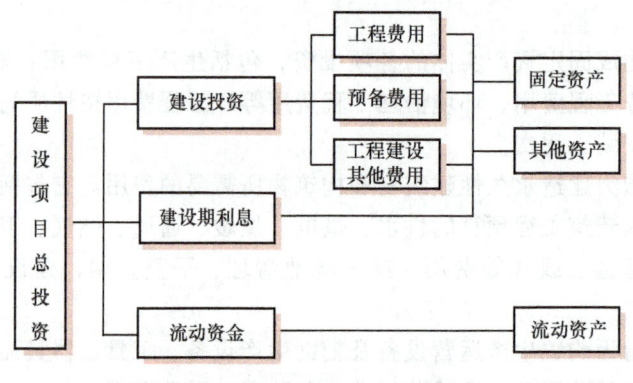

图 3-4　建设项目资产的形成

建设投资中的固定资产投资和建设期利息共同形成了固定资产。建设投资中的其他资产投资，如用于取得专利权、商标权、土地使用权等无形资产的投资，以及开办费、租入资产的改良支出等形成递延资产的投资，形成了其他资产。

固定资产是指使用期限超过一年、单位价值量在规定标准以上、在使用过程中其物质形态不发生变化的资产。固定资产构成了项目生产经营的基本条件。固定资产在使用过程中因磨损而性能不断劣化，价值量逐渐贬损。为维持项目的基本生产运营条件，保证项目作为生产经营活动以期实现投资目的的场所存在，在项目投产运营后用折旧的方式对其贬值的价值量予以弥补。在项目终了时，固定资产的残值被回收。固定资产投资的现金流特征如图3-5所示。静态地考察固定资产价值在项目存续期间的变化可用如下基本等式表示：

$$固定资产原值 = 固定资产净值 + 累计计提的固定资产折旧 \qquad (3-1)$$

式（3-1）中的固定资产净值随着固定资产使用量的增加逐年减少，而作为补偿其价值贬损的折旧却逐年增加。折旧是补偿资产价值贬损的一种财务手段，它是项目的老本，其实质是投资在项目系统内的转移。利用这样一个手段，保持固定资产净值与累计计提的固定资产折旧两者之和也就是固定资产价值维持不变，从投资的意义上说，称之为维持资产作为生产经营的基本条件不劣化。

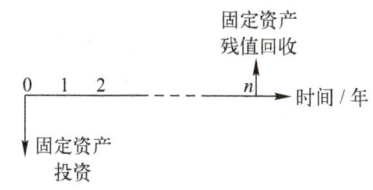

图3-5　固定资产投资的现金流特征

其他资产在项目投产运营后，在规定的年限内摊销。

2. 建设期利息

建设期利息是指因筹措债务资金而在建设期发生的并按规定允许在项目实施后计入固定资产原值的利息。就这笔利息，需要强调两点：①它是按照借贷约定应予付出的利息（简称应付利息）；②这笔应付利息的应付时点在建设期内。由于这笔利息按规定最终应归入资产原值，所以称之为资本化利息。它包括银行借款、其他机构借款、发行的债券等所有债务资金应计的利息以及手续费、承诺费、管理费、信贷保险费等财务费用。

需要注意的是，如果投资使用了长期借款，那么借款利息的应付时点会发生在运营期。对于发生在运营期的应付利息按规定应计入总成本费用，这种利息称为费用化利息。在等值借款的情况下，利息的额度取决于借贷约定的偿债方式。比如，在一定期间内"利息照付、等额偿还本金"和"等额偿还本息"方式，所产生的利息就不一样。

3. 流动资金

流动资金是指项目投产运营后，为维持项目正常生产运营所占用的全部周转资金。它是在生产期内为了保持生产经营的永续性和连续状态而垫付的资金，是伴随着固定资产投资而发生的永久性流动资产投资。流动资金主要起周转作用，通过流动资金维持项目运行周转。生产性实体项目的运营过程可简化为如图3-6所示的过程。流动资金就是支持项目"买入"（原材料、燃料动力等）、"加工"（人工、半成品、在制品等）、"卖出"（库存商品等）过程而投入的资金。它主要包括用于购买原材料、燃料动力的费用，支付工资以及相关开支的费用，其他经营费用等。

流动资金

流动资金是流动资产与流动负债的差额。流动资产是指在一年或超过一年的一个营业周期内变现或耗用的资产，包括现金、应收账款、预付款项、存货等。流动负债是指将在一年或超过一年的一个营业周期内偿还的债务，包括短期借款、应付账款、预收款项、应付职工薪酬、应缴税费、应付股利、其他应付款等，即：

$$流动资金 = 流动资产 - 流动负债 \tag{3-2}$$

$$流动资产 = 现金 + 应收账款 + 预付款项 + 存货 \tag{3-3}$$

$$流动负债 = 短期借款 + 应付账款 + 预收款项 + 应付职工薪酬 +$$
$$应缴税费 + 应付股利 + 其他应付款 \tag{3-4}$$

在建设项目评价实务中，流动资金是指建设项目必须准备的基本运营资金，不包括运营中需要的临时性运营资金；流动负债一般只考虑应付账款和预收款项。

流动资金在生产经营期间被项目长期占用，在项目终了时被全额回收。流动资金投资的现金流特征如图 3-7 所示。

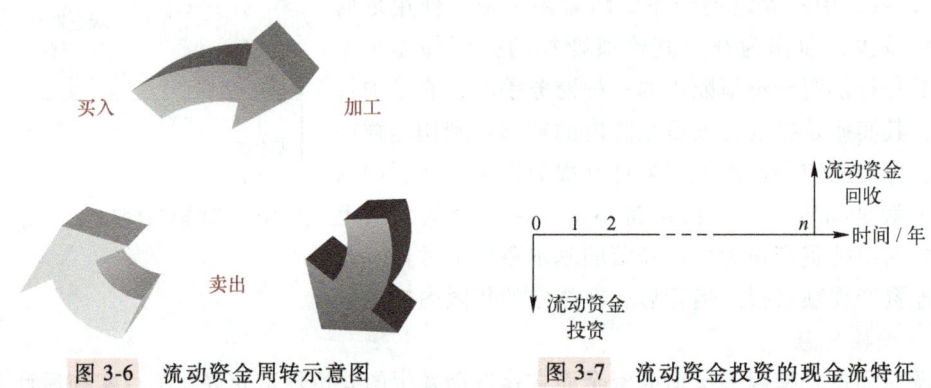

图 3-6　流动资金周转示意图　　　　图 3-7　流动资金投资的现金流特征

3.1.4　投资估算

投资估算是进行项目经济性评价的基础，投资估算的精度高低直接影响对项目经济效益评价的结论，进而影响项目投资决策，同时投资估算也是资金筹措的依据。估算方法可根据项目研究的不同阶段、对投资估算的不同精度要求以及具体的相关规定选择。

1. 固定资产投资估算

（1）扩大指标估算法

1）单位生产能力投资估算法。这种方法根据类似企业单位生产能力投资指标估算拟建项目的固定资产投资。单位生产能力投资用类似企业的固定资产投资除以生产能力求得，如每公里铁路投资、每千瓦发电能力的电站投资、每吨煤生产能力的煤矿投资等。其计算公式如下：

$$I_2 = X_2 \frac{I_1}{X_1} \tag{3-5}$$

式中　X_1——类似企业的生产能力；

　　　X_2——拟建项目的生产能力；

　　　I_1——类似企业的固定资产投资额；

　　　I_2——拟建项目的固定资产投资额。

这种方法把项目的固定资产投资与其生产能力的关系视为简单的线性关系，估算精确度较差。使用这种方法时要注意拟建项目的生产能力和类似企业的可比性，其他条件也应相似，否则误差很大。由于在实际工作中不易找到与拟建项目完全类似的企业，通常是把项目按其下属的车间、设施和装置进行分解，分别套用类似车间、设施和装置的单位生产能力投资指标计算，然后相加，求得项目总投资；或根据拟建项目的规模和建设条件，将投资进行适当调整后估算项目的投资额。

2）生产能力指数估算法。根据实际统计资料，生产能力不同的两个同类企业其投资与生产能力之比的幂成正比。其计算公式如下：

$$I_2 = I_1 \left(\frac{X_2}{X_1} \right)^n \tag{3-6}$$

式中　X_1——类似企业的生产能力；
　　　X_2——拟建项目的生产能力；
　　　I_1——类似企业的固定资产投资额；
　　　I_2——拟建项目的固定资产投资额；
　　　n——生产能力指数，n 的取值根据不同类型企业的统计资料确定。

由于这种方法不是按简单的线性关系，而是根据实际求得的指数关系来估算投资，因此比单位生产能力投资估算法精确。根据某些化工项目的统计资料，n 的平均值在 0.6 左右，因此，这种方法又称"0.6 指数法"。以增加相同设备（装置）容量扩大生产规模时，n 值取 0.6~0.7；以增加相同设备（装置）数量扩大生产规模时，n 值取 0.8~1.0；高温高压的工业生产项目，n 值取 0.3~0.5。

3）比例估算法。根据统计资料，先求出已有同类企业主要设备投资占项目固定资产投资的比例，然后再估算出拟建项目的主要设备投资，即可按比例求出拟建项目的固定资产投资 I。其表达式如下：

$$I = \frac{1}{K} \sum_{i=1}^{n} Q_i p_i \tag{3-7}$$

式中　I——拟建项目的固定资产投资；
　　　K——同类企业主要设备投资占项目固定资产投资的比例；
　　　n——设备种类数；
　　　Q_i——第 i 种设备的数量；
　　　p_i——第 i 种设备的单价（到厂价格）。

（2）概算指标估算法

为了提高建设投资估算工作质量，目前项目可行性研究中的投资估算可参照概算指标的方法进行。这种方法适用于国内一般项目。

1）工程费用。具体估算方法如下：

① 建筑工程费。建筑工程是指矿建工程和土建工程。它包括房屋建筑工程、大型土石方工程和场地平整工程以及特殊构筑物工程等。

建筑工程费由直接费、间接费、计划利润和税金构成。

直接费包括人工费、材料费、施工机械使用费和其他直接费，可按建筑工程量和当地建筑工程概算综合指标计算。

间接费包括施工管理费和其他间接费，一般以直接费为基础，按间接费费率计算。

计划利润以建筑工程的直接费和间接费之和为基础，参照规定的费率计取。

税金包括增值税、城市维护建设税和教育费附加。

② 设备购置费。设备购置费包括需要安装和不需要安装的全部设备、工器具及生产家具购置费等。工器具及生产家具购置费是指新建项目为保证初期正常生产所必须购置的第一套不够固定资产标准的设备、仪器、工卡模具、器具等的费用，不包括备品备件购置费。

$$设备购置费 = 设备原价 \times [1 + 设备运杂费费率(包括设备成套公司的成套服务费)] \quad (3\text{-}8)$$

$$工器具及生产家具购置费 = 设备购置费 \times 费率 \quad (3\text{-}9)$$

③ 安装工程费。安装工程费包括设备及室内外管线安装等费用，由直接费、间接费、计划利润和税金四部分组成。直接费按每吨设备或每台设备占设备原价的百分比估算。间接费按照间接费费率计算。计划利润以安装工程的直接费与间接费之和为基数，按照一定的费率计取。税金包括增值税、城市维护建设税和教育费附加。

2) 工程建设其他费用。其他费用按照行业主管部门和地方的取费标准或按建筑工程费的百分比计算。

3) 预备费用。预备费用按建筑工程、设备投资和其他费用之和的一定百分比（一般取为 5%~8%）计算。

2. 流动资金估算

（1）扩大指标估算法

1) 按产值（或销售收入）资金率估算。一般加工工业项目多采用产值（或销售收入）资金率进行估算：

$$流动资金额 = 年产值(年销售收入) \times 产值(销售收入)资金率 \quad (3\text{-}10)$$

2) 按经营成本（或总成本）资金率估算。由于经营成本（或总成本）是一项综合性指标，能反映项目的物质消耗、生产技术和经营管理水平以及自然资源禀赋条件的差异等实际状况，一些采掘工业项目常采用经营成本（或总成本）资金率估算流动资金。

$$流动资金额 = 年经营成本(或总成本) \times 经营成本(或总成本)资金率 \quad (3\text{-}11)$$

3) 按固定资产价值资金率估算。有些项目可按固定资产价值资金率估算流动资金：

$$流动资金额 = 固定资产价值总额 \times 固定资产价值资金率 \quad (3\text{-}12)$$

固定资产价值资金率是流动资金占固定资产价值总额的百分比。

4) 按单位产量资金率估算。有些项目如煤矿，按吨煤资金率估算流动资金：

$$流动资金额 = 年生产能力 \times 单位产量资金率 \quad (3\text{-}13)$$

（2）分项详细估算法

分项详细估算流动资金是指分别对流动资产和流动负债的主要构成要素分项估算，而后计算流动资金。

首先需确定各分项最低周转天数，计算出周转次数，而后分项估算。

1) 周转次数。其计算公式如下：

$$周转次数 = \frac{360}{最低周转天数} \quad (3\text{-}14)$$

各类流动资产和流动负债的最低周转天数参照同类项目平均周转天数并结合项目特点确定，应考虑储存天数、在途天数、保险余量等。

2) 流动资产估算。主要包括以下几个方面：

① 存货的估算。存货是指企业在日常生产经营过程中持有备售，或者仍处于生产过程，或者在生产经营过程中将消耗的材料或物料等，包括各类材料、商品、在产品、半成品和产成品等。

在建设项目评价实务中，一般简化计算，仅考虑外购原材料、燃料动力、在产品和产成品。计算公式如下：

$$外购原材料、燃料动力 = \frac{年外购原材料、燃料动力费用}{分项周转次数} \quad (3-15)$$

$$在产品 = \frac{年外购原材料、燃料动力费用 + 年工资及福利 + 年修理费 + 年其他制造费}{在产品周转次数} \quad (3-16)$$

$$产成品 = \frac{年经营成本 - 年其他营业费用}{产成品周转次数} \quad (3-17)$$

② 应收账款估算。应收账款是指对外销售商品、提供服务而尚未收回的资金。其计算公式如下：

$$应收账款 = \frac{年经营成本}{应收账款周转次数} \quad (3-18)$$

③ 预付账款估算。预付账款是指企业为购买各类商品或接受服务所预先支付的款项。其计算公式如下：

$$预付款项 = \frac{外购商品或服务年费用}{预付款项周转次数} \quad (3-19)$$

④ 现金估算。现金主要包括为维持项目正常生产运营必须预留的货币资金。其计算公式如下：

$$现金 = \frac{年工资及福利 + 年其他费用}{现金周转次数} \quad (3-20)$$

其中：

$$年其他费用 = 制造费用 + 管理费用 + 营业费用 - \begin{matrix}上述费用中包含的工资及福\\利、折旧摊销费、修理费\end{matrix} \quad (3-21)$$

3）流动负债估算。主要包括以下两个方面：

① 应付账款估算。应付账款是指外购原材料、燃料动力及其他材料已经完成，应该向采购方支付的款项。其计算公式如下：

$$应付账款 = \frac{外购原材料、燃料动力及其他材料费用}{应付账款周转次数} \quad (3-22)$$

② 预收款项估算。预收款项是指企业在采购方未获得商品时而预先从采购方获得的营业收入。其计算公式如下：

$$预收款项 = \frac{预收营业收入年金额}{预收款项周转次数} \quad (3-23)$$

3. 建设期利息估算

估算建设期利息，应在确定投资计划和资金筹措方案的基础上进行。首先根据项目进度计划，确定建设期分年度的投资计划，明确每年需要的总投资额以及外币和本币数额；再依据资金筹措计划确定建设资金的债务资金比例和具体债务资金的筹资条件。

因为项目经济评价的"事先性"，在建设项目评价实务中，不可能准确界定借款发生的

确切时点，所以计算建设期利息时，为简化计算，通常假定借款均发生在年中，借款当年按半年计息。某年应计利息如下

$$\text{某年应计利息} = (\text{年初借款资金累计} + \text{当年借款} \div 2) \times \text{借款年利率} \quad (3\text{-}24)$$

需要注意的是，若采用单利计息，年初借款资金累计为借款本金累计值；若采用复利计息，年初借款资金累计为借款本金和期间产生的利息的累计值。

3.2 折旧

3.2.1 折旧的概念

折旧是指在固定资产的使用过程中，随着资产损耗而逐渐转移到产品成本费用中的那部分价值。

这种计入产品成本又在营业收入中回收的固定资产的转移价值称为折旧费。折旧是一种财务手段，通过这种手段使逐渐磨损的固定资产价值得以补偿。从折旧的计提过程看，折旧费只是财务系统内部的一笔转移支付。所以，用现金流量的视角审视折旧，它不属于现金流。

3.2.2 影响折旧计算的主要因素

影响折旧额计算的主要因素有以下几个：

1) 固定资产原值。固定资产原值是指固定资产的原始价值或重置价值。
2) 设备的净残值。设备的净残值是指设备的残值扣除清理费用后的余额，一般为原始价值的3%~5%。
3) 设备的折旧年限。设备的折旧年限是指国家规定的计提折旧费的时间。
4) 折旧的计算方法。折旧的计算方法是指国家规定的折旧费计算方法。

3.2.3 折旧的计算方法

折旧的计算方法很多，一般可概括为两类：线性折旧法和加速折旧法。

1. 线性折旧法

线性折旧法就是各期计提的折旧额是相等的，是一种平均计算方法。线性折旧法计算简单，在我国应用较为广泛。线性折旧法主要有平均年限法和工作量法。下面具体介绍平均年限法。

平均年限法的计算公式如下：

$$R = \frac{1 - f_s}{N} \quad (3\text{-}25)$$

$$D = K_0 R \quad (3\text{-}26)$$

式中　D——年折旧额；

　　　R——年折旧率；

　　　K_0——固定资产原值；

　　　N——折旧年限；

　　　f_s——净残值率。

【例 3-2】

某项目使用 800 万元（其中借款 300 万元）固定资产投资进行建设。建设期为 2 年，运营期为 5 年。借款年利率为 8%，利息照付，本金从第 3 年开始 3 年内等额偿还。固定资产净残值率为 2%，按线性折旧。试计算每年计提的折旧额。

解：1）计算建设期利息。根据式（3-24）：

第 1 年应付利息：

$$\frac{300\ 万元}{2} \times 8\% = 12\ 万元$$

第 2 年应付利息：

$$300\ 万元 \times 8\% = 24\ 万元$$

所以，建设期利息为 (12+24) 万元 = 36 万元。

2）计算固定资产原值。

$$\begin{aligned}固定资产原值\ K_0 &= 固定资产投资 + 建设期利息\\ &= (800+36)\ 万元\\ &= 836\ 万元\end{aligned}$$

3）计算折旧率。根据式（3-25），得：

$$R = \frac{1-f_s}{N} = \frac{1-2\%}{5} = 19.6\%$$

4）计算年折旧额。根据式（3-26），得：

$$D = K_0 R = 836\ 万元 \times 19.6\% = 163.86\ 万元$$

即每年计提的折旧额为 163.86 万元。

2. 加速折旧法

线性折旧法计算简单，但不能很好地反映固定资产价值磨损规律，特别是在短期内通过计提折旧费募集更新、改造资金的情况下，线性折旧法不太适用，所以就提出了加速折旧法。加速折旧法分为年数总和法和双倍余额递减法。

（1）年数总和法

$$年折旧率\ R_n = \frac{2(N-N_n)}{N(N+1)} \tag{3-27}$$

$$年折旧额\ D_n = K_0(1-f_s)R_n \tag{3-28}$$

式中 D_n——第 n 年的折旧额；

R_n——第 n 年的折旧率；

N_n——已经使用的年限；

其他变量含义同前。

【例 3-3】

某设备的原值为 40 万元，折旧年限为 5 年，预计净残值为 1.6 万元。试用年数总和法计算各年的折旧额。

解: 1) 计算年折旧率。根据式（3-27），得：

$$R_1 = \frac{2 \times (5-0)}{5 \times (5+1)} = \frac{5}{15}$$

$$R_2 = \frac{2 \times (5-1)}{5 \times (5+1)} = \frac{4}{15}$$

⋮

2) 计算年折旧额。根据式（3-28），得：

$$D_1 = \left[(40-1.6) \times \frac{5}{15}\right] 万元 = 12.80 万元$$

$$D_2 = \left[(40-1.6) \times \frac{4}{15}\right] 万元 = 10.24 万元$$

⋮

计算结果见表 3-1。

表 3-1 各年折旧额

年份	年折旧率	年折旧额（万元）	账面余额（万元）	年份	年折旧率	年折旧额（万元）	账面余额（万元）
1	5/15	12.80	27.20	4	2/15	5.12	4.16
2	4/15	10.24	16.96	5	1/15	2.56	1.6
3	3/15	7.68	9.28				

（2）双倍余额递减法

$$R = \frac{2}{N} \tag{3-29}$$

$$D_n = K_n R \tag{3-30}$$

式中 K_n——第 n 年账面净值。

需要注意的是，应用双倍余额递减法计算折旧，应当在固定资产折旧年限到期前两年内，将固定资产净值扣除预计净残值后的净额平均摊销，也就是最后两年改用线性折旧法计算折旧。

【例 3-4】

某设备原值为 40 万元，折旧年限为 5 年，预计净残值为 1.6 万元。试用双倍余额递减法计算各年的折旧额。

解: 根据式（3-29），得：

$$R = \frac{2}{5} = 40\%$$

根据式（3-30），得：

$$D_1 = (40 \times 40\%) 万元 = 16 万元$$

$$D_2 = [(40-16) \times 40\%] \text{万元} = 9.6 \text{万元}$$

$$D_3 = [(40-16-9.6) \times 40\%] \text{万元} = 5.76 \text{万元}$$

$$D_4 = \left(\frac{40-16-9.6-5.76-1.6}{2}\right) \text{万元} = 3.52 \text{万元}$$

$$D_5 = \left(\frac{40-16-9.6-5.76-1.6}{2}\right) \text{万元} = 3.52 \text{万元}$$

3.3 成本

3.3.1 成本的概念

成本是指为了获得预期收益而付出的代价，是消耗在产品或服务中的物化劳动与活劳动价值之和，或者说成本是使产品或服务得以实现而消耗的生产力要素。所以成本只有通过商品的营销而得到补偿，才能维持项目的简单再生产。

其消耗性体现在生产力要素的原材料、燃料动力、设备、技术、人力等形态转变为特定功能价值的产品形态上。从经济效益的意义上讲，成本是反映劳动消耗的耗费类经济要素。成本的现金流特征如图3-8所示。

成本

作为项目投入的成本最终形成了供项目营销的产品（服务）。通过成本消耗而生成了产品，是投资者获得"预期收益"的前提。销售产品可以实现获益的期望，这体现了产品的出让或流转价值。这是区别投资和成本的一个突出标志。成本产生"期望收益"的逻辑是，通过成本付出，劳动把生

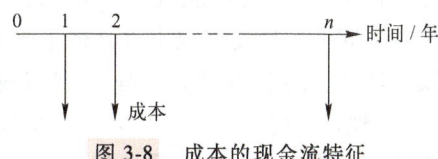

图 3-8　成本的现金流特征

产资料变成了具有价值和使用价值的商品，也就是通过成本使生产资本转化成了商品资本，而商品资本相对于生产资本有了"增值"。所以，经营者所追求的"期望利益"实质就是资本的"增值"。它是资本和劳动的共同结果。

3.3.2 成本的分类

成本是项目经济评价中一个很重要的经济要素，在项目经济评价中有多种作用。基于不同的作用和需要，成本具有不同的分类或特定的含义。

1. 要素成本

要素成本是按生产费用的经济性质来划分的成本类型，即按制造产品时所耗费用的原始形态划分，不论这些费用的生产用途和发生地点如何，只要经济性质相同都归为一类。工业产品的成本要素一般包括下列内容：

（1）外购原材料

外购原材料包括构成产品实体的各种外购原料与主要材料以及生产与企业管理中所消耗的各种辅助材料，但在生产过程中产生和回收的废料应扣除。

（2）外购燃料动力

外购燃料动力专指生产所消耗的各种外购燃料和外购动力。

（3）工资及福利

工资及福利是指支付职工的全部工资以及按规定提取的职工福利费。

（4）固定资产折旧

固定资产折旧是指对生产使用的固定资产、生活以及福利事业使用的固定资产，按规定的折旧方法提取的折旧。

（5）修理费

修理费是指为保持固定资产的正常运转和使用，对其进行必要的修理所花费的费用。

（6）无形资产及其他资产摊销

无形资产及其他资产摊销是指按规定的摊销方法（一般采用平均年限法，不计残值）提取的摊销。

（7）利息支出

利息支出也称财务费用，是指为项目实施筹措债务资金而发生的费用，包括利息支出、汇兑损失以及相关费用。需要强调的是，这里的利息支出是指在运营期间付出的借款利息。建设期付出的利息做资本化处理，计入资产原值；运营期付出的利息做费用化处理，计入生产成本。

（8）其他费用

其他费用包括其他制造费用、其他管理费用和其他营业费用，是指在制造费用、管理费用和营业费用中分别扣除工资及福利、折旧费、摊销费、修理费之后的部分。

在不同的领域要素成本有具体不同的构成。比如，房产开发的要素成本一般包括土地使用权出让费、勘察设计费、建安费（材料费、机械费、人工费、管理费等，也称建筑成本）、管理费、财务费等。所以，识别成本的关键是把握其经济内涵：付出在产品（要对外出售的）的人工费用和物质费用。

2. 经营成本

利息的处理规则

经营成本是现金流概念下的成本，是付现的成本。它是工程经济分析中使用的特定概念。经营成本的概念在确定项目计算期内的现金流量中十分重要。

现金流量计算与成本核算（会计方法）不同，按照现金流量的定义，只计算现金收支，不计算非现金收支。固定资产折旧费及无形资产、其他资产摊销费只是项目系统内部建设投资的现金转移，而非现金支出。因此，经营成本中不包括折旧费和摊销费。另外，在进行融资前项目评价时，不考虑项目所需资金的来源渠道和筹措方式，全部投资均假定为项目自有资金，因此经营成本中不包括财务费用（借款利息、汇兑损失及手续费等）。

经营成本的计算公式如下：

$$\text{经营成本} = \text{总成本} - \text{折旧费} - \text{摊销费} - \text{财务费用} \tag{3-31}$$

或

$$\text{经营成本} = \text{外购原材料、燃料动力费} + \text{工资及福利} + \text{修理费} + \text{其他费用} \tag{3-32}$$

其他费用的含义与成本生产要素中的其他费用相同。

【例 3-5】

某项目使用 1 000 万元建设投资（含其他资产 200 万元）进行建设，其中，借款 300 万元，具体情况见表 3-2。借款利率为 8%，利息照付，本金从第 3 年开始偿还，3 年内等额偿还。固定资产净残值率为 2%，其他资产无残值，均 5 年内线性折旧和摊销。求各年总成本。

表 3-2 项目建设信息 （单位：万元）

年 份	1	2	3	4	5	6	7
建设投资	800	200					
其中：借款	300						
经营成本			100	140	140	140	140

解：1) 绘制项目借贷偿还关系现金流量图，如图 3-9 所示。

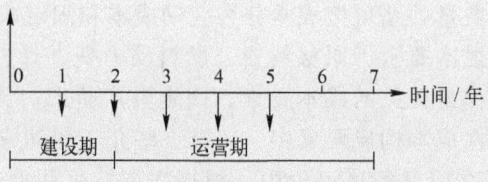

图 3-9 借贷偿还关系现金流量图

2) 计算各年应付利息，列入表 3-3。

表 3-3 借款利息计算表 （单位：万元）

年份	当期借款额	计息本金	当期应计利息	当期应付利息	期末借款额
1	300	300/2	12	12	300
2		300	24	24	300
3		300	24	24	-100
4		200	16	16	-100
5		100	8	8	-100

3) 计算资产原值。

固定资产：
$$K_0 = 固定资产投资 + 建设期利息 = (800+36) 万元 = 836 万元$$

其他资产 = 其他资产投资 = 200 万元

4) 计算折旧、摊销。

固定资产折旧：

根据式 (3-25)、式 (3-26)，得

$$D = \frac{K_0(1-f_s)}{N} = \frac{836 \times (1-2\%)}{5} 万元 = 163.86 万元$$

其他资产摊销：

$$D' = \frac{K_0'N}{N} = \frac{200}{5} 万元 = 40 万元$$

5）计算总成本。根据式（3-31）计算结果列入表3-4。

表3-4 总成本计算表　　　　　　　　　　（单位：万元）

年　　份	3	4	5	6	7
经营成本	100	140	140	140	140
折　　旧	163.86	163.86	163.86	163.86	163.86
摊　　销	40	40	40	40	40
利　　息	24	16	8		
总成本	327.86	359.86	351.86	343.86	343.86

3. 变动成本与固定成本

依据成本和工作量的数量关系可把成本分为变动成本和固定成本。变动成本是指其大小与工作量成正比例变化的成本要素，原材料费、燃料动力费、计件工资一般属于变动成本。固定成本是指其大小与工作量无关的成本要素，固定资产折旧、无形资产和其他资产摊销、修理费一般是固定成本。在成本构成要素中，还有一些介于变动成本和固定成本之间，称为半变动（半固定）成本。在项目经济评价中，根据需要，可用回归分析法等数学方法把总成本分解为变动成本和固定成本，也可把半变动（半固定）成本分解为变动成本部分和固定成本部分。

变动成本和固定成本是客观存在的成本形态。它们对生产经营状况的影响是不同的。固定成本与产品或服务的生产经营规模无关，是项目或企业必须承担的最低代价。只有通过营销活动将项目或企业的全部固定成本都补偿完毕后，项目或企业的经营活动才开始进入可盈利状态。变动成本与产品或服务的生产经营规模密切相关，其大小是确定营销价格的基本依据。只有营销价格能够补偿变动成本时，项目或企业才具有可盈利性。综上所述，固定成本通过分担其总量的生产经营规模，变动成本通过其具有的价格补偿能力，使项目或企业具有盈利能力。

4. 沉没成本

沉没成本是指发生在当期决策之前，与当期决策问题无关的费用。沉没成本发生在以前，对于决策事项而言属于历史成本。不论最终当期做何种抉择，它都是一笔"已然"状态的支出，因而对目前的决策不构成影响。

沉没成本的概念说明，因为做出新的决策行为，使得在此之前的付出变成了沉没成本。所以，当期决策之前的上一个决策和当期决策都要慎重：一是避免因上一个决策而导致当期要付出太多的沉没成本，二是避免因当期决策使得投资蜕变成沉没成本。

5. 生产成本与期间费用

生产成本是指为生产产品或提供服务而发生的各项直接支出，包括直接材料、直接工资、其他直接费用以及按一定标准分配计入的间接支出。

期间费用包括销售费用、管理费用和财务费用。销售费用包括销售或者提供劳务过程中发生的应当由企业负担的运输费、装卸费、包装费、保险费、展览费、广告费，以及专设销售机构的人员工资和其他经费。管理费用包括由企业统一负担的公司经费、工会经费、职工教育经费、劳动保险费、董事会会费、咨询费、诉讼费、税金、土地使用权出让费、技术转让费、技术开发费、无形资产及开办费摊销、坏账损失及其他管理费。财务费用包括企业经营期间发生的利息净支出、汇兑净损失及借贷手续费等。

6. 机会成本

机会成本又称择一成本或择机代价，是指在经济决策过程中，因选择某一方案而放弃其余方案所付出的代价或丧失的潜在利益。机会成本的概念确立在资源稀缺性基本原理的框架下。所谓资源的稀缺性，是指社会经济资源相对于人们的需求欲望总是稀少和短缺的。基于资源的稀缺性，项目或企业中的某种资源常常有多种用途，即有多种使用的机会，而任何一个投放机会的选定必然意味着其他所有机会被放弃，并因而放弃与之相伴的潜在收益。那么在该选定机会上所付出的代价，即机会成本，就是诸多其他投资机会中可能收益的最大值——最佳替代用途价值。因此在决策分析中，必须把已放弃方案可能获得的潜在收益作为被选取方案的机会成本，这样才能对选定方案的经济效益做出正确的评价。

工程经济分析的一个突出特征是多方案比较和选择，在资源稀缺的背景下，方案比选的结果实质上就是资源的最合理配置和有效使用。在面临众多选择时，机会成本概念的作用可以实现，这就是选择的代价。引入机会成本的概念，有助于实现资源的合理配置。

引入机会成本是为了对优选方案提供信息，并对优选方案的经济效益做出全面正确评价。由于机会成本并没有实际发生，因此在会计记录中不做任何反映，因而机会成本在决策时经常被忽略，在项目方案的决策中由于认识和论证不足以及信息误导等原因，经常选择非利益最大化的方案，导致损失大量的机会成本。因此，对机会成本的认识也应与成本的换取性相联系，用较小的机会成本来换取最大的经济利益。

从现金流的视角看，投资和成本都是维系项目的现金流出，初学者极易混淆，也因此会影响对基本经济要素的正确估计，并贻误对项目的正确评价。在此特别提示，可以通过追踪现金投入的最终去向做出正确判断：如果投入的最终去向是形成了投资者所拥有的资产，则该项投入为投资；如果最终去向是形成了供投资者经营的产品（或服务），则该项投入为成本。比如，投入1 000万元建设一处生产场所，则这1 000万元的投入称为投资；若投入1 000万元建设一栋房产供出售，则1 000万元的投入称为成本。

3.3.3 成本的估算

成本估算通常采用生产要素法，即依据成本的构成要素，分别就外购原材料、外购燃料动力、工资及福利、固定资产折旧、无形资产和其他资产摊销、修理费、利息支出和其他费用等逐项进行估算，而后汇总即为总成本费用：

$$总成本费用=外购原材料+外购燃料动力+工资及福利+固定资产折旧+$$
$$无形资产和其他资产摊销+修理费+利息支出+其他费用 \quad (3-33)$$

成本估算也可以采用生产成本加期间费用的估算方法。分别逐项估算生产成本和期间费用，然后汇总如下：

$$总成本费用=生产成本+期间费用 \quad (3-34)$$

其中：

$$生产成本=直接材料+直接燃料动力+直接工资+其他直接费+制造费用 \quad (3-35)$$

$$\text{期间费用} = \text{管理费用} + \text{销售费用} + \text{财务费用} \tag{3-36}$$

成本估算中，应注意价格体系的选择，价格体系和价格时点应与营业收入估算所选定的一致；应考虑国家对折旧、摊销、修理费、利息、工资及相关福利、社会保险费用等的相关制度和规定以及同行企业费用状况，结合项目特点确定。

3.4 税收及税金

3.4.1 税收的概念及其职能

1. 税收的概念

税收是国家为了实现其职能，凭借政治权利参与国民收入分配和再分配，按照法律规定的标准，无偿取得财政收入的一种形式。它是调整国民经济的重要杠杆。税收的突出特征如下：

（1）强制性

税收是国家依据税法的规定强制征收的，缴纳税金是纳税人的法定义务，如有违反，就要受到国家法律的制裁。

（2）无偿性

国家征税后，税款即成为国家的财政收入，为国家所有，不再归还各纳税人，也不付给其任何对价或报酬。

（3）固定性

税收是国家按照法律预先规定的范围、标准和环节征收的。税法的规定具有相对稳定性。

2. 税收法律关系及税金

税收法律关系是指国家通过税务机关与纳税人之间建立的税收征纳的权利、义务关系。在这个法律关系中，国家税务机关是税收征管的权利主体，纳税人是向国家缴纳税金的义务主体。税金是纳税人依国家税法的要求以货币或实物形式向国家缴纳的一定数量的税款。

3.4.2 建设项目评价的主要税种

建设项目经济评价中涉及的税种主要有关税、增值税、营业税（现已废止）、流转税附加、消费税、资源税、企业所得税、城市维护建设税和教育费附加等，房地产开发项目还包括土地增值税。下面简要介绍一些税种。

1. 关税

关税是指以进出口的应税货物为纳税对象的税种，在应税货物进口、出口或过境环节征收。建设项目涉及引进设备、技术和进口原材料或出口相应货物时，对其进行评价涉及正确处理关税。

目前我国主要征收进口环节关税，对大多数货物出口免征关税。

按计税标准不同，关税可分为从价关税、从量关税、复合关税和滑动关税。

1）从价关税。从价关税即以货物的价格作为计税依据而计算征收的关税。我国对进口商品基本上实行从价关税。对于从价关税，关税税金计算一般公式如下：

$$\text{进口关税} = \text{到岸价（CIF 价）} \times \text{关税税率} \tag{3-37}$$

$$出口关税 = \frac{离岸价(FOB 价) \times 关税税率}{1+关税税率} \qquad (3-38)$$

到岸、离岸均以我国口岸为准。

2）从量关税。从量关税即以货物的重量、长度、容量、面积等计量单位为计税依据而计算征收的关税。

3）复合关税。复合关税即对同一种进口货物同时使用从价计征和从量计征的一种关税。

4）滑动关税。滑动关税又称滑准税，是一种关税税率随进口货物价格由高到低而由低到高设置计征关税的方法，即进口货物价格越高，其进口关税税率越低，进口货物价格越低，其进口关税税率越高。

2. 增值税

增值税是以商品（服务、劳务）在流转过程中产生的增值额作为计税依据而征收的一种流转税。从计税原理上说，增值税是对商品生产、流通、劳务、服务中多个环节的新增价值或商品的附加值征收的一种流转税。

我国现行的增值税应税活动是指在我国境内销售货物或者加工、修理修配劳务（以下简称劳务），销售服务、无形资产、不动产以及进口货物等，统称应税销售行为。

增值税实行价外税，也就是由流转活动的下游方（购买方）负担税款。所以，增值税的计税基础是不含税增值额，即

$$增值额(不含税) = 销项额(不含税) - 进项额(不含税) \qquad (3-39)$$

而在商品（服务、劳务）流转过程中，交易价格（也可称公称价格）是含税价，也就是下游方（购买方）的实际支付是以含税价计算的。所以，在计税时需要将含税销项额、进项额换算成不含税销项额、进项额。

$$销售额(不含税) = \frac{销售额(含税)}{1+税率} \qquad (3-40)$$

$$进项额(不含税) = \frac{进项额(含税)}{1+税率} \qquad (3-41)$$

增值税的一般计税方法如下：

$$应纳增值税额 = 销项税额 - 进项税额 \qquad (3-42)$$

其中

$$销项税额 = 销售额(不含税) \times 税率 \qquad (3-43)$$

$$进项税额 = 进项额(不含税) \times 税率 \qquad (3-44)$$

在增值税征收管理中，按纳税人经营规模大小以及会计核算是否健全将纳税人划分为一般纳税人和小规模纳税人。一般纳税人是指应税销售行为的年应税销售额超过规定标准（现行规定为 500 万元）以上的纳税人。小规模纳税人是指应税销售行为的年销售额在规定标准（现行规定为 500 万元）以下的纳税人。

增值税依据不同应税行为实行差别固定比例税率。一般纳税人现行适用的税率有 13%、9%、6%、0 等。一般纳税人通常采用一般计税方法计征，通过增值税专用发票采用抵扣的方式进行。

小规模纳税人适用征收率，现行征收率为 3%。小规模纳税人按销售额计征，开具增值税普通发票，不能作为进项抵扣（可以申请税务机关代开增值税专用发票，专票可用于抵

扣）。计算公式如下：

$$应纳税额 = 销售额（不含税） \times 征收率 \qquad (3\text{-}45)$$

$$销售额（不含税） = \frac{销售额（含税）}{1+征收率} \qquad (3\text{-}46)$$

【例 3-6】

某房产开发企业以 1 200 万元竞拍获得国有土地使用权，分别付出勘察设计费用 60 万元、施工图审查等前期费用 50 万元、建安费 500 万元、绿化费用 15 万元、监测费用 15 万、监理费用 30 万元（监理单位为小规模纳税人）等。项目销售收入为 3 600 万元。该项目开发应计征多少增值税？

解： 按相关规定，该纳税人应为一般纳税人，增值税计征应适用一般计税方法。

1) 房屋销售应税行为属于不动产销售业，适用税率为 9%。

$$销售额（不含税） = \frac{销售额（含税）}{1+税率}$$

$$= \frac{3\,600 - 1\,200}{1+9\%} 万元 \quad \text{（按规定，企业销售自行开发的房产，土地费用可以抵扣销售额）}$$

$$= 2\,201.83 \text{ 万元}$$

$$销项税额 = 应税销售额（不含税） \times 税率$$
$$= 2\,201.83 \text{ 万元} \times 9\%$$
$$= 198.17 \text{ 万元}$$

2) 勘察设计、施工图审查等、监测等应税行为属于现代服务业，适用税率为 6%，建安、绿化属于建筑服务业，适用税率为 9%。监理单位是小规模纳税人，征收率为 3%，只有当其申请税务机关代开增值税专用发票后，才可以作为进项抵扣。

$$进项额（不含税） = \frac{进项额（含税）}{1+税率或征收率}$$

$$= \frac{60+50+15}{1+6\%} 万元 + \frac{30}{1+3\%} 万元 + \frac{500+15}{1+9\%} 万元$$

$$= 117.92 \text{ 万元} + 29.13 \text{ 万元} + 472.48 \text{ 万元}$$

$$= 619.53 \text{ 万元}$$

$$进项税额 = 进项额（不含税） \times 税率$$
$$= 117.92 \text{ 万元} \times 6\% + 29.13 \text{ 万元} \times 3\% + 472.48 \text{ 万元} \times 9\%$$
$$= 50.47 \text{ 万元}$$

3) 应纳增值税额 = 销项税额 - 进项税额
$$= 198.17 \text{ 万元} - 50.47 \text{ 万元}$$
$$= 147.70 \text{ 万元}$$

即该项目开发应计征增值税 147.70 万元。

在工程经济分析实务中，应注意税法、税则和财务规章对于税率使用、纳税环节、抵扣项目等方面的具体规定。比如，一般纳税人与小规模纳税人出口商品与转让资产计征增值税的方式不同，不同行业、不同行为适用税率（征收率）不同等。

在建设项目评价中须注意,在建设期进行投资估算(包括建设投资、流动资金等估算)时应采用含(增值)税价格;在项目运营期,销售收入(营业收入)和外购原材料、外购燃料动力等成本要素的估算可以采用含(增值)税价,也可以采用不含(增值)税价。不论采用哪种价格,效益估算和费用估算所采用的价格体系都应一致。

3. 营业税

营业税是指对在我国境内从事提供应税劳务、转让无形资产或者销售不动产的单位和个人就其营业收入额征收的一种税。其计算公式如下:

$$营业税额 = 营业额 \times 营业税率 \tag{3-47}$$

营业额是指纳税人提供应税劳务、转让无形资产或者销售不动产向对方收取的全部价款和价外费用,税法规定的情形除外。

之前,营业税和增值税是我国两大主体税种。从 2012 年 1 月 1 日起,在上海交通运输业和部分现代服务业开展营业税改增值税(营改增)试点;自 2016 年 5 月 1 日起,我国全面推开营改增试点,将建筑业、房地产业、金融业、生活服务业全部纳入营改增试点;2017 年国务院废止《中华人民共和国营业税暂行条例》,营业税全面改征增值税,至此营业税成为历史。

4. 流转税附加

流转税是在流转(交易、买卖)环节课征税种的统称,主要包括增值税和消费税。流转税附加包括城市维护建设税和教育费附加。它们的课征基础是流转税。

城市维护建设税是基于特定目的在流转税基础上开征的一个地方附加税种,现行税制条件下,实行地域差别税率:纳税人在市区的为 7%,在县城、镇的为 5%,其他为 1%。

教育费附加是基于特定目的以流转税为依据由地方征收的专项费用,其税率由地方政府确定。

5. 消费税

消费税是对一些特定消费品和消费行为征收的一个税种。国务院于 1993 年 12 月 13 日颁布了《中华人民共和国消费税暂行条例》,于 1994 年 1 月 1 日开征消费税。

在境内生产、委托加工和进口应税消费品的单位和个人,以及在境内从事金银首饰商业零售的单位和个人,为消费税的纳税义务人。

征税范围包括烟、酒及酒精、化妆品、贵重首饰及珠宝玉石、鞭炮焰火、成品油、汽车轮胎、摩托车、小汽车、高尔夫球及球具、高档手表、游艇、木制一次性筷子、实木地板共 14 种商品。消费税税率最低为 3%,最高为 45%。

消费税实行从价计税、从量计税、复合计税三种计税方法计征。

6. 资源税

资源税是对在我国境内从事原油、天然气、煤炭、其他非金矿原矿、黑色金属矿原矿、有色金属矿原矿等特定矿产品开采以及生产盐的行为计征的一个税种。资源税依据国务院 1993 年 12 月 25 日发布的《中华人民共和国资源税暂行条例》征收。

资源税一般从量计征。

7. 企业所得税

企业所得税是对在我国境内的企业和其他取得收入的组织的应税所得开征的一个税种。2007 年 3 月 16 日,第十届全国人民代表大会第五次会议通过了新修订的《中华人民共和国企业所得税法》，该法于 2008 年 1 月 1 日实施。在我国境内的企业和其他取得应税收入的组织，不论出资人国籍身份、企业形态统一适用《中华人民共和国企业所得税法》，但个人独资企业、合伙企业不适用本法。

企业所得税的税率为 25%。征税依据为纳税人每一纳税年度的利润总额扣减准予扣除的与纳税人取得利润有关的成本、费用和损失后的余额：

$$\text{企业所得税} = (\text{营业收入} - \text{总成本} - \text{流转税} - \text{前一年度亏损}) \times \text{所得税税率} \quad (3\text{-}48)$$

从微观领域看，税金是一种耗费类经济要素；在宏观领域，则要视税种不同做具体分析。

【例 3-7】
某项目在某财务年度营业收入为 500 万元，生产总成本为 420 万元，企业缴纳增值税，征收率为 3%。该企业上一财务年度亏损 20 万元。问：该项目在这个财务年度应缴纳多少所得税？

解：根据式 (3-48)，得：

企业所得税 = (营业收入 − 总成本 − 增值税 − 前一年度亏损) × 所得税税率
 = [(500 − 420 − 500×3% − 20) × 25%] 万元
 = 11.25 万元

即该项目在这个财务年度应缴纳所得税 11.25 万元。

在建设项目评价中估算项目的税费时，应准确理解税法、税则对纳税环节、税款计算、税收优惠等方面的具体规定，客观公正地进行税务处理。

3.5 营业收入和利润

3.5.1 营业收入

营业收入是指以货币形式表示的项目销售产品或提供服务取得的收入。它是反映项目总量劳动成果的效益类经济要素，是营业数量和价格的乘积。

营业收入的估算应在建设项目目标市场有效需求分析和制订项目运营计划的基础上进行。要根据项目的建设规模、产品和服务方案，准确地确定目标市场，客观分析市场渗透能力。应根据技术成熟程度、市场开发程度、产品寿命周期特征等因素，合理确定分年运营负荷计划。

营业收入估算应确立合理的价格体系和选择合理的价格基点。

3.5.2 价格

价格是进行项目经济评价的基础数据，其选取是否合理将直接影响评价结论。

1. 市场价格和影子价格

在对建设项目进行国民经济评价时，基于社会资源合理配置的原则，从国民经济角度考察项目的效益和费用，价格采用完全市场条件下的价格体系——实务中用影子价格模拟，以克服由于市场价格体系下价格失真或扭曲所造成的对项目效益和费用估算的不客观和不真实。影子价格体系包括影子工资、影子汇率和一般商品影子价格（具体介绍见第7章）。影子价格反映了对商品价值和商品供应关系的真实度量。

在对建设项目进行财务评价时，基于考察项目自身的财务盈利能力、偿债能力和财务生存能力的目的，采用现行市场价格体系，即市场价格基础上的预测价格。

2. 绝对价格和相对价格

绝对价格是指用货币的绝对值表示的商品的价值。绝对价格变动是所有商品价格普遍的上涨或下跌。绝对价格变动是由通货膨胀或通货紧缩造成的。

相对价格是指用一种商品表示另一种商品的价值，即商品之间的比价关系。引起相对价格变化的主要因素包括劳动生产效率的变化、供求关系的变化、价格政策的变化等。

3. 基价、实价和时价

基价（Base Year Price）是指以基年价格水平表示的不变价格，也称固定价格（Constant Price）。基价是建设项目评价中进行投资估算和确定各种预测价格的基础。

实价（Real Price）是以基价为基础，只考虑相对价格变动因素影响的某时点的实际价格。其计算公式如下：

$$P_{rn} = P_b(1+r_1)(1+r_2)\cdots(1+r_n) \tag{3-49}$$

式中　P_{rn}——第 n 年的实价；

　　　P_b——基价；

　　　r_n——相对物价变动率（或称实价变动率）。

时价（Current Price）是以基价为基础，既考虑相对价格变动的影响，又考虑物价总水平变动的影响的当时价格。其计算公式如下：

$$P_{cn} = P_b(1+c_1)(1+c_2)\cdots(1+c_n) \tag{3-50}$$

式中　P_{cn}——第 n 年实价；

　　　P_b——基价；

　　　c_n——第 n 年的时价变动率。

显然有：

$$1+c_n = (1+r_n)(1+f_n) \tag{3-51}$$

式中　f_n——物价总水平变动率。

因此有：

$$P_{rn} = \frac{P_{cn}}{1+f_n} \tag{3-52}$$

在进行建设项目财务评价时，价格选取应遵守以下原则：

1）进行建设项目财务盈利能力分析时，运营期内各年采用的价格，是在基价基础上预测的实价，只考虑相对价格变化，不考虑物价总水平变动因素，以消除通货膨胀等因素对盈利性指标的影响。

2）进行建设项目财务偿债能力分析时，计算期内各年采用的预测价格，除考虑相对价格的变化外，还要考虑物价总水平的上涨因素，以反映通货膨胀因素对偿债能力的影响。

3）为了简化，在建设项目评价实务中，可以进行如下处理：在建设期内，既考虑物价总水平的变动（通过涨价预备费科目），又考虑相对价格的变化；在运营期内，盈利能力分析和偿债能力分析可采用同一套价格,即预测的运营期价格。预测的运营期价格可采用运营初年的基价,也可采用运营期各年的实价。

【例 3-8】

某项目主要原材料 2020 年价格为 7 800 元,2021 年实价上涨率为 2%,通货膨胀率为 1%。在进行财务偿债能力分析时,2021 年该材料应采用的价格是多少?

解:以 2020 年为基年,则 P_b = 7 800 元。根据价格选取原则,偿债能力分析应采用时价。根据式 (3-50)、式 (3-51),得:

$$P_{cn} = P_b(1+r_n)(1+f_n)$$
$$= [7\,800 \times (1+2\%) \times (1+1\%)] 元$$
$$= 8\,035.56 元$$

即在进行财务偿债能力分析时,2021 年该材料应采用的价格是 8 035.56 元。

3.5.3 利润

利润是反映劳动净成果的效益类经济要素,利润总额包括营业利润、投资净收益以及营业外收支净额。

$$利润总额 = 营业利润 + 投资净收益 + 营业外收支净额 \quad (3-53)$$

营业利润也称毛利润,是指营业收入扣除总成本、流转税及附加税费后的余额。即

$$营业利润 = 营业收入 - 总成本 - 流转税及附加税费 \quad (3-54)$$

营业利润是项目主营业务的劳动净成果。在建设项目经济评价中,利润主要是指营业利润。

投资净收益是指项目法人做对外投资,其投资收益扣除投资损失后的余额。

营业外收支净额是指营业外收入减去营业外支出后的数额。营业外收入是指项目发生的与其生产经营无直接关系的各项收入,如固定资产盘盈、处置固定资产净收益等。

在建设项目经济评价中,通常忽略投资净收益和营业外收支净额。

在忽略投资净收益和营业外收支净额的情况下,营业利润就是计征企业所得税的基础。缴纳企业所得税之后的余额成为净利润或税后利润:

$$净利润 = 利润总额 - 所得税 \quad (3-55)$$

3.5.4 利润的分配

利润分配是指按国家有关规定,对当年的实现利润以及以前年度未分配利润在不同方面进行分配的过程。

工程经济分析中,利润按以下顺序向不同方面分配:

1) 弥补以前年度的亏损。按照税法规定,企业发生年度亏损,可用下一年度税前利润弥补。

2) 缴纳企业所得税。企业营业利润扣除弥补以前年度的亏损后的余额为应税所得,在此基础上向国家缴纳企业所得税。

3) 提取盈余公积金。缴纳企业所得税后的余额为企业净利润,或者称纯利润。以此为

基础提取盈余公积金，以实现资本维持。

4）向投资者分配利润。提取盈余公积金后的利润余额为可向投资者分配的利润。按照企业决策向投资者分配利润或股利。

5）企业留存利润。向投资者分配利润之后的余额是未分配利润，或称为企业留存利润，由企业决策使用。

练 习 题

1. 某项目使用1 000万元建设投资（含其他资产200万元）进行建设，其中，借款300万元（表3-2），借款利率为8%。从第3年开始偿还贷款，3年内等额偿还本息。固定资产净残值率为2%，其他资产无残值，均线性折旧和摊销。求各年总成本。

2. 某货物2020年的价格为100元，年通货膨胀率为3%，该货物相对价格上涨1%，求该货物2021年的时价、实价。

3. 某项目使用1 000万元建设投资（含其他资产200万元）进行建设。其中，借款300万元，具体情况见表3-5。借款利率为8%，从第3年开始偿还贷款，3年内利息照付，等额偿还本金。流动资金借款为200万元，年利率为6%，第3年投入。固定资产净残值率为2%，其他资产无残值，均线性折旧和摊销。项目计征营业税，税率为13%；企业所得税税率为25%。

表3-5 项目信息 （单位：万元）

年 份	1	2	3	4	5	6	7
建设投资	800	200					
其中：借款	300						
流动资金			200				
营业收入			500	600	600	600	600
经营成本			100	140	140	140	140

项目的营业收入为含税收入，经营成本中的外购原材料和燃料动力费用列入表3-6。求项目各年净利润。

表3-6 项目外购原材料和燃料动力费用 （单位：万元）

年 份	3	4	5	6	7
外购原材料	40	60	60	60	60
外购燃料动力	20	30	30	30	30

4. 试分析一家工程造价事务所开业运行所需要的建设投资和流动资金投资。如果是工程承包公司或房地产开发公司，请试做同样的分析。

第 4 章 建设项目的经济性评价指标体系

【内容提要】

(1) 净现值的经济内涵及其特征。
(2) 内部收益率的经济内涵及其特征。
(3) 内部收益率与投资收益率的区别。
(4) 投资回收期的经济内涵及其特征。
(5) 利息备付率及其特征。
(6) 偿债备付率及其特征。

【关键词】

盈利能力评价；偿债能力评价；净现值；内部收益率；投资回收期；净现值率；投资收益率；资本金利润率；息税前利润；利息备付率；偿债备付率

【学习指导】

建设项目的经济性评价指标体系是一套能够客观衡量建设项目经济效益状况的标尺。不同的指标从不同的角度诠释了经济效益的不同内涵，用以从不同视角考量建设项目的经济效益状况。

净现值（Net Present Value，NPV）是最常用的判断项目盈利能力的指标。它涵盖了建设项目整个寿命周期间的现金流，并且以投资者关注的价值形态来解释建设项目的经济效益，因此属于一类经济评价指标。净现值指标不仅可以用于独立方案绝对经济性的判断，而且还可以用于多个方案相对经济性的比较。净现值指标的缺点是需要预先设定一个计算参数——折现率。

内部收益率（Internal Rate of Return，IRR）是最常用的判断项目盈利能力的指标。它涵盖了建设项目整个寿命周期间的现金流，以投资效率的形态来解释建设项目的经济效益，因此属于一类经济评价指标。内部收益率指标不受任何外在因素影响，是完全的项目内生变量。

投资回收期是常用的时间型指标。它既能反映项目的盈利能力，也能反映项目的风险状况。投资回收期指标的缺憾是不能反映建设项目存续状态的全貌，因此它是建设项目评价的辅助指标。

利息备付率（ICR）从偿付借款利息的资金来源充裕性角度反映项目偿债的保障程度，是评价建设项目偿债能力的重要指标。

偿债备付率（DSCR）表示可用于偿付借款的资金对于偿还债务本金和利息的保障程

度，是评价建设项目偿债能力的重要指标。

进行建设项目经济评价要依靠一套能够客观衡量项目经济效益状况的标尺，这就是建设项目的经济性评价指标体系。统一使用标尺来考量建设项目不同方案的经济效益状况，判断其对项目主体投资政策的符合性，具有客观性和公正性。

4.1 概述

能够用来评价建设项目经济性的指标有很多，它们分别从不同角度反映建设项目的经济效益状况，又各自具有优缺点。由于工程项目的复杂性和评价目标的多样性，因而在方案的经济性评价时：一要根据需要科学、恰当地选用具体评价指标，以保证准确衡量方案的经济效益状况；二要把多个指标结合起来使用，从而使不同指标可取长补短，达到全面评价的目的。国内外提出的建设项目的经济评价指标有许多，本章重点介绍几种常用的评价指标。

指标体系

经济评价指标可以按不同标准进行分类。

1. 按是否考虑时间因素分类

按是否考虑时间因素，可以把经济评价指标分为静态评价指标和动态评价指标（图4-1）。静态评价指标不考虑时间因素，忽略资金运动中的增值作用。静态评价指标计算简单，但因其忽略资金的时间价值，所反映方案的经济效益不准确，因而一般只作为辅助指标使用。动态评价指标考虑时间因素，在评价指标的计算过程中必须把资金的时间价值因素考虑进去。动态评价指标计算烦琐，但因其体现了资金的增值规律，准确反映了方案的经济效益状况，所以是目前常用的评价指标。

建设项目经济评价指标 { 静态评价指标：投资收益率、资本金利润率、静态投资回收期等
动态评价指标：净现值、内部收益率、动态投资回收期等

图4-1 建设项目经济评价指标（一）

2. 按经济性质分类

评价指标按其经济性质可分为时间型指标、价值型指标和效率型指标（图4-2）。时间型指标以时间量来衡量方案的经济效益状况，价值型指标以货币量（价值量）为衡量方案经济效益的尺度，效率型指标反映方案消耗或占用资源的使用效率。

建设项目经济评价指标 { 时间型指标：投资回收期、借款偿还期等
价值型指标：净现值、净年值等
效率型指标：内部收益率、净现值率、投资收益率、资本金利润率等

图4-2 建设项目经济评价指标（二）

3. 按考察方案经济性的不同方面分类

按考察方案经济性的不同方面，可把评价指标分为盈利能力指标、偿债能力指标和财务生存能力指标。盈利能力指标反映方案所具有的获取回报的能力，其高低反映着方案占用资源的增值能力，即回报能力；偿债能力指标反映方案在运行中清偿债务资本的能力；财务生

存能力指标反映项目财务现状支持项目运营的能力。它们的关系如图 4-3 所示。

建设项目经济评价指标 { 盈利能力指标：净现值、内部收益率、投资回收期等；偿债能力指标：利息备付率、偿债备付率等；财务生存能力指标：项目投资计划累计净现金流量

图 4-3　建设项目经济评价指标（三）

反映项目经济效益状况的指标众多，又各有其特点，在建设项目评价实践中，可根据项目评价阶段、评价深度的要求和项目的特征具体选用。

随着投资体制改革的不断深化，国有资本逐渐淡出一般竞争性领域，而更多的民间或国（境）外资本投入进来。对于民间或国（境）外资本投资者而言，他们有着强烈的获取经济回报的要求，格外关注拟投资项目未来的经济运营状况。而项目的产出除了具有经济性外，还具有环境影响性、国民经济和社会发展影响性。所以站在更高远的视角上，从合理配置社会经济资源的立场出发，作为国家进行产业布局、产业结构调整和宏观经济调控的目的来考察和评价项目时，应当更多考察和评价外部效果，关注其外部效果的可接受性、可协调性和可补偿性。当然，对于国有资本，也应从直接效益和间接效益、微观和宏观、经济和社会多个方面进行评价，既要确保国有资本的效益和效率，也要确保国有资本在维持经济、社会、环境的可持续发展中发挥重要作用。

4.2　时间型指标

时间型指标以时间为计量单位，用来考察建设项目的经济效益状况。时间型指标主要有投资回收期和相对投资回收期。投资回收期又分为动态回收期和静态回收期两种。

4.2.1　投资回收期的概念

投资回收期也称返本期，是指从项目投资开始（第 0 年）算起，用项目投产后的收益回收全部投资所需的时间长度，一般以年为单位计。如果从投产年或达产年算起，应予注明。

用投资回收期的观点来观察项目的生产经营过程，首先就是投资不断地被回收（资本被返还）的过程，项目的全部投资被回收完成的时间就是投资回收期。投资回收过程如图 4-4 所示。

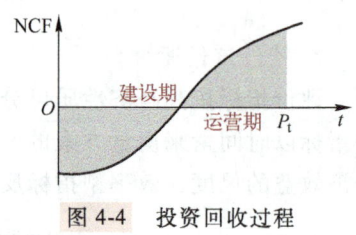

图 4-4　投资回收过程

项目投资通过项目收益进行回收，所以投资回收期反映了方案的盈利能力。只有项目的全部投资被回收以后，项目生产经营才可能实现投资者和其他相关利益主体的愿望。投资的回收过程渗透着投资的风险，因此投资回收期也反映方案运行中的风险。投资回收期指标既反映项目盈利能力，又反映项目风险，因而是项目评价中的常用指标。一般认为，投资回收期越短，则实施方案的盈利能力越强，运行风险越小；反之，则盈利能力越差，运行风险越高。

4.2.2　静态投资回收期

所谓静态投资回收期，即不考虑资金的时间价值因素的投资回收期。因静态投资回收期

不考虑资金的时间价值，所以项目投资的回收过程就是方案现金流的算术累加过程，累计净现金流为"0"所对应的年份即为投资回收期。其计算公式可表示如下：

$$\sum_{t=0}^{P_t} (CI - CO)_t = 0 \qquad (4-1)$$

式中　　P_t——投资回收期；
　　　　CI——现金流入量；
　　　　CO——现金流出量；
　　$(CI-CO)_t$——第 t 年的净现金流量。

一般地，可用下式计算：

$$P_t = T - 1 + \frac{第(T-1)年净现金流累计值的绝对值}{第\ T\ 年的现金流} \qquad (4-2)$$

式中　T——累计净现金流量首次为非负值所对应的年份。

如果投资在期初一次投入，且每年的净收益固定不变，则静态投资回收期公式可简化如下：

$$P_t = \frac{K}{R} \qquad (4-3)$$

式中　K——投资总额；
　　　R——年收益。

4.2.3　动态投资回收期

所谓动态投资回收期，即考虑资金时间价值因素的投资回收期。因为动态投资回收期包含资金的时间价值，所以在考察资金的回收过程，即用收益补偿投资的过程时，应注意分布在不同时点的现金流的时间价值差异。体现在动态投资回收期的计算上，就是应注意不同时点现金流的等值换算，其一般表达式如下：

$$\sum_{t=0}^{P_t} NCF_t (1 + i_c)^{-t} = 0 \qquad (4-4)$$

式中　i_c——基准收益率；
　　NCF_t——第 t 年的净现金流量。

动态投资回收期通常用累计法求得：

$$P_t = T - 1 + \frac{第(T-1)年净现金流现值累计值的绝对值}{第\ T\ 年净现金流的现值} \qquad (4-5)$$

T——累计净现金流量现值首次为非负值所对应的年份。

特别地，当建设项目仅有初始投资且年收益数额相等时，动态投资回收期可用资金回收公式求得，即：

$$R = K(A/P, i_c, P_t) \qquad (4-6)$$

4.2.4　投资回收期的评价标准

用投资回收期评价建设项目的经济可行性，其评价标准如下：

$$P_t \leq P_c$$

P_c 称为基准回收期,它是行业或国家可以接受的最长投资回收期,由行业或国家发布。若某方案的 $P_t \le P_c$,则表明该方案达到了行业或国家的基本经济要求,经济上是可行的;反之,则不可行。

【例 4-1】
某方案的现金流量见表 4-1。已知基准折现率为 10%,基准回收期为 5 年,试判别该方案的经济可行性。

表 4-1 某方案的现金流量 （单位：万元）

年　份	0	1	2	3	4	5
年净现金流	-100	20	30	60	60	60
年净现金流现值	-100	18.2	24.8	45.1	41.0	37.3
现值累计值	-100	-81.8	-57.0	-11.9	29.1	

解：由表 4-1 计算结果,根据式 (4-5) 可得：
$$P_t = (4-1+11.9 \div 41.0) \text{年} = 3.29 \text{年}$$
因为 $P_t < P_c = 5$,所以,该方案经济上可行。

4.2.5 相对（追加）投资回收期

相对（追加）投资回收期是指两个不同方案之间,以其相对收益回收其相对（追加）投资所需要的时间,即：

$$\Delta P_t = \frac{K_\text{I} - K_\text{II}}{R_\text{I} - R_\text{II}} \tag{4-7}$$

式中　ΔP_t——相对（追加）投资回收期；
　　K_I、K_II——方案 I、方案 II 的投资；
　　R_I、R_II——方案 I、方案 II 的年收益。

显然,$K_\text{I} - K_\text{II}$ 是方案 I 相对于方案 II 的投资,或方案 I 在方案 II 投资基础上的追加投资。同样,$R_\text{I} - R_\text{II}$ 是方案 I 相对于方案 II 的年收益,或方案 I 在方案 II 收益基础上的增量收益。相对（追加）投资回收期反映了一对方案的相对经济性。

若 $\Delta P_t \le P_c$,表明以方案 I 相对于方案 II 的年收益去补偿方案 I 相对于方案 II 的投资达到了行业或国家的基本经济要求,所以方案 I 优于方案 II；反之,则方案 II 优于方案 I。

用相对（追加）投资回收期可以简单地进行方案的相对优劣比较。需要注意的是,比较结论只是反映一对方案的相对性,不能因此判断其各自的经济可行性。

4.2.6 对投资回收期的评价

投资回收期的优点在于：概念明确,简单易算；既反映方案的盈利性,又能反映方案的风险。因投资回收期指标的显著优点,我国在较长时期曾将其作为评价建设项目的主要指标。投资回收期的缺点在于：它只反映了项目投资回收前的盈利情况,而不能反映投资回收后的盈利情况,因而对项目在整个寿命周期内的经济效益反映是不全面的。因此,投资回收期通常不能独立判断项目是否可行，目前在项目评价中不再作为主要指标使用，而作为重要的辅助评价指标来使用。

4.3 价值型指标

价值型指标以货币量来反映建设项目的经济效益状况，符合投资者追求的目标，所以是目前建设项目常用的重要评价指标。

4.3.1 净现值

1. 净现值的概念

净现值（Net Present Value，NPV）是指建设项目在整个寿命周期内，各年的净现金流按既定的折现率折算到计算期初（第0年）的现值之和。净现值是考察建设项目在其计算期内盈利能力的主要动态评价指标。其一般表达式如下：

$$\mathrm{NPV} = \sum_{t=0}^{n} \mathrm{NCF}_t(P/F, i_c, t) \tag{4-8}$$

式中 NCF_t——第 t 年的净现金流量；

i_c——既定的折现率；

n——项目计算期。

2. 净现值的评价标准

用净现值指标评价建设项目的经济可行性，其评价标准如下：

$$\mathrm{NPV} \geq 0$$

若方案的 NPV≥0，则表明该项目在既定的折现率基础上达到了投资者、行业或国家的基本经济要求，因而其实施在经济上是可行合理的；反之，则表明方案达不到基本经济要求，其实施是不可行的。

3. 折现率的取值

从净现值的概念可知，影响某一特定建设项目净现值的大小，进而影响项目评价结论的因素除了项目的内生变量，如各年现金流量、计算期等之外，还有项目的外在变量——折现率。投资体制改革的基本原则是坚持"谁投资，谁决策；谁受益，谁承担风险"，通过建立科学、公正的项目评价体系，落实投资自主权。所以，在项目工程经济分析中，一般这样选取折现率的取值：在财务评价阶段，对于政府投资项目，选取行业基准折现率作为计算参数，对于非政府投资项目，选取投资各方的期望资本收益率为计算参数；在国民经济评价阶段，以社会折现率作为计算参数。

行业基准折现率是行业可以接受的最低期望收益率，社会折现率是在影子价格体系下有助于实现社会经济资源合理配置的社会经济可以接受的最低期望收益率。它们是重要的经济杠杆参数。从它们作为度量方案经济可行性标准的角度看，它们应该是行业或社会的最低期望时间价值。从理论上讲，其大小应当是边际方案的边际收益率。在实务中，折现率的大小一般综合考虑资金成本、通货膨胀率和投资风险系数等因素来确定。

行业基准折现率和社会折现率作为国家参数，由有关部门定期测定并发布。投资各方的期望资本收益率作为私人参数，可以参考行业基准折现率结合各自投资风险状况和期望收益自主确定。

4. 净现值函数

净现值函数是用来表示净现值与折现率之间变化关系的函数。对于既定的项目实施方案，NPV 随着 i 的变化表现出某种变化规律：一般随着 i 的增加，NPV 逐渐变小，NPV = $f(i)$ 呈减函数变化趋势，如图 4-5 所示。

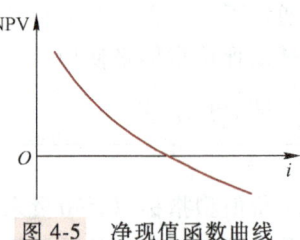

图 4-5　净现值函数曲线

5. 对净现值指标的评价

净现值的主要优点有：计算简便；计算结果稳定，不会因计算方法不同而带来任何差异；考虑了资金时间价值并全面考虑了项目在整个寿命周期内的经济状况；直接以货币量表示项目的净收益，经济意义明确直观。

其主要缺点表现在以下几方面：

1) 只反映资金的总量使用效果，而不反映资金的使用效率。在一些类别的项目评价时，如金融资产投资项目，可能更需要关注资金的报酬率。此时净现值因无法评定可接受的备选项目报酬率的高低，可能因为一个勉强合格的大型项目的正净现值比一个很好的小型项目的正净现值大得多而造成决策失误。

2) 必须预先设定一个较符合经济现实的基准收益率。基准收益率的确定是一个比较复杂、困难的问题，基准收益率定得太高，会失掉一些经济效益好的项目；若定得太低，则可能会接受过多的项目，而其中的一些项目效益并不好，从而使得对方案的经济性评价受到外在因素影响。而且在实际工程经济分析中，基准收益率通常由加权平均资本成本（Weighted Average Cost Capital，WACC）法或资本资产定价模型（Capital Asset Pricing Model，CAPM）计算得出，本身就具有相当大的主观性。

3) 净现值隐含的假设为决策必须于当前做出，如果投资回报令人满意，则进行投资；反之则永久放弃该项目，将来也不会投资。所以在投资项目的分析、决策及其实施过程中，决策人扮演的只是一个被动角色，他只能坐视投资环境的变化，而不能根据以后得到的信息调整决策。但在风险投资过程中，投资的时机有一定的回旋余地，如果项目的前景不确定，投资者可以推迟行动直至得到更多的信息再决定是否进行下一阶段的投资，而净现值忽略了投资者根据信息进行调整的灵活性的价值。

4) 净现值假设未来的现金流是可以预测的，将预测数据视为投资的现实。这样做的结果是将原本不确定的投资转化为确定性投资的假象，并且认为不确定性会降低投资项目的价值。然而，如果项目的管理者能够充分利用柔性管理策略经营这种较高的不确定性，则有可能利用不确定性来增加投资项目的价值。

5) 净现值假设一旦投资者决定投资，就要始终坚持投资直到项目终结。这种假设没有考虑管理者决策的积极主动性、有关投资项目内外信息的不断变化和项目技术的一些不确定性。实际上随着时间的变化，所面临的投资环境和项目的现金流也是不断变化的，在项目的实施过程中，管理者可以采取扩张、收缩、放弃和转换项目等多种柔性投资策略，并非一定坚持投资直到项目的终结。

针对净现值的缺陷，可以用实物期权定价理论来修正传统的净现值决策法则。实物期权是指在不确定性条件下与金融期权类似的实物资产投资的选择权。与传统的投资决策分析方法相比，实物期权的思想不是单一地集中于对现金流预测，而是把分析集中在项目所具有的不确定性问题上,用概率的语言来描述项目未来现金流的概率分布状况。因此,实物期权正是金融期权理论在实物投资上的扩展,是一种把金融市场的规则引入企业内部战略投资决策的思维方法,是一种改善战略思维的有价值的工具。在项目决策过程中,运用实物期权理论,充分挖掘隐含的实物期权,就不会导致低估投资项目的净现值,从而能正确地对投资项目进行评估。如果把投资权利看成期权,用实物期权理论定量研究项目的期权,则投资项目的价值就可以划分成两部分:一部分是不考虑投资项目期权价值的价值,这正是传统投资决策方法的净现值;另一部分就是投资项目的期权价值。因此,引入实物期权理论后,投资项目的价值是项目净现值与项目期权价值之和:

投资项目价值=传统决策方法的项目净现值+投资项目的期权价值

净现值反映了项目整个寿命周期间的总量经济状况,经济概念明确,直接以其大小作为方案经济可行性的判断依据,或作为建设项目这种实物投资项目优劣评价的判断依据,符合投资者的一般经济追求,因而它成为考察和评价项目盈利能力的常用指标。

6. 净现值的电算

在 Excel 平台,可以实现净现值的电算,其具体操作步骤如下:

1) 进入 Excel 界面,在电子表格上输入拟计算项目的各年净现金流数值,如图 4-6 所示。

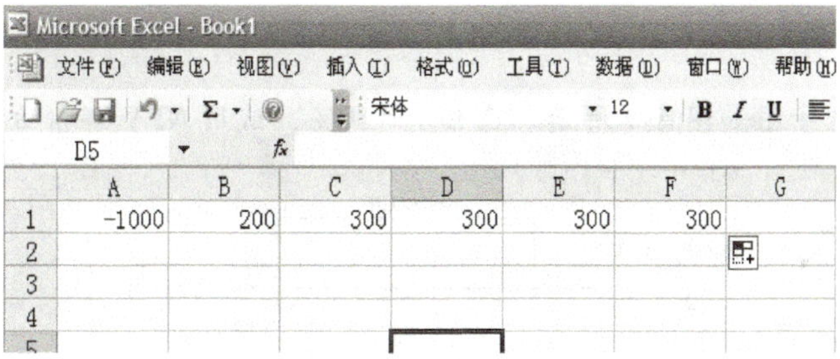

图 4-6　Excel 界面净现金流数值(一)

2) 选择 NPV 函数。单击"f_x",进入"插入函数"对话框。单击"或选择类别"下拉菜单,选中"财务",然后在"选择函数"选项内选中"NPV",如图 4-7 所示。

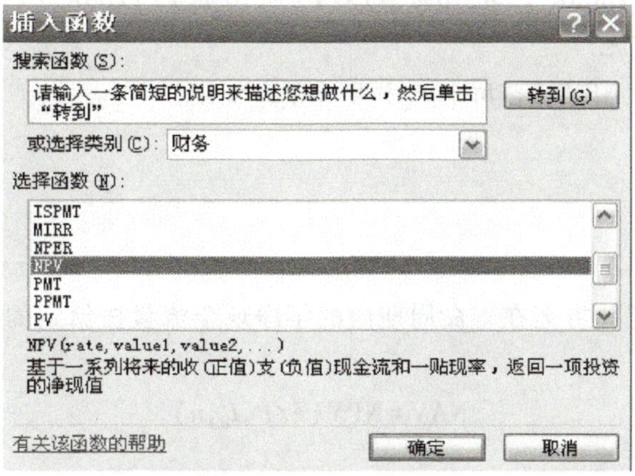

图 4-7　选择 NPV 函数

3）净现值的电算。单击"确定"后，出现"函数参数"对话框，如图 4-8 所示。在对话框中输入折现率和项目各年的净现金流所在单元格的范围（分布在期末的净现金流），然后单击"确定"，即得净现值的电算结果。

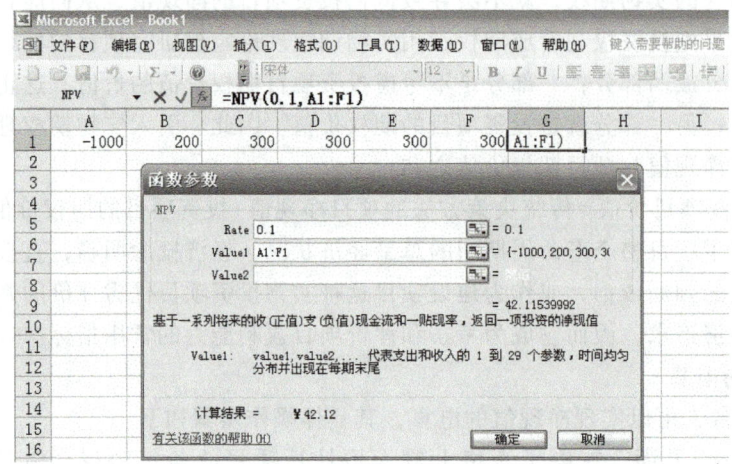

图 4-8 在"函数参数"对话框输入相关信息（一）

【例 4-2】
某项目现金流量图如图 4-9 所示。已知 $i_c=10\%$，试用 NPV 评价方案的经济可行性。

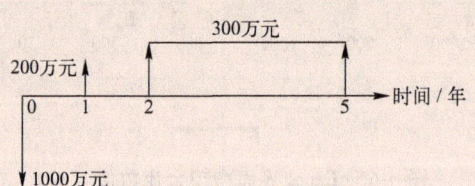

图 4-9 某项目现金流量图

解：依题意，根据式（4-8），得：
NPV = $[-1\,000+300\times(P/A,10\%,4)\times(P/F,10\%,1)+200\times(P/F,10\%,1)]$ 万元
　　= 46.33 万元
根据判断标准，由于 NPV>0，所以此方案经济上可行。

4.3.2 净年值

1. 净年值的概念

净年值（NAV）是指方案在寿命周期内的年净现金流量按给定的折现率折算的年均值，其一般表达式如下：

$$NAV = NPV(A/P, i_c, n) \tag{4-9}$$

2. 净年值的评价标准

由净年值的概念不难看出，NAV 与 NPV 是等效的经济评价指标。与净现值指标的评价标准一样，净年值的评价标准是 NAV≥0。若某方案 NAV≥0，则该方案经济上可行；反之，则方案不可行。

净年值和净现值是等效的价值型评价指标，净年值和净现值对同一方案有着相同的评价结论。净年值指标的意义在于，在某些特别情况下，净年值有其特别的优越性。

4.4 效率型指标

效率型指标反映资金的使用效率，与反映资金使用绝对效果的价值型指标互为补充。因此，效率型指标在评价建设项目的经济性方面也是十分重要的。

4.4.1 内部收益率

1. 内部收益率的定义

内部收益率（Internal Rate of Return，IRR）是指使得项目计算期内各年净现金流量的现值累计值，即净现值等于零时的折现率。

内部收益率

2. 内部收益率的计算

依内部收益率的定义，内部收益率可用净现值方程求得：

$$\sum_{t=0}^{n} NCF_t (1+IRR)^{-t} = 0 \tag{4-10}$$

但在一般情况下，求解这样一个高次方程比较困难。根据净现值曲线的变化趋势，可以用人工试算线性内插法求解内部收益率。首先选取一个接近 IRR 的横坐标 i_1，对应可求得纵坐标值 NPV_1（$NPV_1>0$），而后再选取一横坐标点 i_2，对应求得纵坐标 NPV_2（$NPV_2<0$），用两点连线与横轴的交点可近似地表示 IRR（图 4-10）：

$$IRR = i_1 + \frac{NPV_1}{NPV_1 + |NPV_2|}(i_2 - i_1) \tag{4-11}$$

为保证计算的精度，一般要求 $i_2 - i_1 < 5\%$。

特别强调，使用式（4-11）时，（i_1，NPV_1）点和（i_2，NPV_2）点应分别居于 i 轴的上下两侧，即 $NPV_1>0$，$NPV_2<0$。

3. 内部收益率的经济意义

内部收益率表示方案实际投资（未被回收仍存在于方案中的投资）可以实现的最大盈利（收益）能力。在 IRR 大小的利率水平下，在方案的整个寿命周期内，方案所占用的资金一直处于不断被回收的状态，在项目寿命终结时，被全部收回。因此，IRR 表示方案对未被回收资金的回收能力。

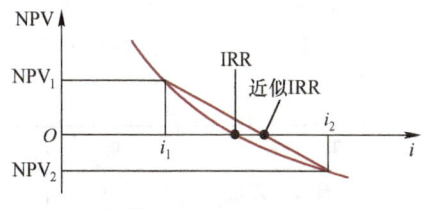

图 4-10 线性内插法示意图

【例 4-3】

某方案寿命为 3 年，现金流量图如图 4-11 所示。依据内部收益率定义，令：

$$NPV = -100 + 40 \times (P/F, i, 1) + 47 \times (P/F, i, 2) + 33 \times (P/F, i, 3) = 0$$

求得 IRR=10%。表示方案未被回收的资金（第 1 年为 100 万元，第 2 年为 70 万元，第 3 年为 30 万元）的盈利能力（收益能力）为 10%。

用图 4-12 可形象地反映项目未被回收的资金的回收过程。

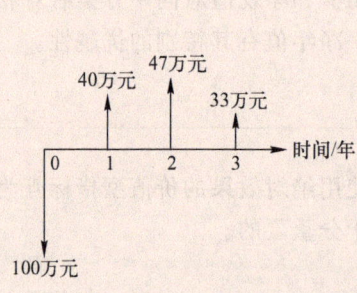

图 4-11　某方案现金流量图

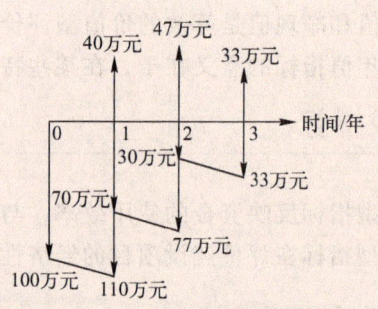

图 4-12　资金回收过程图

需要注意的是，内部收益率反映了存在于项目中的实际投资（也就是未被回收的资金）的收益能力，它不能反映全部投资（项目的实际投资与已被项目回收、游离于项目之外投资之和）的收益能力。反映全部投资收益能力的指标是投资收益率（ROI）。工程经济分析应将内部收益率和投资收益率区别开来。

4. 内部收益率的评价标准

以内部收益率指标评价建设项目的经济可行性，其评价标准为

$$IRR \geq i_c$$

i_c 值的确定，因项目评价所处的阶段和层次不同而不同。在进行项目融资前的财务评价时，i_c 为行业基准折现率；在进行融资后的财务评价时，i_c 表示投资各方的最低期望资本收益率；在国民经济评价中，i_c 为社会折现率。

若方案 $IRR \geq i_c$，则表明项目运营达到了投资各方、行业或国家的基本经济要求，因而经济上可行；反之，则不可行。

【例 4-4】

某项目现金流量见表 4-2。设基准收益率为 12%，试用内部收益率判断该项目是否可行。

表 4-2　某项目现金流量

年　末	0	1	2	3	4	5
净现金流量（万元）	-200	40	50	60	70	80

解： 依题意，得

$$NPV = [-200 + 40 \times (P/F, i, 1) + 50 \times (P/F, i, 2) + 60 \times (P/F, i, 3) + 70 \times (P/F, i, 4) + 80 \times (P/F, i, 5)] \text{万元}$$

分别取 $i_1 = 10\%$、$i_2 = 15\%$，代入上式计算其对应的净现值，得

$$NPV_1 = 20.25 \text{ 万元}, \quad NPV_2 = -8.16 \text{ 万元}$$

根据式（4-11），得

$$IRR = 10\% + \frac{20.25}{20.25 + 8.16} \times (15\% - 10\%) = 13.6\%$$

因为 $IRR = 13.6\% > 12\%$，所以此项目可行。

5. 内部收益率的电算

在 Excel 平台，可以实现内部收益率的电算，具体操作步骤如下：

1) 进入 Excel 界面，并在电子表格输入拟计算项目的各年净现金流数值，如图 4-13 所示。

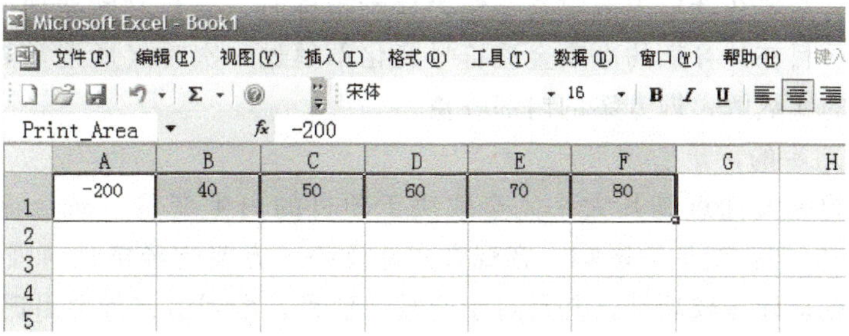

图 4-13　Excel 界面净现金流数值（二）

2) 选择 IRR 函数。单击 "f_x"，进入 "插入函数" 对话框，单击 "或选择类别" 下拉菜单，选中 "财务"，然后在 "选择函数" 选项内选中 "IRR"，如图 4-14 所示。

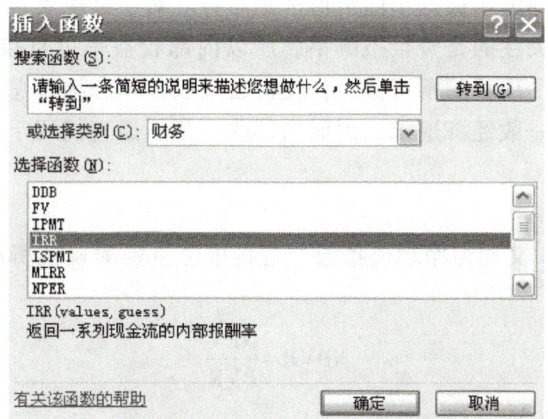

图 4-14　选择 "IRR" 函数

3) 内部收益率的电算。单击 "确定" 后，出现 "函数参数" 对话框，如图 4-15 所示。在对话框中的 "Values" 中输入各年净现金流数值所在的单元格的范围，然后单击 "确定"，即得内部收益率的电算结果。

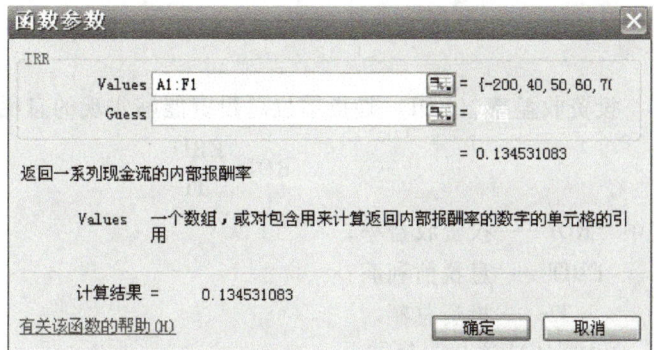

图 4-15　在 "函数参数" 对话框输入相关信息（二）

6. 净现值方程解的讨论

依内部收益率的定义，内部收益率应通过净现值方程求解。因为该方程是高次方程，所以可能出现方程多解或无解的情形，此时，因不能求得方案的 IRR，而可能使内部收益率指标失效。因此，有必要在选取内部收益率作为评价指标时，先行判断净现值方程解的情况。一般地，当建设项目在计算期的净现金流符号变化不超过一次时（所谓常规建设项目），净现值方程有唯一的实数解，即方案的内部收益率。

7. 对内部收益率的评价

内部收益率的最大优点是其大小完全取决于项目的内生变量（现金流量大小及分布、计算期），不受任何外在变量的影响，客观真实地反映了方案的经济性，因而成为评价方案的重要指标；缺点是计算较烦琐，并且对于非常规项目，净现值方程会出现多解或无解的情形，从而可能使内部收益率指标失效；内部收益率只反映项目占用资金的使用效率，而不能反映其总量使用效果。

内部收益率以其独具的特色和鲜明的经济含义成为考察和评价项目盈利能力的重要经济指标，直接以其大小作为方案经济可行性的判断依据无可争议，而直接以其大小作为评判方案优劣的判断依据时，则需要根据不同情形区别对待。对于金融资产投资项目，因为项目的可分性，投资者更需要关注的是资金报酬率，所以内部收益率可直接用于方案优劣的评价；对于实物投资项目，由于项目的不可分性，使得投资收益率和项目总收益不一定统一，此时总收益更符合投资者的一般经济追求，因而内部收益率不能直接用于项目优劣的评价。

4.4.2 净现值率

净现值率（NPVR）又称为净现值指数，是指单位投资的现值所产生的净现值，可表示如下：

$$NPVR = \frac{NPV}{PVK} \tag{4-12}$$

式中　NPVR——净现值率；
　　　PVK——全部投资的现值。

用净现值率指标评价建设项目的经济可行性，其评价标准是 $NPVR \geq 0$。当某方案的 $NPVR \geq 0$ 时，表明该方案达到了基本经济要求，因而在经济上可行；反之，则不可行。

净现值率作为效率型指标，仅能反映资金的使用效率，因此一般不能独立用于方案经济可行性的判断依据，通常与净现值指标结合使用。

4.4.3 投资收益率

息税前利润与利润

投资收益率（ROI）是指单位总投资能够实现的息税前利润：

$$ROI = \frac{EBIT}{TI} \tag{4-13}$$

式中　ROI——投资收益率；
　　　EBIT——息税前利润；
　　　TI——投资总额。

EBIT 的计算公式如下：

$$EBIT = 净利润 + 计入成本的利息 + 所得税税金$$
$$= 毛利润 + 计入成本的利息$$
$$= 营业收入 - 经营成本 - 折旧、摊销 - 流转税 \tag{4-14}$$

EBIT 就是项目运行所创造的收益，或获得的绩效。这份绩效以如下顺序分配：一是偿债，清偿对债权人的债务；二是缴税，向国家缴纳企业所得税；三是按财政制度或企业决议处理。分配过程如图 4-16 所示。

投资收益率通常分年计算，或以计算期内的平均值计算。如果投资收益率高于同行业的收益率参考值，则表明项目满足盈利能力的要求。

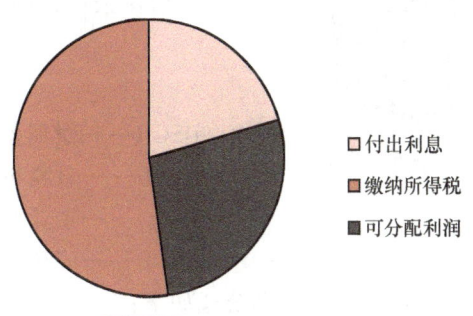

图 4-16 项目绩效的分配

投资收益率是反映全部投资（仍然存在于项目中的投资——项目的实际投资与已收回投资之和）收益能力的静态指标。需要注意，NPVR 和 ROI 都是反映项目资金使用效率的指标，其计算式的分母项都表示投资，但其含义不同。NPVR 是动态指标，所以分母项中的投资是折现投资，也就是投资的现值；而 ROI 是静态指标，所以分母项中的投资是各年投资额的算术累加。

4.4.4 资本金利润率

资本金利润率（ROE）是指单位资本金可以实现的净利润：

$$ROE = \frac{NP}{EC} \tag{4-15}$$

式中　ROE——资本金利润率；
　　　NP——年净利润；
　　　EC——项目资本金。

资本金利润率通常分年计算，或以计算期内的平均值计算。如果资本金利润率高于同行业的利润率参考值，则表明项目盈利能力满足要求。

4.4.5 利息备付率

利息备付率（ICR）也称已获利息倍数，是指项目在借款偿还期内各年可用于支付利息的息税前利润（EBIT）与计入成本的应付利息的比值，即

$$ICR = \frac{EBIT}{PI} \tag{4-16}$$

式中　ICR——利息备付率；
　　　PI——计入成本的应付利息。

利息备付率从付息资金来源的充裕性角度反映项目偿付债务利息的保障程度，是考察和评价项目偿债能力的常用指标。理论上讲，利息备付率应大于 1。如果 ICR>1，则表明可用于偿还借款利息的资金充盈。实际上，参考国际经验和国内行业具体情况，根据我国企业历史数据统计分析，《建设项目经济评价方法与参数》确定，利息备付率不低于 2，即 ICR≥2。

4.4.6 偿债备付率

偿债能力指标选用

偿债备付率（DSCR）是指在借款偿还期内，各年可用于还本付息的资金与当年应还本付息额的比值。其计算公式如下：

$$\text{DSCR} = \frac{\text{EBITAD} - T_{\text{AX}}}{\text{PD}} \quad (4-17)$$

式中　DSCR——偿债备付率；
　　　EBITAD——息税折旧摊销前利润；
　　　T_{AX}——企业所得税税额；
　　　PD——应还本付息金额。

EBITAD 的计算公式如下：

$$\text{EBITAD} = 息税前利润 + 折旧 + 摊销 \quad (4-18)$$

偿债备付率表示用于还本付息的资金偿还债务资金本息的保障程度，是考查和评价项目偿债能力的常用指标。理论上讲，偿债备付率应大于 1。如果 DSCR>1，表明可用于偿还借款本息的资金充盈。实际上，参考国际经验和国内具体情况，根据我国企业历史数据统计分析，《建设项目经济评价方法与参数》确定，偿债备付率不低于 1.3，即 DSCR≥1.3。

【例 4-5】
某项目使用 1 000 万元建设投资（含其他资产 200 万元）进行建设，其中，项目资本金为 700 万元，借款 300 万元。借款利率为 8%，半年计息。约定从第 3 年开始还款，3 年还清。还款方式为本金等额偿还，利息照付。项目流动资金为 200 万元，第 3 年投入。固定资产残值为 40 万元，无形资产、其他资产无残值，均线性折旧和摊销。项目建设和运营情况见表 4-3。

表 4-3　项目建设和运营情况表　　　　（单位：万元）

项目	年份						
	1	2	3	4	5	6	7
建设投资（不含建设期利息）	800	200					
其中：资本金	500	200					
借款	300						
流动资金（资本金）			200				
营业收入			500	600	600	600	600
流转税及附加			51	61	61	61	61
经营成本			100	140	140	140	140

企业所得税税率为 25%，基准折现率为 10%。试评价项目的盈利能力和偿债能力。

解：（1）项目盈利能力分析
列出项目现金流量（表 4-4）。

表 4-4 现金流量表　　　　　　　　　　　　（单位：万元）

项目	计算期							
	0	1	2	3	4	5	6	7
现金流入				500	600	600	600	840
营业收入				500	600	600	600	600
资产回收								240
现金流出	800	200	200	151	201	201	201	201
投资	800	200	200					
流转税及附加				51	61	61	61	61
经营成本				100	140	140	140	140
净现金流	-800	-200	-200	349	399	399	399	639

计算项目净现值如下：

$$NPV = [-800 - 200 \times (P/F, 10\%, 1) - 200 \times (P/F, 10\%, 2)] 万元 + $$
$$[349 + 399 \times (P/A, 10\%, 4)] 万元 \times (P/F, 10\%, 3) + $$
$$240 万元 \times (P/F, 10\%, 7)$$
$$= 188.5 万元$$

由于 NPV>0，所以项目盈利能力好。

(2) 项目偿债能力分析

1) 计算应付利息列入表 4-5。

年实际利率为

$$i = (1 + 0.08 \div 2)^2 - 1 = 8.16\%$$

表 4-5 利息计算表　　　　　　　　　　　　（单位：万元）

年份	期初资金	当期计息	当期付息	当期还本	期末资金	备注
1	300	12.24	0	0	312.24	建设期
2	312.24	25.48	0	0	337.72	建设期
3	337.72	27.56	27.56	112.57	225.15	运营期
4	225.15	18.37	18.37	112.57	112.58	运营期
5	112.58	9.19	9.19	112.58	0	运营期

2) 计算折旧和摊销。

$$固定资产原值 = 固定资产投资 + 建设期利息$$
$$= (1\,000 - 200 + 0) 万元$$
$$= 800 万元$$

$$年折旧额 = (固定资产原值 - 残值) \div 折旧年限$$
$$= [(800 - 40) \div 5] 万元$$
$$= 152 万元$$

$$年摊销额 = (200 \div 5) 万元 = 40 万元$$

3) 计算总成本列入表4-6。

表 4-6 成本计算表 (单位:万元)

年 份	3	4	5	6	7
经营成本	100	140	140	140	140
折 旧	152	152	152	152	152
摊 销	40	40	40	40	40
财务费用	27.56	18.37	9.19		
总 成 本	319.56	350.37	341.19	332.00	332.00

4) 计算利润列入表4-7。

表 4-7 利润计算表 (单位:万元)

年 份	3	4	5	6	7
营业收入	500	600	600	600	600
总 成 本	319.56	350.37	341.19	332.00	332.00
流转税及附加	51	61	61	61	61
毛利润	129.44	188.63	197.81	207	207
所得税	32.36	47.16	49.45	51.75	51.75
净利润	97.08	141.47	148.36	155.25	155.25

5) 计算利息备付率、偿债备付率,列入表4-8。

表 4-8 ICR、DSCR 计算表 (单位:万元)

年 份	3	4	5	6	7
毛利润	129.44	188.63	197.81	207	207
利 息	27.56	18.37	9.19		
EBIT	157	207	207	207	207
ICR	5.70	11.27	22.52		
折 旧	152	152	152	152	152
摊 销	40	40	40	40	40
EBITAD	349	399	399	399	399
所得税	32.36	47.16	49.45	51.75	51.75
还本额	112.57	112.57	112.58		
DSCR	2.26	2.69	2.87		

由于 ICR>2,DSCR>1.3,所以项目偿债能力较强。

练 习 题

1. 某项目使用 1 000 万元建设投资（含其他资产 200 万元）进行建设，其中借款 300 万元，借款年利率为 8%。建设投资借款从第 3 年开始还款，4 年内等额偿还本息。项目流动资金借款 200 万元，第 3 年投入，借款年利率为 6%。固定资产残值 40 万元，其他资产无残值，均线性折旧和摊销。已知企业所得税率为 25%。基准折现率为 10%。试根据表 4-9 评价项目的盈利能力和偿债能力。

表 4-9 项目建设和运营情况表 （单位：万元）

项 目	计 算 期						
	1	2	3	4	5	6	7
建设投资（不含建设期利息）	800	200					
其中：贷款	300						
流动资金			200				
营业收入			500	600	600	600	600
总成本			300	340	340	340	340

2. 若上题中借款的偿还方式改为利息照付，本金从第 3 年开始偿还，4 年内等额偿还，结果又如何呢？

3. 上题中项目的内部收益率和投资收益率分别是多少？试解释其各自的经济意义。

4. 在对某项目进行现金流分析时，选定的基准折现率为 10%，经测算，该项目的内部收益率为 12%。若重新设定基准折现率为 13%，则该项目的内部收益率为多少？此时的净现值会有什么变化？

5. 试用资金时间价值量化的一般理论解释某特定项目净现值曲线的变化规律。

6. 某项目建设期为 1 年，运营期为 9 年。运营期年均净收益为 200 万元。已知该项目的动态投资回收期为 10 年。若基准折现率为 8%，试确定该项目的内部收益率及其投资额度。

第 5 章 多方案的经济性比较和选择

【内容提要】

(1) 备选方案之间的关系及其特征。
(2) 互斥方案特征、比选程序、比选方法。
(3) 资源约束方案特征、比选程序、比选方法。
(4) 收益相同（或未知）方案的比选方法。

【关键词】

独立方案；互斥方案；依存方案；资源约束条件下的相关方案；合格性检验；绝对效益检验；最优性检验；相对效益检验；约束性检验；全面比选；局部比选；费用现值；费用年值

【学习指导】

正确分析建设项目备选方案之间的相互关系是正确运用建设项目经济评价指标体系的前提。备选方案之间的关系不同，运用评价指标体系的方法也就不同。

备选方案各自独立存在，不受其他方案的任何状态影响，其中某一方案的接受或实施与否，既不影响其他投资方案的接受或实施与否，也不受其他方案接受或实施与否的影响，这些方案就是独立方案，单一方案是独立方案的特例。对于独立方案，只需要运用评价指标分别考量每一备选方案的绝对经济效益状况，即可得出经济评价结论。

备选方案之间互不相容，互相排斥，方案不能同时被选取，选取其中一个方案必须以排除其他方案选取为条件，具有最终方案的唯一性，这是方案的互斥关系。互斥关系的方案比较和选择，必须按照"方案设计—合格性检验—最优性检验—最优方案"的科学程序进行，否则就会出现错误结论。运用价值型指标可以直接进行互斥方案的合格性检验和最优性检验，直接得出评价结论。而效率型指标和时间型指标则不能直接进行最优性检验。运用效率型指标和时间型指标进行最优性检验必须借助于"人工相对投资方案"，学习者一定要注意这点。"人工相对投资方案"背景下的相对投资内部收益率（ΔIRR）是一个十分重要的指标，学习时要注意。

依存方案之间相互依赖，互为存续条件。某一或某些方案存续和实施要以另外一个或多个方案存续和实施为条件，选择前者就必须同时选择后者，同样选择后者也就要前者，前后不可拆分，必须同时存在或消灭。依存关系的方案是一个有机整体，在方案评价时，视为单一方案。

资金约束条件下的相关方案是独立方案的一种特别情形。如果没有了资金量的约束，那么方案之间是独立的。而由于项目融资条件的限制和可融通的资金量的约束，这些本来独立不相关的方案具有了相关性。在资金的约束下，接受一些方案就意味着要舍弃另一些方案。资金约束条件下的相关方案的评价要在互斥方案评价程序中前置"约束检验"。

工程经济分析的核心问题是方案的经济评价和可行方案的优选。评价和选择的基础就是多方案的比较。从多个可行方案中，通过比较优选出一个技术先进、经济效益好并能满足其他方面要求的最佳方案或满意方案。在工程经济分析实践中，由于方案之间关系的复杂性及资源状况等客观条件的限制，通常不能直接用前述的指标来进行方案的比较和选择。方案优选应建立在对资源状况和方案相互关系认识和正确评价的基础上。

5.1 技术方案的相互关系

对于任何投资项目，往往都有许多备选方案。投资决策就要进行多方案的比较和选优。为了正确进行方案的比较和评选，首先要明确方案间的相互关系，然后再采用适宜的指标和方法进行比较选优。

按方案之间的经济关系，可分为独立方案、互斥方案、依存方案、资金约束条件下的相关方案和混合方案等。

5.1.1 独立方案

独立方案是指各自独立存在，不受其他方案的任何状态影响的方案。也就是说，对于不同的投资方案，其中某一方案的接受或实施与否，既不影响其他投资方案的接受或实施与否，也不受其他方案接受或实施与否的影响。单一方案显然是独立方案的特例。

独立投资方案的比较选优问题，与单一投资项目的经济评价本质相同，方案的采用与否，只取决于方案自身的绝对经济性。因此只需要评价该方案运营是否能满足项目投资人、行业或国家的基本经济要求，即 $NPV \geq 0$ 或 $IRR \geq i_c$。可采用 NPV 法与 IRR 法中的任一方法进行独立方案的经济性评价。

5.1.2 互斥方案

互斥方案是指多个存在着互不相容、互相排斥的关系的方案。方案不能同时选取，选取其中一个方案必须以排除其他方案的选取为条件。在众多可行方案比选时，接受其中之一，就要放弃其他所有方案，最终选定的方案不能容许其余任何方案存在，具有最终方案的唯一性。

对于相互排斥投资方案的经济评价，不仅要研究各个备选方案的经济合理性，更为重要的是需要对可行方案进行排序以解决优选问题。如前面相关内容分析，净现值与内部收益率作为常用的反映项目盈利能力的两大基本指标，各有其特点。在衡量方案的获利能力时，净现值采用的是绝对量，能够直接衡量出各种方案对项目价值的影响，即以净现值最大化的选择法则选择投资方案与实现股东财富最大化的投资政策目标是一致的，因而不但可以用净现值指标进行方案经济可行性的判断，而且可以直接用净现值指标对方案进行优劣排序优选。而内部收益率是采用相对量反映方案盈利能力的，其优势在于能够精确地反映出实际投资的投资报酬率。而由于内部收益率无法体现投资方案的价值，内部收益率的最大化并不全部意味着股东财富的最大化，即以内部收益率最大化的选择法则选择投资方案与实现股东财富最大化的投资政策目标可能不一致。所以，在互斥方案的优劣排序和对方案进行优选时，不能直接采用内部收益率法。

5.1.3 依存方案

依存方案是指多个存在着相互依赖、互为存续条件的关系的方案。某一或某些方案存续和实施要以另外一个或多个方案存续和实施为条件，选择前者就必须同时选择后者，同样选择后者也就要前者，前后不可拆分，必须同时存在或消灭。

对于依存方案的经济性比较和选择，通常将其作为一个项目群，视为一个整体来考虑。可以将这样一个整体纳入有相关关系的多个方案中，如独立方案、互斥方案中，进行其绝对经济性或相对经济性的检验。

5.1.4 资金约束条件下的相关方案

资金约束条件下的相关方案是独立方案的一种特别情形。如果没有了资金量的约束，那么方案之间是独立的。而由于项目融资条件的限制和可融通的资金量的约束，这些本来独立不相关的方案具有了相关性。在资金的约束下，接受一些方案就意味着要舍弃其他方案，这就是资金约束条件下的相关方案。

对于资金约束条件下的相关方案的经济性比选，除了要考察备选方案的经济合理性外，还要在资金约束条件的框架内进行可行方案的优选。

5.1.5 混合方案

在方案众多的情况下，方案间的关系可能包括两种或两种以上不同类型，称之为混合方案。

混合方案的经济性比较和优选方法因其方案的不同关系类型而不同。

5.2 互斥方案的经济性比较和选择

互斥方案的经济性比较和选择可按各个方案所含的全部因素（相同因素和不同因素）计算各方案的全部经济效益，进行全面比选；也可仅就不同因素计算相对效益，进行局部比选。局部比较法放在5.4节介绍，本节介绍互斥方案的全部比较法。

5.2.1 互斥方案经济性比选的基本程序

互斥方案的全部经济效益比较应包括紧密相连的两方面：首先是合格性检验，通过考察各个备选方案自身的经济效益状况，以考察方案的经济合理性；然后是最优性检验，即进行方案的相对经济效益检验，考察可行方案之间的相对优劣，对方案进行经济性排序，提出优选目标。对于互斥方案的比选而言，两种检验目的不同，缺一不可。互斥方案经济性比选的基本程序如图 5-1 所示。

下面分方案寿命（计算期）相等和方案寿命（计算期）不相等两种情况，讨论互斥方案的比选方法。因为互斥方案需进行方案间的比选，所以不论何种情况都应注意方案的可比性。

5.2.2 寿命相等的互斥方案经济性比选

对于寿命相等的互斥方案，通常将它们的寿命期限作为共同分析期或计算期。这样，方案在时间上就具有了可比性。

1. 净现值法

净现值法是指运用净现值指标对互斥方案进行比较和选择的方法。用净现值法对寿命相等的互斥方案进行经济效益比选，按互斥方案经济性比选基本步骤的要求，需遵循如下程序：

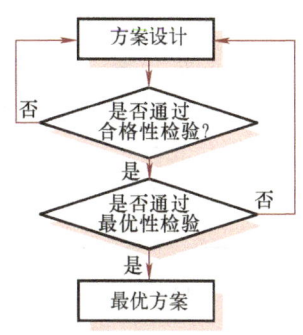

图 5-1 互斥方案经济性比选的基本程序

（1）合格性检验

合格性检验，也称绝对效益检验，备选方案需满足 NPV≥0 的检验标准。备选方案只有满足 NPV≥0 的标准，才表明其达到了投资人、行业或国家的基本经济要求，在经济上具有合理性。

（2）最优性检验

最优性检验，也称相对效益检验，需通过计算方案之间的追加投资净现值（或称增量净现值，相对净现值）指标来判断方案的相对效益，从而对可行方案进行排序。具体过程如下：

1）将通过绝对效益检验的方案按投资额大小顺序排列。

2）构造虚拟相对方案（也称增量投资方案）：投资额次小方案 B（定义为相对方案）对于投资额最小方案 A（定义为基础方案）的相对投资方案（B-A），其年净现金流为：

$$\Delta NCF_j = NCF_{Bj} - NCF_{Aj}$$

式中　ΔNCF_j——相对投资方案（B-A）第 j 年的净现金流量。

3）计算相对投资方案的净现值，即相对投资净现值 ΔNPV_{B-A}，并检验追加投资方案的经济性。

4）判断方案的相对效益。若 $\Delta NPV_{B-A} \geq 0$，则表明投资大的 B 方案（相对方案）除了能达到投资小的 A 方案（基础方案）的收益水平外，相对投资（或增量投资）也达到了经济性要求，因此，相对方案 B 较优，从经济上应选择相对方案为实施方案；反之，若 $\Delta NPV_{B-A} < 0$，则表明相对方案未能达到基础方案的收益水平，或相对投资未能达到最低经济要求，因此，基础方案 A 较优，从经济上应选择基础方案为实施方案。

5）用下一方案再与较优方案比较，重复上述 2）、3）、4）项过程，直至全部方案比较完毕。

（3）方案优选

根据相对效益比较结论，选择出最优方案。

【例 5-1】

方案 A、B、C 是互斥方案，其净现金流量见表 5-1。设基准折现率 $i_c = 10\%$，试进行方案评选。

表 5-1 互斥方案 A、B、C 的净现金流量　　　　（单位：万元）

方　案	年　份	
	0	1~10
A	-200	39
B	-100	20
C	-150	24

解：1) 方案绝对效益检验。分别计算各备选方案的净现值，结果见表 5-2。

表 5-2 方案合格性检验结果　　　　（单位：万元）

方　案	NPV	检验结论
A	39.64	可行
B	22.89	可行
C	-2.53	不可行
A-B	16.75	A 优于 B

2) 相对效益检验。以 B 为基础方案，A 为相对方案构造 (A-B) 方案，计算 (A-B) 方案的净现值，结果见表 5-3。

表 5-3 (A-B) 相对方案　　　　（单位：万元）

年　份	0	1~10
(A-B) 方案	-100	19

3) 方案优选。由于相对效益检验结果 A>B，所以最终选择方案 A 为唯一实施方案。

从理论上讲，用净现值法比选互斥方案，应遵循上述基本步骤。但是，由于 $\Delta NPV_{B-A} = NPV_B - NPV_A$（读者可以证明），因此，在实践中上述基本步骤可简化为：

1) 绝对效益检验，需满足 $\Delta NPV \geq 0$ 的标准。
2) 相对效益检验并优选，需满足 $\max\{NPV_j\}$ 标准。

下面仍以【例 5-1】为例进行说明。

1) 绝对效益检验如前，不再述。
2) 相对效益检验并优选。由于 $\max\{NPV_j\} = NPV_A$，故应选择方案 A。

综合以上分析可得出结论：在众多互斥方案中只有通过绝对经济效益检验的相对最优方案，才是唯一可被接受的方案。对于净现值法而言，最优方案的判断准则是：净现值大于或等于零且净现值最大的方案是最优可行方案。这个准则可以推广到与净现值等效的其他价值性标准——净年值和净终值，即净年值（或净终值）大于或等于零且净年值（或净终值）最大的方案为最优可行方案。

实质上，在使用净现值法进行互斥方案经济性比较和选择时，隐含着项目回收的投资能够按基准投资收益率进行再投资收益的基本假设。这种假设为不同方案之间的评价和排序提供了可以比较的统一平台，使得方案相互之间具有可比性。而由于项目的性质不同，方案所处的技术、经济、市场、政策等环境不同，因此这种假设涉嫌主观武断，有违客观。

2. 内部收益率法

内部收益率法是指运用内部收益率指标对互斥方案进行比较和选择的方法。采用内部收益率法评价互斥方案，同样应当遵循互斥方案经济性比选基本步骤的要求。

内部收益率法比选互斥方案

（1）合格性检验

合格性检验，也称绝对效益检验。备选方案需满足 $IRR \geq i_c$ 的检验标准。备选方案只有满足 $IRR \geq i_c$ 的标准，才表明其达到了投资人、行业或国家的基本经济要求，在经济上具有合理性。

（2）最优性检验

最优性检验，也称相对效益检验。如果采用内部收益率法，有无类似于净现值简化了的 $\max\{IRR_j\}$ 的结论呢？

根据【例 5-1】题目资料，可以求得 $IRR_A = 14.44\%$，$IRR_B = 15.10\%$，$IRR_C = 9.61\%$。

由于 $IRR_A > i_c$，$IRR_B > i_c$，所以方案 A、B 均通过绝对经济效益检验，而 $IRR_C < i_c$，没通过绝对经济效益检验，应放弃。

由以上计算结果，显然按 $\max\{IRR_j\}$ 准则判别最优可行方案得出的结果是 B 方案。这与用净现值法得出的结论是矛盾的。为什么呢？

这是由于 $\max\{IRR_j\}$ 标准追求的是存在于方案内投资的使用效率最高，而因为实体性投资项目——工程经济分析的主体具有项目不可分性，所以资金使用效率最高，未必意味着方案的总量经济效益最大。而投资者的政策目标通常是实现其投资利益最大化，因此不能简单地用 $\max\{IRR_j\}$ ——内部收益率最大化作为比选方案相对性的标准。

所谓项目的不可分性，是指由于建设项目的完整存在，所以才维持其建设规模、收益水平的性质。也就是一个既定的建设项目具有不可拆分或不可叠加性，否则因为其整体状态破坏，会对其建设水平和收益能力产生影响。

在运用内部收益率法进行互斥方案相对效益检验时，必须通过虚拟的相对投资方案进行。具体步骤为：

1）构造相对投资方案（B-A），并确定其年净现金流为 $\Delta NCF_j (NCF_{Bj} - NCF_{Aj})$。

2）根据相对投资方案（B-A）的年净现金流 ΔNCF_j，计算相对投资方案（B-A）的内部收益率 ΔIRR_{B-A}。

3）根据 ΔIRR_{B-A} 判断方案的相对经济性。若 $\Delta IRR_{B-A} \geq i_c$，表明相对方案除了具有与基础方案相同的收益能力外，增量投资也达到了起码的经济要求，因此，相对方案相对优，应以其为实施方案；反之，若 $\Delta IRR_{B-A} < i_c$，则表明相对方案达不到基础方案的收益水平或增量投资在经济上不合理，因此，基础方案相对优，应以其为实施方案。

相对投资内部收益率 ΔIRR_{B-A} 的几何意义如图 5-2 所示。

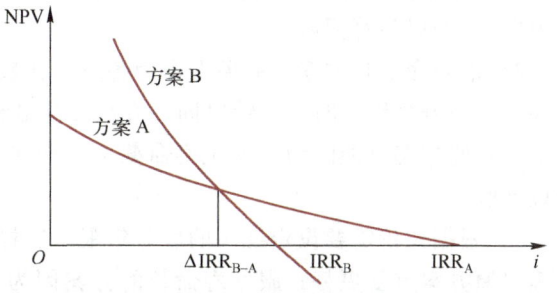

图 5-2 相对投资内部收益率 ΔIRR_{B-A} 的几何意义

【例 5-2】

仍用【例 5-1】的资料，试用内部收益率法进行方案选择。

解： 1) 方案绝对效益检验。分别计算各备选方案的内部收益率，结果见表 5-4。

表 5-4 方案合格性检验结果

方　案	IRR	检验结论
A	14.44%	可行
B	15.10%	可行
C	9.61%	不可行

2) 相对效益检验。以 B 为基础方案、A 为相对方案构造（A-B）方案（表 5-3）。计算（A-B）方案的内部收益率，结果列入表 5-5。

表 5-5 方案相对效益检验结果

方　案	IRR	检验结论
A-B	13.77%	A 优于 B

3) 方案优选。由相对效益检验结果 A 优于 B，所以最终选择方案 A 为唯一实施方案。此结果与净现值法的结果是一致的。

一般地，效率型指标、时间型指标均不能直接用于方案的相对效益比较。用效率型指标进行方案之间的相对比较时，应采用增量投资指标进行，其做法是首先把各个备选方案按投资额由小到大排列，然后再用环比法进行比较。

5.2.3 寿命不同方案的比较与选择

在实际工作中，相互比较的备选方案的服务寿命常常是不同的，在时间上不具有可比性。因此，在进行方案评选时，必须首先解决各方案寿命不同的问题，然后再依照寿命相同互斥方案的评选办法比较方案优劣。解决服务寿命不同的方法通常有以下四种：

1) 取各备选方案服务寿命的最小公倍数作为各方案比较的共同服务年限。在共同服务年限期间内，当方案服务寿命终结时，假设继续用同一方案重复更替。

2) 取寿命最短方案的服务寿命作为各方案比较的共同服务年限。在这种情况下，服务寿命长的方案在确定的共同服务年限期末，因为"人工寿命截止"而具有一定的"未使用价值"，应予以估算回收。

3) 取寿命最长方案的服务寿命为各方案比较的共同服务年限。这样，服务寿命短的方案在其服务寿命终结时，继续以同一方案重复更替，直到共同服务年限期末为止。在这种情况下，一些方案可能因为"人工寿命截止"而在共同服务年限期末存在"未使用价值"，应予以回收。

4) 根据评价需要设定统一的服务年限。这样，在达到统一服务年限前，服务寿命短的方案以原方案重复更替；服务寿命长的方案因为"人工寿命截止"而在统一服务年限期末具有"未使用价值"，应予以回收。

共同服务年限的选取,取决于备选方案所处的外部政策法律环境、技术环境、市场环境和项目内部情况。应综合分析外在因素对项目实施和营运的可包容性、可接受性以及内部因素的可支撑性、可利用性,恰当确定。

下面根据上述办法,讨论几种评选方案。

1. 采用净现值指标评选方案

采用净现值指标评选方案,应首先按上述办法解决时间可比问题。在取定共同服务年限之后,即可按寿命相同方案的办法处理。现举例说明。

【例 5-3】
互斥方案 A、B 的初始投资、年净现金流量和服务寿命见表 5-6,设 $i_c=10\%$,试比较方案。

表 5-6　互斥方案 A、B 的有关资料

方　案	初始投资（万元）	年净现金流量（万元）	服务寿命/年
A	100	50	4
B	200	70	6

解：1) 取两方案服务寿命的最小公倍数 $T=12$ 年作为共同服务年限,假设方案在其寿命终结时,重复更替。共同服务年限的现金流量如图 5-3 所示。

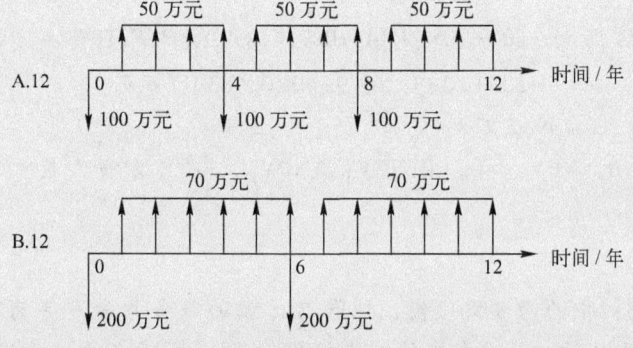

图 5-3　共同服务年限（12 年）方案的现金流量图

2) 分别计算两方案在共同服务年限内的净现值,记作 $NPV_{A.12}$、$NPV_{B.12}$。

$$NPV_{A.12}=[-100+50\times(P/A,10\%,12)-100\times(P/F,10\%,4)-$$
$$100\times(P/F,10\%,8)]万元$$
$$=(-100+50\times6.8137-100\times0.6830-100\times0.4665)万元$$
$$=125.7 万元$$

$$NPV_{B.12}=[-200+70\times(P/A,10\%,12)-200\times(P/F,10\%,6)]万元$$
$$=(-200+70\times6.8137-200\times0.5645)万元$$
$$=164.1 万元$$

由于 $NPV_{A.12}>0$,$NPV_{B.12}>0$,且 $NPV_{B.12}>NPV_{A.12}$,所以方案 B 优于方案 A。

【例 5-4】

仍取【例 5-3】中的两方案比较，但取 A 方案的服务寿命 4 年为共同服务年限，估计 B 方案在 4 年末的"未使用价值"为 40 万元，试比较方案。

解：共同服务年限内方案的现金流量如图 5-4 所示。

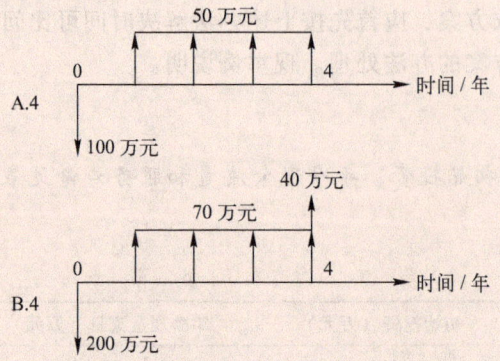

图 5-4 共同服务年限（4 年）方案的现金流量图

共同服务年限内各方案的净现值分别为：

$$NPV_{A.4} = [-100 + 50 \times (P/A, 10\%, 4)] 万元$$
$$= (-100 + 50 \times 3.1699) 万元$$
$$= 58.5 万元$$

$$NPV_{B.4} = [-200 + 70 \times (P/A, 10\%, 4) + 40 \times (P/F, 10\%, 4)] 万元$$
$$= (-200 + 70 \times 3.1699 + 40 \times 0.6830) 万元$$
$$= 49.2 万元$$

由于 $NPV_{A.4} > 0$，$NPV_{B.4} > 0$，且 $NPV_{A.4} > NPV_{B.4}$，所以方案 A 优于方案 B。

【例 5-5】

仍取【例 5-3】中的两方案比较，但取 B 方案的服务寿命 6 年为共同服务年限。经估算 A 方案重复更替时，第 6 年末的"未使用价值"为 15 万元。试进行方案比较。

解：共同服务年限内方案的现金流量如图 5-5 所示。

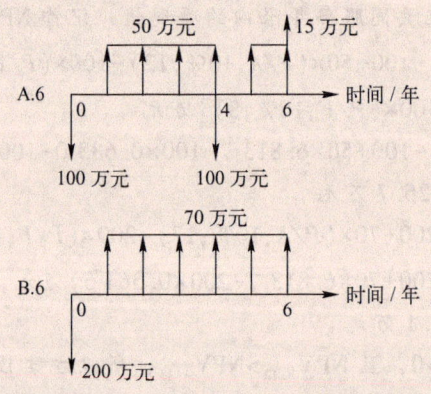

图 5-5 共同服务年限（6 年）方案的现金流量图

共同服务年限内各方案的净现值分别为

$$NPV_{A.6} = [-100+50\times(P/A,10\%,6)+15\times(P/F,10\%,6)-$$
$$100\times(P/F,10\%,4)]\text{万元}$$
$$=57.9 \text{万元}$$
$$NPV_{B.6} = [-200+70\times(P/A,10\%,6)]\text{万元}$$
$$=104.9 \text{万元}$$

由于 $NPV_{A.6}>0$，$NPV_{B.6}>0$，且 $NPV_{B.6}>NPV_{A.6}$，所以方案 B 优于方案 A。

2. 用净年值指标评选方案

用前述净现值指标评选方案时，为了满足时间可比性要求，需要对服务寿命不同的方案做重复更新假设，并估计期末"未使用价值"，使评选过程复杂化。若用净年值指标评选方案，在满足重复更新假设的条件下，可省略更新过程，只需计算备选方案一个服务寿命周期的净年值，即可判断方案的优劣，这比采用净现值指标评选要简便得多。

现就一般情况证明如下。

定理：设 n 为方案的服务寿命年限，m 为重复更新周期数，在满足重复更新假设的条件下，有：

$$NAV_{1\times n} = NAV_{m\times n}$$

证明：令方案第 k 个周期的净现值为 $NPV(k)$，$k=1,2,\cdots,m$，则有：

$$NPV(k) = \frac{NPV(1)}{(1+i)^{(k-1)n}}$$

最末一个周期的净现值为：

$$NPV(m) = \frac{NPV(1)}{(1+i)^{(m-1)n}}$$

于是，方案 m 个周期总的净现值为：

$$NPV = \sum_{k=1}^{m} NPV(k)$$
$$= \sum_{k=1}^{m} \frac{NPV(1)}{(1+i)^{(k-1)n}}$$
$$= NPV(1) \times \frac{1-(1+i)^{-mn}}{1-(1+i)^{-n}}$$

令 $NAV_{m\times n}$ 为方案 m 个周期的净年值，则有：

$$NAV_{m\times n} = NPV(A/P,i,mn)$$
$$= NPV(1) \times \frac{1-(1+i)^{-mn}}{1-(1+i)^{-n}} \times \frac{i(1+i)^{mn}}{(1+i)^{mn}-1}$$
$$= NPV(1) \times \frac{1-(1+i)^{-mn}}{1-(1+i)^{-n}} \times \frac{i}{1-(1+i)^{-mn}}$$
$$= NPV(1) \times \frac{i}{1-(1+i)^{-n}}$$

$$= \text{NPV}(1) \times \frac{i(1+i)^n}{(1+i)^n-1}$$
$$= \text{NPV}(1)(A/P,i,n)$$
$$= \text{NAV}_{1 \times n}$$

证明完毕。

【例 5-6】

仍取【例 5-3】两个方案，采用净年值指标评选。

解：分别计算 A、B 两个方案各自服务寿命的净年值。

$$\text{NAV}_A = [-100(A/P,10\%,4)+50] \text{万元} = 18.45 \text{ 万元}$$
$$\text{NAV}_B = [-200(A/P,10\%,6)+70] \text{万元} = 24.08 \text{ 万元}$$

由于 $\text{NAV}_A > 0$，$\text{NAV}_B > 0$，且 $\text{NAV}_B > \text{NAV}_A$，所以方案 B 优于方案 A。

净年值法同样隐含着项目寿命终结后以原有规模和收益水平重复以及项目回收的投资能够按基准收益率进行再投资的基本假设。

3. "未使用价值"的估算

从以上分析看出，在进行寿命不同方案的经济性比选时，通常需要在综合分析影响项目实施和运营的内外因素的基础上，通过"人工寿命截止"而选择共同服务年限。这样，就会使许多项目在确定的共同服务期期末仍保留"未使用价值"，需要估价和回收。

共同服务年限是依据项目的技术经济特征和决策的需要确定的。之所以确定为某值而不是其他值，是因为通过项目的决策分析，认为项目或因为技术因素，或因为市场因素，或因为政策因素等，该值具有最大的可能性和可行性。所以"未使用价值"实质上也就是项目在服务期末资产尚存的"余值"，而绝不是由于项目寿命的人工截止而损失的可能未来收益——因为在项目特定的技术经济特征背景下，已不存在这个"未来"的可能性。既然如此，"未使用价值"的估价实际上就是共同服务年限期末残余资产的估价，可采用以下几种方法估算：

（1）账面净值估价法

这种方法的计算公式如下：

$$V_s = K_0 - \sum_{j=1}^{n} D_j \tag{5-1}$$

式中　V_s——资产估价值；

　　　K_0——资产原值；

　　　D_j——资产在第 j 年的折旧额；

　　　n——共同服务年限。

这种方法虽然简单，但存在以下问题：折旧计提方式不能很好地模拟资产价值贬损规律，使得折旧额不能准确反映资产的实际价值贬损量；技术进步因素的客观存在，使得凝结在商品中的必要劳动时间发生变化；客观存在的通货膨胀因素，使得资产的账面价值和实际价值有较大出入等，上述问题的存在使资产的账面净值往往不能反映资产的实际价值量。

（2）市场估价法

市场估价法是指把资产置于开放的市场，在充分对称的市场信息环境下，通过市场询价，对资产价值进行评估的方法。这是一种比较合理的资产估价方法。通过市场交易行为，可以体现资产的实用价值量和供求状况，并且这种估价是促进资产资源合理配置的杠杆。

(3) 重置成本法

重置成本法是指在账面净值估价法基础上发展的一种资产估价方法。它力求消除由于技术进步、通货膨胀等因素对资产估价带来的不利影响，其计算公式如下：

$$V_s = K_P - \sum_{j=1}^{n} D_j \tag{5-2}$$

式中 K_P——资产的重置成本。

5.3 资金约束条件下相关方案的经济性比较与选择

对独立方案群做比较优选，会遇到两种情况：其一，资金足够多，这时只要备选方案经过单方案评价，经济上可行，即可入选，不必进行方案间的比选；其二，资金有限，这时，局部看来独立的方案，由于资金总额的约束变成了相关方案，对这类方案评价的目的是在资金总额一定的条件下，寻求总体效益最好的方案组合。常用的比选方法主要有互斥组合法、取舍率法和双向排序均衡法。

5.3.1 资金约束条件下相关方案经济性比选的一般程序

资金约束条件下相关方案经济性比选的一般程序如图 5-6 所示。

资金约束条件下相关方案的经济性比较和选择，首先要进行约束性检验，以保证进入其后续环节检验或选择程序的方案符合资金的约束要求。然后再分别进行合格性检验和最优性检验，以分别满足基本经济合理性要求和方案优选要求。

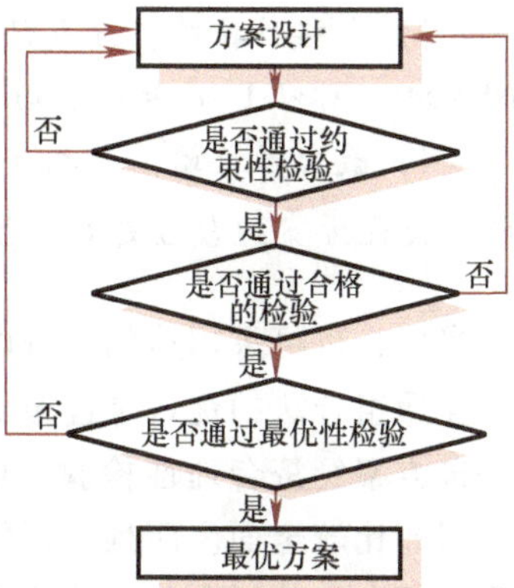

5.3.2 互斥组合法

互斥组合法是把备选方案的各种可能组合视为互斥方案，然后按互斥方案的比选方法选择最优组合方案。其比选步骤是：

1）列出备选方案的所有组合方案。
2）约束性检验——排除投资总额不符合资金约束条件的组合方案。
3）合格性检验——通过 NPV 或 IRR 考察各个组合方案的经济可行性。
4）最优性检验——通过 ΔNPV 或 ΔIRR 指标环比考察经济可行方案的相对经济效益状况，优选方案。

图 5-6 资金约束条件下相关方案经济性比选的一般程序

【例 5-7】

某项目有三个独立的备选方案 A、B、C，各方案的投资、年净收益和寿命见表 5-7。已知资金限额是 300 万元，基准收益率为 15%，试选择方案。

表 5-7 方案 A、B、C 的有关资料

方　案	投资（万元）	年净收益（万元）	寿命/年
A	120	43	5
B	100	42	5
C	170	58	5

解：1) 列出方案 A、B、C 的所有组合方案，见表 5-8。

表 5-8 互斥组合法计算表

序　号	方案组合	投资（万元）	年净收益（万元）	NPV（万元）	检验结论
1	A	120	43	24.1	合格
2	B	100	42	40.8	合格
3	C	170	58	24.4	合格
4	AB	220	85	64.9	合格
5	AC	290	101	48.5	合格
6	BC	270	100	65.2	合格
7	ABC	390			超约束

2) 约束性检验。因 7 号组合方案不符合资金约束条件，所以应予排除。

3) 合格性检验。分别计算各组合方案的净现值，结果见表 5-8。由于 1~6 号组合的 NPV>0，所以 1~6 号组合均通过了合格性检验。

4) 最优性检验。根据净现值法 $\max\{NPV_j\}$ 比选准则，因为 $\max\{NPV_j\} = NPV_6$，所以最优方案组合应是 6 号组合方案，即应同时选择方案 B 和 C。

当然，也可采用追加投资内部收益率法，用环比法选择最优的方案组合。

互斥组合法的优点是遵循了互斥方案的评价方法，先考察互斥方案的绝对经济效益，进行备选方案经济合理性检验，而后进行相对经济效益比较，对可行方案进行经济性排序选优，因而比较全面。而且在评价中，不论采用价值型指标，还是采用追加投资效率型指标，实质上都在追踪组合方案的总量经济效益最大化。所以互斥组合法可以实现资金约束条件下相关方案决策分析的目的——总效益最大。这种方法的缺点是，在备选方案众多的情况下，可以组成的方案组合将是一个巨大的数字，所以方案效益计算、决策分析的工作量巨大。

5.3.3 取舍率法

取舍率法是指在资金限量条件下，根据各方案的内部收益率（或净现值指数）的大小，在排除经济不合理的方案基础上，确定各方案的先后排列顺序，并依次分配资金，直至资金总量被分配完毕或不足以再行分配为止的一种方案选择方法。最后一个获得资金的方案的内部收益率（或净现值指数），称为取舍率。它代表资金限量条件下方案取舍的实际标准。采用这种方法，一般能得到投资经济效益较大的方案组合，但不一定是最优的方案组合。其具体做法如下（以净现值指数为例）：

1) 计算各备选方案的净现值指数，舍弃净现值指数小于零的方案。
2) 将备选方案按净现值指数大小排序。
3) 依方案排序选择方案，直到所选方案的投资总额等于或接近资金限量。

【例5-8】
某项目有三个独立备选方案A、B、C，其初始投资和各年净收益见表5-9。已知i_c=10%，资金限额为440万元，试进行方案比选。

解：1) 计算各方案的净现值指数（NPVR），结果见表5-9。

表5-9 方案A、B、C的有关资料

方案	投资（万元）	年净收益（1~10年）（万元）	NPVR
A	100	25	0.536
B	300	60	0.229
C	240	50	0.280

2) 将方案按NPVR大小排序，结果为A、C、B，见表5-10。

表5-10 取舍率法计算表

方案	NPVR	排序	选择结果
A	0.536	1	
B	0.229	3	
C	0.280	2	

3) 按排序结果选择方案。首先选择方案A，其次选择方案C，至此投资额度为340万元，接近资金约束量，此时可以完成选择，最终取舍率为0.280。

上述用取舍率法选择的结果是否为最优结果呢？以下用互斥组合法验证。

1) 列出所有方案组合，结果见表5-11。

表5-11 互斥组合法计算表

序号	方案组合	投资（万元）	年净收益（万元）	NPV（万元）	检验结论	选择结果
1	A	100	25	53.6	合格	
2	B	300	60	68.7	合格	
3	C	240	50	67.2	合格	
4	AB	400	85	122.3	合格	
5	AC	340	75	120.8	合格	
6	BC	540			超约束	
7	ABC	640			超约束	

2) 约束性检验。6、7号组合资金超过约束量，所以不能通过约束性检验，应予排除。
3) 合格性检验。分别计算通过约束性检验各组合的净现值，结果列入表5-11。1~5号组合的NPV>0，所以1~5号组合均通过了合格性检验。

4) 最优性检验。根据 max{NPV$_j$} 比选准则，因 max{NPV$_j$}=NPV$_4$，所以最优方案组合应是 4 号组合方案，即应同时选择方案 A 和 B。

可见，本例中用互斥组合法选择的方案 A 和 B（净现值为 122.3 万元），优于用取舍率法选择的方案 A 和 C（净现值为 120.8 万元）。

取舍率法的优点是简便易算，特别是在方案众多的情况下更是如此。而它的基本思想是追求投资的效率最大，而由于实物性投资项目的不可分性，取舍率法往往不能保证限额资金的充分利用，因而不能达到总的经济效益最大的目的。

【例 5-8】的选择是基于限额资金中的剩余资金未获得收益（比如，闲置）的假定而做出的。实际上，剩余资金另作他用易获得基准收益水平。此时方案比选的计算公式如下：

$$\text{NPVR}_{组} = \frac{1}{K_{限}}\left[\sum_{j=1}^{m} K_j \text{NPVR}_j + \left(K_{限} - \sum_{j=1}^{m} K_j\right) i_c\right]$$

式中　NPVR$_{组}$——某方案组合与剩余资金整体的净现值指数；

　　　$K_{限}$——资金限额；

　　　K_j——该组合中第 j 个方案的投资额；

　　　NPVR$_j$——该组合中第 j 个方案的净现值指数；

　　　m——互斥组合中包括的独立方案个数；

　　　i_c——基准收益率（近似视为剩余资金的净现值指数）。

【例 5-9】

结合【例 5-8】，分别计算 AB 组合和 AC 组合及剩余资金的综合净现值指数，用以选择方案。

$$\text{NPVR}_{AB组} = \frac{1}{K_{限}}\left[K_A \times \text{NPVR}_A + K_B \times \text{NPVR}_B + (K_{限} - K_A - K_B) i_c\right]$$

$$= \frac{1}{440}\left[100 \times 0.536 + 300 \times 0.229 + (440 - 100 - 300) \times 10\%\right]$$

$$= 0.287$$

$$\text{NPVR}_{AC组} = \frac{1}{K_{限}}\left[K_A \times \text{NPVR}_A + K_C \times \text{NPVR}_C + (K_{限} - K_A - K_C) i_c\right]$$

$$= \frac{1}{440}\left[100 \times 0.536 + 240 \times 0.280 + (440 - 100 - 240) \times 10\%\right]$$

$$= 0.297$$

由于 NPVR$_{AB组}$ < NPVR$_{AC组}$，所以在剩余资金可获得基本收益时 AC 组合优于 AB 组合。

5.3.4　双向排序均衡法

双向排序均衡法是取舍率法的改进方法。它是在资金约束条件下，在备选方案内部收益率（或净现值指数）大小排序的基础上，在 $\sum K_j \leq K_{限}$（资金的最大约束量）及 IRR $\geq i_c$（或 NPVR ≥ 0）的框架内选择方案组合的方法。

双向排序均衡法与取舍率法的不同，在于方案的选择上。双向排序均衡法更突出资金约束量的充分使用，选择方案只是在备选方案内部收益率（或净现值指数）大小排序的基础上进行，并不刻意遵循这个排序，即选择是在资金约束和收益率两个约束量间双向均衡进行的；而取舍率法突出的是所选方案的收益能力，因此选择是严格按照备选方案内部收益率（或净现值指数）大小排序的结果进行的。

【例 5-10】

某项目有八个独立方案供选择，各方案相关信息见表 5-12。已知基准折现率为 12%，资金总量为 60 万元。各方案的寿命均为 10 年。试优选方案。

表 5-12 方案信息（一） （单位：万元）

方　案	投　资	年　收　益
1	20	5.6
2	12	3
3	4	0.75
4	9	2
5	13	2.8
6	36	7.5
7	3	0.6
8	15	3.7

解：计算备选方案的内部收益率，结果见表 5-13。在资金约束和收益率两个约束量间双向均衡进行方案选择，结果为方案 1、方案 2、方案 8、方案 4、方案 7，资金使用量为 59 万元。

表 5-13 方案信息（二）

方　案	投资（万元）	内部收益率	项目总投资（万元）
1	20	25%	20
2	12	22%	32
8	15	21%	47
4	9	18%	56
5	13	17%	—
6	36	16%	—
7	3	15%	59
3	4	14%	—

该例中，显然采用双向排序均衡法比采用取舍率法（读者可以计算，采用取舍率法进行方案选择的结果是选择方案 1、方案 2、方案 8、方案 4）多使用资金 3 万元，对于有限资金的使用更充分，并且因此多获得了 0.39 万元的净现值。

5.4 收益相同（或未知）方案的经济性比较与选择

在项目策划中，往往会基于既定的同一目标而提出众多备选方案。所有备选方案的实施效果是大致相同的，这些方案就是收益相同方案。例如，某企业基于特定产品生产而购置设备，因而会提出许多设备选型的备选方案，但最终不论选取何种设备，都在于要满足特种产品生产的目的，任何设备使用的效果都是相同的。还有一类项目，具有公共产品的属性，其实施更多的是为了给社会公众提供便利。这样一类项目其运营效果通常难以用货币度量，而且也无此必要。这就是收益未知方案。例如，在 A、B 两地间拟建一项交通项目，以满足 A、B 两地间客货运输需要和区域经济发展需要，不论何种备选方案，如铁路、公路、航空三个方案，其实施后的收益难以确切知晓，但都是为了达到"满足两地间客货运输需要，发展区域经济"这个目的。这三个方案就是收益未知方案。

对收益相同方案进行经济性比较和选择，由于其收益相同，根据经济效益的基本内涵，方案之间只需进行局部比较即可对方案进行排序，即只需进行费用的相对比较就可判别方案的相对经济性。

常用的费用比较方法主要有费用现值法和费用年值法。费用比较法比选方案的准则是费用小的方案相对优。

对收益未知（通常为具有公共产品属性的项目，其收益无须进行市场价值度量，所以无须已知）这类项目，重点是充分论证项目实施的必要性，在此基础上制定实现项目目标的途径和方案。对这类项目的评价，可以先采用费用效果分析法，对备选方案进行经济可行性和合理性判断，通过经济可行性和合理性判断的方案再采用费用比较法进行经济性排序。

应当指出，费用比较法只是对构成项目经济效益要素的局部比较，不能反映项目的完全经济效益状况，因而不能仅凭费用比较法的结论证明方案的经济可行性。即使通过费用比较法选择了最优方案，即费用最小的方案，也可能达不到起码的经济要求。因此，费用比较法只适合于方案之间的优劣排序。若要了解方案的经济效益水平，还需进行经济效益构成要素的全面分析，也就是效益分析。

5.4.1 费用现值法

费用现值是指建设项目在整个寿命周期内，各年的费用按给定的折现率折算到计算期初（第 0 年）的现值之和，记作 PC。其一般表达式如下

$$PC = \sum_{j=0}^{n} CO_j(P/F, i_c, j) \tag{5-3}$$

式中　PC——费用现值；

CO_j——第 j 年的现金流出；

n——项目的计算期。

费用现值法是以费用现值为评价指标来比选方案的方法。

【例 5-11】

某企业根据生产需要，拟引进一台设备，共有三种型号供选择，其功能相同，设备购置费和年经营费用见表 5-14。已知基准收益率为 10%，试选择设备。

表 5-14　设备购置费和年经营费用表

型号	购置费（元）	年经营费用（元）	寿命/年	期末残值（元）
A	50 000	2 000	10	500
B	60 000	1 000	10	2 000
C	75 000	500	10	5 000

解：计算各方案的费用现值。依据式（5-3），得：

$PC_A = [50\,000 + 2\,000 \times (P/A, 10\%, 10) - 500 \times (P/F, 10\%, 10)]$ 元 = 62 096.45 元

$PC_B = [60\,000 + 1\,000 \times (P/A, 10\%, 10) - 2\,000 \times (P/F, 10\%, 10)]$ 元 = 65 373.6 元

$PC_C = [75\,000 + 500 \times (P/A, 10\%, 10) - 5\,000 \times (P/F, 10\%, 10)]$ 元 = 76 144.8 元

由于 $PC_C > PC_B > PC_A$，所以应选择 A 型设备。

采用费用现值法比选寿命不等方案时，应注意不同寿命周期内费用现值的不可比性。此时，通常采用 5.2 节介绍的共同服务年限处理方法。

【例 5-12】

某企业为满足生产需要，需购置设备，可供选择的两种设备的有关资料见表 5-15，已知基准收益率为 10%，试在下面两种情况下选择设备：

(1) 要求服务年限 20 年。

(2) 要求服务年限 10 年（第 10 年年末 B 设备残值为 35 000 元）。

表 5-15　备选设备相关信息

型号	购置费（元）	年运行费用（元）	寿命/年	残值（元）
A	40 000	8 000	10	0
B	65 000	6 000	20	3 000

解：(1) 要求服务年限为 20 年。假设 A 设备在寿命终了时以原型更新，则两设备在共同服务年限内的费用现值分别为：

$PC_{A,20} = [40\,000 + 8\,000 \times (P/A, 10\%, 20) + 40\,000 \times (P/F, 10\%, 10)]$ 元

= 123 528.8 元

$PC_{B,20} = [65\,000 + 6\,000 \times (P/A, 10\%, 20) - 3\,000 \times (P/F, 10\%, 20)]$ 元

= 115 635.8 元

由于 $PC_{B,20} < PC_{A,20}$，故应选择 B 设备。

(2) 要求服务年限为 10 年。B 设备存在"未使用价值"，需在共同服务年限期末回收。

$PC_{A,10} = [40\,000 + 8\,000 \times (P/A, 10\%, 10)]$ 元 = 89 156.8 元

$PC_{B,10} = [65\,000 + 6\,000 \times (P/A, 10\%, 10) - 35\,000 \times (P/F, 10\%, 10)]$ 元
  = 88 375.1 元

由于 $PC_{A,10} > PC_{B,10}$，所以应选择 B 型设备。

5.4.2 费用年值法

费用年值是指项目在寿命周期内的年费用值按给定的折现率折算的年均值，记作 AC。其一般表达式为

$$AC = PC(A/P, i_c, n) \tag{5-4}$$

费用年值法就是以费用年值作为评价指标来比选方案的方法，当备选方案的寿命不等时，采用费用年值法计算较为简便。

【例 5-13】

仍以【例 5-12】两设备为例，用费用年值法比选设备。

解：依据式 (5-4)，两设备的费用年值分别为

$AC_A = PC_A \times (A/P, 10\%, 10)$
  $= [40\,000 + 8\,000 \times (P/A, 10\%, 10)]$ 元 $\times (A/P, 10\%, 10)$
  $= (89\,156.8 \times 0.162\,7)$ 元
  = 14 505.8 元

$AC_B = PC_B \times (A/P, 10\%, 20)$
  $= [65\,000 + 6\,000 \times (P/A, 10\%, 20) - 3\,000 \times (P/F, 10\%, 20)]$ 元 $\times (A/P, 10\%, 20)$
  = 13 587.2 元

由于 $AC_A > AC_B$，所以应选择 B 型设备。

练 习 题

1. 表 5-16 是按投资由小到大列出的三个互斥方案。试问，i_c 的值在什么范围时，B 方案是可以实施的最优方案？

表 5-16 三个互斥方案

方案	IRR	ΔIRR	
		A	B
A	15%		
B	13%	11%	
C	10%	8%	6%

2. 上题中，若三个备选方案是独立的，结果又如何呢？

3. 上题中，若 B、C 是依存方案，A 与 B、C 互斥，结果又如何呢？

4. A、B两方案为互斥关系，投资额不同，均具有经济可行性。已知 $NPV_A > NPV_B$，而 $IRR_A < IRR_B$。问：应如何做出方案选择？为什么？

5. 表5-17是三个备选方案的有关信息。已知基准折现率为10%。试在下列各种情况下优选方案。

表5-17 三个备选方案的有关信息

方 案	投资（万元）	年净收益（万元）	寿命/年
A	100	42	5
B	120	44	5
C	170	56	5

（1）方案相互独立。
（2）方案相互排斥。
（3）资金限额分别为240万元、280万元、300万元。

6. 两方案的有关信息见表5-18。

表5-18 两方案的有关信息

方 案	寿命/年	净现值（万元）	内部收益率（%）
A	8	100	15.2
B	15	120	13.5

若基准折现率为8%，试评价方案。

7. 为解决交通出行问题，设计了两套方案：一是购车，购车费用为15万元，预计年运营费用为1.5万元；二是租车，年租赁费用为2万元。预计用车时间为10年，期间届满车辆残值为4 000元。若基准折现率为10%，试选择方案。

第 6 章 建设项目融资

【内容提要】

(1) 融资主体。
(2) 资金来源渠道。
(3) 资金筹集（融资）方式。
(4) 新型项目融资模式。
(5) 个别资金成本。
(6) 综合资金成本。
(7) 资金结构与筹资优化。

【关键词】

融资主体；既有企业法人融资；新设项目法人融资；资本金制度；权益资本；债务资金；普通股；优先股；债券；可转换公司债券；银行贷款；出口信贷；资金成本；加权平均资金成本；资金结构；项目融资模式；筹资优化

【学习指导】

项目融资是项目投资的前提和基础。融资不仅影响项目的进展状况，更是项目期望效益的一个重要影响因素。因而在财务评价中，除了要进行融资前评价以考察项目设计的合理性外，还要进行融资后评价以考察在既定的融资条件下项目运营对投资者的财务贡献。

融资的目的是满足投资需要，是为了投资得以实现，因此融资的总规模取决于投资总规模。一般来说，项目投资分年度发生在不同时间（点）。所以，基于资金成本的考虑，融资可以按照投资计划分时间段（点）进行。

建设项目的融资主体既可以是既有企业法人，也可以是新设项目法人。区别不同情形而决定建设项目的融资主体。

建设项目的资金来源渠道从大的方面来说可分为国（境）内资金和国（境）外资金。传统的建设项目融资方式可分为资本金筹集和债务资金筹集。筹集资本金的主要方式有：吸收直接投资、发行股票、发行可转换公司债券等。筹集债务资金的主要方式有：银行贷款、发行债券、融资租赁和国外债务融资等。

根据融资主体的特征可以将融资分为公司融资和项目融资。公司融资是一种传统的融资方式，是指一个公司利用本身的资信能力所安排的融资。项目融资是指以项目的资产、预期收益或权益做抵押取得的一种无追索权或有限追索权的融资活动。新型项目融资的模式主要有 BOT、PPP、ABS 等。

不同的融资方式其基本特征和资金成本不同。个别资金成本是单一融资方式下的资金成本。个别资金成本反映了个别融资方式的特征，其计量与大小因融资方式不同而不同；综合资金成本是项目综合融资方式下的资金成本。综合资金成本反映了综合融资方式下形成的资金结构。不同的资金结构有着不同的综合资金成本。筹资优化就是要找到一个既可行的资金结构又是最优的筹资方案，使得综合资金成本最低。一般地讲，当项目的投资收益率（ROI）大于债务融资利率时，宜举债，可运用债券融资的杠杆作用，提高资本金收益率；反之，则不宜举债。

不论是传统融资还是新型融资，融资应该把握的基本原则是：从融资需要出发，以资金成本和筹资效率为标准，力求组成要素的合理化、多元化。应根据具体情况，从筹资人的实际资金需要出发，注意筹资方式的结合，以提高筹资的效率和效益，降低筹资成本，减少筹资风险。

【本章教学案例】

接第 3 章教学案例。
1. 试对该项目进行融资方案优化设计。
（1）计算项目的平均投资收益率。
（2）若资本金最低比例要求为 30%，试为项目搭配资金结构。
（3）试安排合理的资金使用计划。
2. 试对该项目进行个别资金成本分析。
（1）计算项目债券的资金成本。
（2）根据资金使用计划，筹划债券偿还方案，计算还款期内各年还本付息额。

6.1 融资主体

项目的融资主体是指为项目的建设进行融资活动并承担融资责任和风险的法人单位。分析、研究项目的融资渠道和方式，提出项目的融资方案，应首先确定项目的融资主体。正确确定项目的融资主体，有助于顺利筹措资金和降低债务偿还风险。确定项目的融资主体应考虑项目投资的规模和行业特点，项目与既有法人资产、经营活动的联系，既有法人财务状况，项目自身的盈利能力等因素。建设项目融资主体主要有既有企业法人融资主体和新设项目法人融资主体。

6.1.1 既有企业法人融资

既有企业法人融资是指既有企业法人为项目的建设进行融资并承担融资责任和风险的融资活动。

在下列情况下，一般应以既有企业法人为融资主体：

1) 既有企业法人经济实力较为雄厚，资信基础良好，可以凭借其自身实力或资信为新建项目进行有效融资，具有很好的承担全部融资责任的能力。

2）新建项目与既有企业的资产以及经营活动密切联系，"两类"资产交互运用，"两种"经营相互交织，不能独立体现项目及其经营业绩和经营责任与风险。

3）项目自身的盈利能力较差，但项目的建设和存续对企业整体的持续发展具有重要作用，需要利用既有法人的整体资信获得债务资金。

既有企业法人融资又称公司融资，是一种传统融资方式。它依托既有企业法人——项目发起人公司作为融资主体进行资金筹措活动。既有企业法人融资的基本特点是：由既有企业法人发起项目、组织融资活动并承担融资责任和风险；建设项目所需的资金来源于既有企业法人内部融资、新增资本金和新增债务资金；新增债务资金依靠既有法人整体（包括拟建项目）的盈利能力来偿还，并以既有法人整体的资产和信用承担债务担保。所以项目投资者和债权人关注的是现有企业和项目整体的未来资产和收益状况。

以既有企业法人融资筹集的债务资金虽然用于项目投资，但债务人是既有企业法人。债权人可对既有企业法人和项目的整体资产（既有资产和未来项目资产）及整体权益进行债务追索，因而债权人的风险相对较低。在这种融资方式下，不论项目未来的盈利能力如何，只要既有企业法人和项目整体未来的现金流量好，既有企业法人能够保证按期还本付息，债权人就愿意提供信贷资金。

6.1.2 新设项目法人融资

新设项目法人融资是指新设项目法人为自身的建设进行融资并承担融资责任和风险的融资活动。

在下列情况下，一般应以新设项目法人为融资主体：

1）拟建项目的投资规模较大，而既有企业法人经济实力不强，不具有凭借其自身实力或资信为项目进行融资和承担全部融资责任的能力。

2）既有企业法人财务状况不佳，无力依靠自有资产或资信为项目筹得所需资金，而且项目与既有企业法人的经营活动联系不密切。

3）项目自身具有较强的盈利能力，未来现金流充裕，依靠项目自身未来的现金流量可以按期偿还债务。

新设项目法人融资是以新组建的具有独立法人资格的项目公司为融资主体的资金筹措活动。采用新设项目法人融资方式的建设项目，项目法人大多是企业法人，这类项目一般是新建项目，也可以是将既有企业法人的一部分资产剥离出去后重新组建的新的项目法人的改扩建项目。

新设项目法人融资的基本特点是：由项目发起人发起组建新的具有独立法人资格的项目公司，由新组建的项目公司承担融资责任和风险；建设项目所需资金的来源，包括项目公司投资者投入的资本金和项目承担的债务资金；依靠项目自身的盈利能力来偿还债务；一般以项目投资形成的资产、未来收益或权益作为融资担保的基础，所以项目投资者和债权人关注的是项目未来的资产和收益状况。

新设项目法人融资的债务人是项目法人。债权人只可对项目的资产和权益进行债务追索，而不能对既有企业法人等项目发起人的资产和权益进行债务追索，因而债权人的风险相对较高。在这种融资方式下，债权人的债权安全是建立在项目未来的盈利能力基础上的，只有项目未来的现金流量好，项目法人能够按期还本付息，债权人才愿意提供信贷资金。

6.2 资金来源渠道和筹集方式

资金来源渠道是指为建设项目筹集资金的来源和通道，体现着所筹集资金的源泉和性质。资金筹集方式是指为建设项目筹集资金的途径与形式，体现着筹资企业与资金供应者之间的不同契约关系。

6.2.1 资金来源渠道

建设项目的资金来源渠道从大的方面来说可分为国（境）内资金和国（境）外资金，其资金来源渠道如图 6-1 所示。

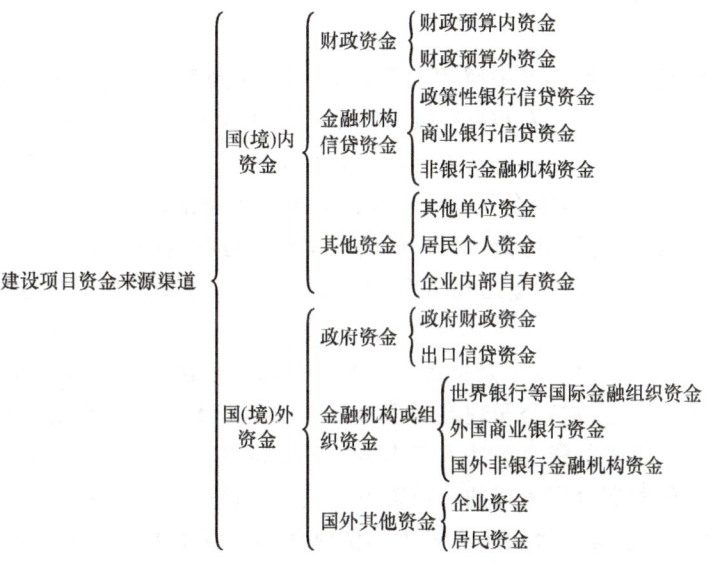

图 6-1　建设项目资金来源渠道

6.2.2 资本金制度

资本金是指在项目总投资中由投资者认缴的出资额。对投资项目来说，资本金是非债务性资金，项目法人不承担这部分资金的任何利息和债务；投资者可按其出资的比例依法享有所有者权益，也可转让其出资，但不得以任何方式抽回。

为了建立投资风险约束机制，有效地控制投资规模，提高投资效益，促进国民经济持续、快速、健康发展，许多国家都建立了资本金制度。例如，我国《国务院关于固定资产投资项目试行资本金制度的通知》规定从 1996 年对固定资产投资项目试行资本金制度，规定了经营性项目资本金占总投资的比例的要求，见表 6-1。

表 6-1　项目资本金占总投资的比例

序号	投 资 行 业	项目资本金占总投资的比例
1	交通运输、煤炭项目	35%及以上
2	钢铁、邮电、化肥项目	25%及以上
3	电力、机电、建材、化工、石油加工、有色、轻工、纺织、商贸及其他行业的项目	20%及以上

投资项目的资本金可以用货币出资，也可以用实物、工业产权、非专利技术、土地使用权作价等非货币出资。对作为资本金的实物、工业产权、非专利技术、土地使用权，必须经过有资格的资产评估机构依照法律、法规评估作价，不得高估或低估。

6.2.3 资金筹集方式

建设项目资金筹集方式包括资本金的筹集方式和债务资金的筹集方式。

1. 资本金的筹集方式

建设项目资本金是建设项目成立的前提之一，也是建设项目进行工程建设和项目建成后从事生产经营的物质基础。建设项目资本金的筹集方式主要有：吸收直接投资、发行股票、发行可转换公司债券等。

（1）吸收直接投资

吸收直接投资是指建设项目按照"共同投资、共同经营、共担风险、共享利润"的原则，直接吸收国家、法人、个人和外商投入资本的一种资本金筹集方式。建设项目资本金按照投资主体分为国家资本金、法人资本金、个人资本金以及外商资本金四类。

1）国家资本金。国家资本金是指由有权代表国家投资的政府部门或者机构，用预算内资金、各类专项建设基金投入建设项目形成的资本金，也称为国有资本金。国家资本金的主要特点有：产权归属国家；资金运用和处置受国家严格约束；在国有建设项目中被普遍采用。

2）法人资本金。法人资本金是指各类企业法人以其依法可以支配的法人资产投入建设项目而形成的资本金。它包括公司现有的现金、未来生产经营中获得的可用于投资的资金、资产变现、增资扩股吸收的资金。法人资本金的主要特点有：发生在企业法人之间；以参与建设项目投产之后的利润分配为目的；出资方式灵活多样。

3）个人资本金。它是指社会个人或者单位内部职工以个人合法财产投入建设项目而形成的资本金。个人资本金的主要特点有：参加投资的人数相对较多；每个出资人的出资数额相对较小；出资人更加关心投资建设项目的经营结果。

4）外商资本金。它是指外国投资者投入建设项目而形成的资本金。外商资本金的主要特点有：出资人受到的限制条件比较复杂；以参与建设项目投产后的利润分配为目的。

吸收直接投资通常是通过直接投资协议、合同实现的，无须借助证券媒介。

（2）发行股票

发行股票筹资是股份公司筹措股权资本的基本方式。股份公司的资本金称为股权资本。股票是一种有价证券，是用以证明出资人所持股份的凭证。

按股票所代表的股东权利和义务划分，股票可分为优先股和普通股。

1）优先股。优先股股票是一种兼具资本金和债务资金特点的有价证券。从普通股股东的立场看，优先股可视同一种负债；但从债权人的立场看，优先股可视同为资本金。

如同债券一样，优先股股息有一个固定的数额或比率，通常高于银行的贷款利息，该股息不随公司业绩的好坏而波动，并且优先股股东优先于普通股股东获取股息；如果公司破产清算，优先股股东对公司剩余财产具有优先于普通股股东的要求权。优先股一般不参加公司的红利分配，持股人没有表决权，也不能参与公司的经营管理。

公司发行优先股主要出于以下考虑：清偿公司债务，帮助公司渡过财务难关，欲增加公司资产又不影响普通股股东的控制权。

优先股股票相对于其他债务融资方式，通常处于较后的受偿顺序，股息在税后利润中支付。在融资方案和财务分析中应视为项目资本金。

2）普通股。普通股是随着企业利润变动而变动的一种股份。普通股的基本特点是其投资收益（股息和分红）不是在购买时约定，而是事后根据股票发行公司的经营业绩来确定的。公司的经营业绩好，普通股的收益就高；反之，若经营业绩差，普通股的收益就低。当公司因破产或结业而进行清算时，普通股股东有权分得公司剩余资产，但普通股股东必须在公司的债权人、优先股股东之后才能分得财产，财产多时多分、少时少分，没有则只能作罢。

(3) 发行可转换公司债券

可转换公司债券是指发行人依照法定程序发行，在一定期限内依据约定的条件可以转换成股票的公司债券。

可转换公司债券实际是一种股票期权或股票的选择权。可转换公司债券发行时，明确在什么期限以怎样的价格转换成普通股或者股票价格达到某种恶劣程度时，债券持有人按照约定的价格将可转换公司债券卖给发行公司。

可转换公司债券兼有债权性、股权性和可转换性的特点。与其他债券一样，可转换公司债券也有规定的利率和期限，债券持有人可以选择持有债券，收取本金和利息；可转换公司债券在转换成股票之前是纯粹的债券，但在转换成股票之后，原债券持有人就由债权人变成了公司的股东，可参与企业的经营决策和红利分配；债券持有人有权按照约定的条件将债券转换成股票。转股权是可转换公司债券持有人享有的、普通企业债券所没有的选择权。

由于可转换公司债券具有普通企业债券所没有的转股权，因此可转换公司债券利率一般低于普通企业债券利率，企业发行可转换公司债券有助于降低资金成本。但可转换公司债券在一定条件下可转换为公司股票，因而可能会造成股权的分散。

在融资方案和财务分析中，可转换公司债券在未转换成股票前应视为项目债务资金，在转换成股票后应视为项目资本金。

(4) 资本金融资的特点

1）所筹资金是项目的权益资本，是其他方式筹资的基础，可增强融资主体的信用基础和举债能力。

2）所筹资金没有到期偿还等财务问题，不会出现债务偿还对项目运营的冲击，融资的财务风险较低。

3）红利或股利需从税后利润中支付，因而不具有抵税作用，而且股票发行费用也较高，所以资本金融资的资金成本较高。

4）上市公开发行股票，必须公开披露信息，接受投资者和社会公众的监督。

2. 债务资金的筹集方式

建设项目债务资金的筹集方式主要有银行贷款、发行债券、融资租赁和国外债务融资。

(1) 银行贷款

按照提供贷款的机构不同，银行贷款可分为商业银行贷款和政策性银行贷款。

1）商业银行贷款。商业银行贷款是建设项目获得短期、中长期贷款的重要渠道，具体分为国内商业银行贷款和国际商业银行贷款。

国内商业银行贷款手续简单、成本较低，适用于有偿债能力的建设项目。

2）政策性银行贷款。政策性银行贷款一般期限较长，利率较低，是为配合国家产业政策的实施，对有关的政策性项目提供的贷款。我国政策性银行有国家开发银行、中国进出口银行和中国农业发展银行。

（2）发行债券

债券是企业以自身的财务状况和信用条件为基础，依照一定的条件和程序发行的、约定在一定期限内还本付息的证券。

债券代表着发行债券的企业和债券投资者之间的一种债务、债权关系。债券投资者是企业的债权人，不是所有者，无权参与或干涉企业经营管理，但有权按期收回本息。

（3）融资租赁

融资租赁又称财务租赁或金融租赁，是指由租赁公司按照承租企业的要求融资购买设备，并在契约或合同规定的较长期限内提供给承租企业使用的信用性业务，是一种不可撤销的、完全付清的中长期融资形式，是现代租赁的主要类型。通过融资租赁，承租企业以"融物"的形式达到了融资的目的。一般融资的对象是资金，而融资租赁集融资与融物于一身，实际上相当于一项与设备直接关联的贷款业务，是建设项目业主筹集债务资金的一种特殊方式。

（4）国外债务融资

1）国际商业银行贷款。国际商业银行贷款的提供方式有两种：一种是小额贷款，由一家商业银行独自提供贷款；另一种是金额较大、由几家甚至几十家商业银行组成银团提供贷款，又称为"辛迪加贷款"。银团贷款除具有一般银行贷款的特点和要求外，由于参与的银行较多，需要多方协商，贷款过程周期较长，而且使用银团贷款除支付利息之外，按照国际惯例，通常还要支付承诺费、管理费、代理费等。因此银团贷款主要适用于资金需求量大、偿债能力较强的建设项目。

2）外国政府贷款。外国政府贷款是指一国政府向另一国政府提供的具有一定的援助或部分赠与性质的低息优惠贷款。

改革开放以来，我国和亚欧许多国家和机构建立了政府（双边）贷款关系。

外国政府贷款带有援助性质，期限长，利率低，有的甚至无息。一般年利率为2%~4%，还款平均期限为20~30年，最长可达50年。贷款一般以混合贷款方式提供，即在贷款总额中，政府贷款一般占1/3，其余2/3为出口信贷。贷款一般都限定用途，如用于支付从贷款国进口设备，或用于某类项目建设。

3）国际金融机构贷款。国际金融机构贷款是指国际金融机构按照章程向其成员提供的各种贷款。目前与我国关系密切的国际金融机构有国际货币基金组织、世界银行和亚洲开发银行等。国际金融机构一般都有自己的贷款政策，只有这些机构认为应当支持的项目才能得到贷款。使用国际金融机构的贷款需要按照这些组织的要求提供资料，并且需要按照规定的程序和方法来实施项目。

国际货币基金组织的贷款只限于成员国财政和金融当局，不与任何企业发生业务，贷款用途限于弥补国际收支逆差或用于经常项目的国际支付，期限为1~5年。

世界银行贷款具有以下特点：贷款期限较长，一般为20年左右，最长可达30年，宽限期为5年；贷款利率实行浮动利率，随金融市场利率的变化定期调整，但一般低于市场利率;对已订立贷款契约而未使用的部分,要按年征收 0.75% 的承诺费;世界银行通常对其资助的项目只提供货物和服务所需要的外汇部分,约占项目总额的 30%~40%,个别项目可达 50%;但在某些特殊情况下,世界银行也提供建设项目所需要的部分国内费用;贷款程序严密,审批时间较长;借款方从提出项目到最终同世界银行签订贷款协议获得资金,一般要一年半到两年的时间。

亚洲开发银行贷款分为硬贷款、软贷款和赠款。硬贷款是由亚洲开发银行普通资金提供的贷款,贷款的期限为 10~30 年,含 2~7 年的宽限期,贷款的利率为浮动利率,每年调整一次。软贷款又称优惠利率贷款,是由亚洲开发银行开发基金提供的贷款,贷款的期限为 40 年,含 10 年的宽限期,不收利息,仅收取 1% 的手续费,此种贷款只提供给还款能力有限的发展中国家。赠款资金由技术援助特别基金提供,用于亚洲开发银行的技术援助。

4)出口信贷。出口信贷是指设备出口国政府为促进本国设备出口,鼓励本国银行向本国出口商或外国进口商(或进口方银行)提供的贷款。贷给本国出口商的称为"卖方信贷",贷给外国进口商(或进口方银行)的称为"买方信贷",贷款的使用条件是购买贷款国的设备。

出口信贷的主要特点有:它是一种与本国出口密切联系的贷款;具有官方资助性质;贷款利率低于市场利率,利差由出口国政府补贴;出口信贷与信贷保险结合。发达国家一般都设有国际信贷保险机构,对出口信贷予以担保,风险由国家承担。

5)国际债券。国际债券是指一国政府、金融机构、工商企业或国际组织为筹措和融通资金,在国际金融市场上发行的、以外国货币为面值的债券。国际债券的重要特征是债券发行者和债券投资者属于不同的国家,资金来源于国际金融市场。

按照发行债券所用货币与发行地点的不同,国际债券可分为欧洲债券、全球债券、亚洲债券和外国债券。

因国际债券的发行涉及国际收支管理,国家对企业发行国际债券进行严格的管理。

(5)债务资金融资的特点

1)所筹资金是项目的债务资本,存在着到期偿还等财务问题,偿债可能冲击项目的运营,融资的财务风险较高。

2)资金成本在税前列支,因而具有抵税作用,相当于享受了税收优惠,因此债务融资的资金成本较低。

3)融资渠道广泛,融资方式多样化。

6.3 新型项目融资模式

随着项目融资的产生,项目融资模式不断创新,常见的新型项目融资模式有 BOT 项目融资模式、ABS 项目融资模式、PPP 项目融资模式、产品支付项目融资模式等。

6.3.1 BOT 项目融资模式

BOT 项目融资模式是国际上近十几年来逐渐兴起的一种基础设施建设的融资模式,它是一种利用外资和民营资本兴建基础设施的新兴融资模式。BOT 即建设-经营-转让(Build-Operate-Transfer),代表着一个完整的项目融资过程。

在 BOT 模式中，通常由项目东道国政府或其所属机构与项目公司签署协议，把项目建设及经营的特许权授予项目公司。项目公司在项目经营特许期内，利用项目收益偿还投资及营运支出，并获得利润。特许期满后，项目移交给东道国政府或其下属机构。

1. BOT 模式及其衍生形式

（1）标准 BOT 模式

标准 BOT 模式即私人财团或国外财团愿意自己融资建设某项基础设施，并在东道国政府授予的特许期内经营该公共设施，以经营收入抵偿建设投资，并获得一定收益，经营期满后将此设施移交给东道国政府。

（2）BOOT 模式

BOOT（Build-Own-Operate-Transfer）即建设-拥有-经营-移交。私人合伙人或国际财团融资建设基础产业项目，项目建成后，在规定的期限内拥有项目资产所有权，并负责项目的经营管理，期满后将项目移交给政府。

BOOT 与 BOT 的区别在于：BOOT 在特许期内既拥有经营权，又拥有所有权。此外，BOOT 的特许期通常要比 BOT 的长一些。

（3）BOO 模式

BOO（Build-Own-Operate），即建设-拥有-经营。该模式特许承包商根据政府的特许权建设并拥有某项基础设施，但最终并不将该基础设施移交给东道国。

（4）BTO 模式

BTO（Build-Transfer-Operate），即建设-转让-经营。该模式主要针对关系国家安全的产业，如通信业，为保证国家信息的安全性，项目建成后，并不全由国外投资者经营，而是将所有权转让给东道国政府，由东道国经营通信的垄断公司经营，或与项目开发商共同经营项目。

（5）BT 模式

BT（Build-Transfer），即建设-转让。开发商在项目建成后即将项目资产以一定的价格转让给政府，由政府负责项目的经营与管理。

（6）BLT 模式

BLT（Build-Lease-Transfer），即建设-租赁-转让。开发商在项目建成后即将项目以一定的租金出租给政府，由政府经营，授权期满后，将项目资产转让给政府。

以上各种模式只是操作的不同，侧重点不同，但其基本特点是一致的，即项目公司必须得到有关部门授予的特许经营权。

2. BOT 模式的主要当事人

（1）项目发起人

项目发起人是项目所在国政府、政府机构或政府指定的公司。

在 BOT 融资期间，项目发起人在法律上既不拥有项目，也不经营项目，而是通过给予项目某些特许经营权和一定数额的从属性贷款或贷款担保作为项目建设、开发和融资安排的支持。在融资结束后，项目发起人通常无偿获得项目所有权和经营权。

（2）项目投资运营商

项目投资运营商是 BOT 融资模式的主体，它从项目所在国政府获得建设和经营项目的特许权，负责组织项目融资、建设和运营，承担项目特许经营期间的融资、建设和运营风险，从项目运营中获得利润。因为在特许权协议结束时，项目要最终交还给项目发起人，所以从项目所在国政府的角度，选择项目投资运营商要有一定的标准和要求：

1）有一定的资金基础和管理与技术能力，保证在特许经营期间能够提供符合要求的服务。

2）符合环境保护标准和安全标准。

3）产品（或服务）的收费要合理。

4）做好设备的维修和保养工作，保证在特许权协议终止时项目发起人接收的是一个运行正常、保养良好的项目。

6.3.2 ABS项目融资模式

1. ABS项目融资模式的概念

ABS（Asset-Backed Securitization）是指资产支持的证券化。它是以拟建项目所拥有的资产为基础，以该项目资产的未来收益作为保证，通过在市场上发行债券筹集资金的一种项目融资方式。

一般来说，投资项目所依附的资产只要在未来一定时期内能带来现金收入，就可以进行ABS项目融资。

ABS项目融资在基础设施项目中的应用模式如图6-2所示。

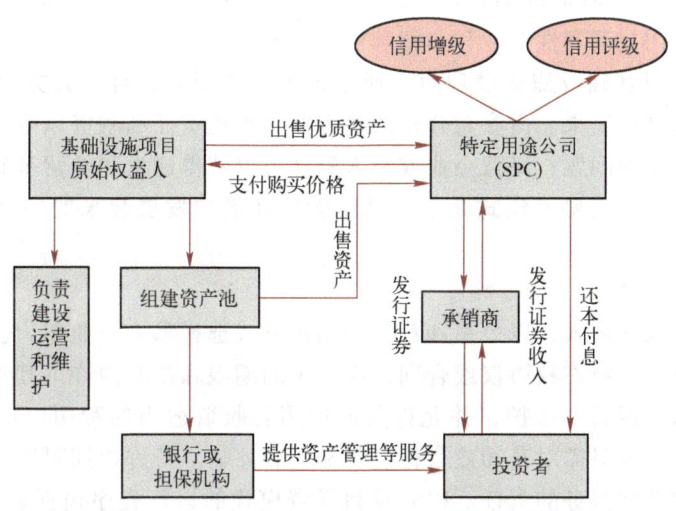

图6-2 ABS项目融资在基础设施项目中的应用模式

ABS项目融资模式的独到之处就在于通过信用增级计划，使得没有获得信用等级或信用等级较低的机构，可以进入高等级投资证券市场，通过资产的证券化来筹集资金。

2. ABS项目融资模式的融资过程

ABS项目融资模式的融资过程如下：

（1）组建特定用途公司（SPC）

SPC可以是一个信托投资公司、信用担保公司、投资保险公司或其他独立法人，该机构应能够获得国际权威资信评估机构较高级别的信用等级（AAA级或AA级）。

（2）SPC 与基础设施项目结合

原始权益人以合同等方式将符合资产证券化条件的基础设施组建资产池，并将资产池的未来现金收入权利转让给 SPC。

（3）利用信用增级手段使项目资产获得预期的信用等级

SPC 通过专业化的信用担保，如利用信用证、开设现金担保账户、直接进行金融担保等进行信用升级。之后，委托资信评估机构对即将发行的经过担保的 ABS 债券在偿债能力、项目资产的财务结构、担保条件等方面进行信用评级，确定 ABS 债券的资信等级。

（4）SPC 发行债券

SPC 直接在资本市场上发行债券为基础设施项目募集资金，或者通过信用担保，由其他机构组织债券发行，并将通过发行债券筹集的资金用于基础设施项目的建设。由于 SPC 一般会获得 AAA 级或 AA 级信用等级，因此它可在高等级投资证券市场上以较低的融资成本发行债券，募集所需的资金。

（5）SPC 的偿债

SPC 利用资产池稳定的现金流量清偿其在证券市场上所发行债券的本息，待债券到期，用未来收益还本付息后，资产的所有权又复归到原始权益人手中。

6.3.3　PPP 项目融资模式

PPP（Public-Private-Partnership）即政府和社会资本合作（公共部门与私人企业合作）模式。它是公共部门、营利性企业和非营利性企业基于某个项目而形成的相互合作关系的形式。PPP 主要是针对基础设施建设项目，通过这种合作形式，合作各方可以达到与预期单独行动相比更为有利的结果。由参与合作的各方共同承担责任和融资风险。政府可以解决基础设施建设资金不足的问题；民营企业或私人资金可以获得建设和经营基础设施的权利，并从中获得回报。PPP 项目融资模式是公共基础设施建设中发展起来的一种优化的项目融资与实施模式。

1. PPP 项目融资模式的运作程序

政府通过政府采购形式，以公平和竞争的招标方式选择私人企业作为公共基础设施的投资者，与中标单位签订特许权协议或合同，在一定的期限和范围内许可其承担公共基础设施项目的融资、建造、经营和维护，并允许其向使用者收取适当的费用以回收投资并赚取利润。特许权期间，政府只需对其绩效目标进行测定和评估。特许权期限届满后，政府无偿收回并继续承担提供公共服务的责任。PPP 项目融资模式的运行程序包括选择项目合作公司、确立项目、成立项目公司、招标投标和融资、项目建设、项目运行管理、项目移交等环节。在 PPP 项目融资模式下，私人企业在项目识别阶段就参与项目，进行可行性研究，讨论并决定项目融资方案，并可在项目的初始阶段更好地解决项目整个寿命周期中的风险分配，从而可以使私人企业节约投标的花费，节省准备时间，降低最后投标报价，面对双方成本降低的趋势，这种合作关系必将越来越牢固。

2. PPP 项目融资模式的优势

PPP 项目融资模式使政府部门和私人企业能够充分利用各自的优势，即把政府部门的社会责任、远景规划、协调能力与私人企业的创业精神、民间资金和管理效率结合到一起，其优点如下：

1)可以提前满足社会和公众的需求。采取 PPP 项目融资模式,可在私人企业的参与下,使一些本来急需建设而政府目前又无力投资建设的基础设施项目提前建成发挥作用,从而有利于社会生产力的提高,有利于刺激经济的发展和就业率的提高。

2)有利于资金的筹集。PPP 能够利用民间的资金,减少政府的直接财政负担,政府也可以将原来用于这些项目的资金,转而用于其他投资项目。

3)有利于提高项目的运作效率。由于有私人企业的参与,贷款机构对项目的要求就会更加严格。另外,民营企业为了减少风险,获得较多的收益,客观上会加强管理,控制造价,提高效率。

4)有利于提高服务质量。私人企业参与项目的运营、管理和维护,有利于提高建设和运营效率,引入新的管理体制,用户可以得到较高质量的服务。

5)有利于风险合理分担。因为 PPP 项目一般具有资本投入大、项目寿命周期长等因素带来的风险,所以政府部门不是把项目风险全部转移给民营企业,而是本身也承担其中的部分风险,这样有利于提高民营企业完成项目的信心,保证项目顺利实施。

6)有利于转变政府部门职能。政府可以从微观管理的繁重事务中脱离出来,从过去的公共基础设施的提供者变成监管者。

6.3.4 产品支付项目融资模式

产品支付(Production Payment)项目融资模式是项目融资的早期形式之一,起源于 20 世纪 50 年代美国的石油天然气项目开发的融资安排。它是针对项目贷款的还款方式而言的融资方式,其特点是在项目投产后直接用项目产品来还本付息,而不以项目产品的销售收入来偿还债务。

在贷款得到偿还以前,贷款方拥有项目的部分或全部产品,借款方在清偿债务时把贷款方的贷款看作这些产品销售收入折现后的净值。

1. 产品支付项目融资模式的特点

产品支付项目融资模式适用于资源储藏量已经探明并且项目生产的现金流量能够比较准确地计算出来的项目。产品支付项目融资所能安排的资金数量等于产品支付所购买的那一部分矿产资源的预期未来收益在一定利率条件下贴现出来的资产现值。产品支付项目融资模式具有以下特征:

1)独特的信用保证结构。一个产品支付的融资安排是建立在由贷款银行购买某一特定矿产资源储量的全部或部分未来销售收入的权益的基础上的。在这一安排中,提供融资的贷款银行从项目中购买一个特定价额的生产量,这部分生产量的收益也就成为项目融资的主要偿债资金来源。因此,产品支付是通过直接拥有项目的产品,而不是通过抵押或权益转让的方式来实现融资的信用保证的。对于那些资源属于国家所有的项目、项目投资者只能获得资源开采权的国家和地区,产品支付的信用保证是通过购买项目未来生产的现金流量,加上资源开采权和项目资产的抵押实现的。

2)融资比较容易被安排成为无追索或有限追索的形式。由于所购买的资源储量及其销售收益被用作产品支付项目融资的主要偿债资金来源,因此,融资比较容易被安排成为无追索或有限追索的形式。如何计算所购买的资源储量的现值是安排产品支付融资的一个关键性的问题,同时也是实际工作中一个较为复杂的问题。为了计算资源储量现值,需要列出一系列假设条件，而每一个条件都有可能成为借贷双方谈判中的争议焦点。一些主要的假设条件包括：项目已证实资源总量（这个条件将决定最大的产品支付融资的可能性）；资源价格；生产计划（包括年度开采计划和财务预算）；通货膨胀率、汇率、利率和其他一些经济因素；资源税和其他有关的政府税。

3）融资期限将短于项目的经济寿命期。换句话说，如果一个资源性项目具有20年的开采期，那么产品支付融资的贷款期限会大大短于20年。

4）在产品支付融资结构中，贷款银行一般只为项目的建设和资本费用提供融资，而不承担项目生产费用的贷款，并且要求项目投资者提供最低生产量、最低产品质量标准等方面的担保。

5）融资中介机构在产品支付中发挥着重要的作用。

2. 产品支付项目融资模式的操作过程

1）由贷款银行或者项目投资者建立一个融资中介机构（一般为信托基金结构）从项目公司购买一定比例项目资源的生产量（如石油、天然气、矿藏储量）作为融资的基础。

2）贷款银行为融资中介机构安排用以购买这部分项目资源生产量的资金，融资中介机构再根据产品支付协议将资金注入项目公司作为项目的建设和资本投资资金；作为产品支付协议的一个组成部分，项目公司承诺按照一定的公式（购买价格加利息）安排产品支付；同时，以项目固定资产抵押和完工担保作为项目融资的信用保证。

3）在项目进入生产期后，根据销售代理协议项目公司作为融资中介机构的代理，销售其产品，销售收入（即产品收入）将直接进入融资中介机构用来偿还债务。在产品支付项目融资中也可以不使用中介机构而直接安排融资，但是这样融资的信用保证结构将会变得较为复杂；另外，使用中介机构还可以帮助贷款银行将一些由于直接拥有资源或产品而引起的责任和义务（如环境保护责任）限制在融资中介机构内。

6.3.5 不同项目融资模式的对比

不同项目融资模式的对比见表6-2。

表6-2 不同项目融资模式的对比

序号	模式	模式特征	优点	缺点	适用范围
1	BOT项目融资模式	① 项目所在国政府提供优惠特许权协议 ② 建设-经营-转让 ③ 由发起人、投资经营者、承贷银行三方组成 ④ 有限追索结构 ⑤ 融资周期长	① 解决政府基础设施投资资金问题 ② 吸引外资	涉及面广，结构复杂，前期成本高	① 大型基础设施项目 ② 出口大型成套设备
2	ABS项目融资模式	通过证券市场发行债券进行融资	① 政府无须用自身的信用为债务的偿还进行担保 ② 政府无须为项目的投资回报做出承诺和安排 ③ 减轻了银行信贷负担，有利于优化融资结构和分散投资风险	短期内资金获得的难度较大，融资需要的时间较长	① 有长期稳定现金流的项目 ② 需要在国际市场上大规模筹集资金的项目

(续)

序号	模式	模式特征	优点	缺点	适用范围
3	PPP项目融资模式	由公共部门、营利性企业和非营利性企业基于某个项目而形成相互合作关系的形式，由参与合作的各方共同承担责任和融资风险	① 有利于利用私人企业的先进技术和管理经验 ② 可以利用民间资本弥补政府资金的不足 ③ 风险分配合理	受政治影响因素较大	有长期、稳定现金流的项目
4	产品支付项目融资模式	① 融资量等于资产开采现实价值的贴现值 ② 产品支付成为偿债资金来源 ③ 融资期限短于经济寿命期 ④ 只为建设和资本提供融资	① 融资比较容易安排，无追索或有限追索 ② 贷款协议灵活性较强 ③ 较少受到常规债务或租赁比例的限制，融资灵活性较强	① 银行一般不承担生产费用融资 ② 要求用最低产量和价格作为信用担保	① 资源储量已探明、现金流量准确的项目 ② 有明确销路的产品生产项目

6.4 资金成本

6.4.1 资金成本的概念

资金成本是指项目主体为筹集和使用资金而付出的代价。资金成本一般包括筹资费用和用资费用。

筹资费用是指在资金筹集过程中所支付的各项费用，如发行股票或债券支付的印刷费、发行手续费、律师费、资信评估费、公证费、担保费、广告费等。这部分费用与使用时间无关，仅是在资金筹集时发生，所以是一项固定费用。筹资次数越多，筹资费用就越大。

用资费用又称为资金占用费，是指占用资金而支付的费用。它主要包括支付给股东的各种股息和红利、向债权人支付的利息等。用资费用与所筹集的资金多少以及使用时间的长短有关，具有经常性、定期性的特征，是资金成本的主要内容。

筹资费用与用资费用是有区别的，前者是在筹借资金时一次支付的，在使用资金过程中不再发生，因此可作为筹资金额的一项扣除，而后者是在资金使用过程中多次、定期发生的。

资金成本可用绝对数表示，也可用相对数表示。由于项目建设方案不同，筹措的资金总额也就不同，为了便于比较，资金成本一般用相对数表示，即用资金成本率来表示。

资金成本的表达式如下：

$$K = \frac{D}{P-F} \tag{6-1}$$

或

$$K = \frac{D}{P(1-f)} \tag{6-2}$$

式中　K——资金成本；
　　　P——资金筹措总额；
　　　D——用资费用；
　　　F——筹资费用；
　　　f——筹资费用率，即筹资费用与资金筹措总额的比率。

在存在筹资费用的情况下，约定的资金筹措总额 P 实际上只是名义筹资额，项目筹资主体的实际筹资额却是 $P(1-f)$。

资金成本可有多种计量形式。在比较各种筹集方式时，使用个别资金成本，包括优先股资金成本、普通股资金成本、留存盈余资金成本、债券资金成本、银行借款资金成本、租赁资金成本；在进行资金结构决策时，使用综合资金成本；在进行追加筹集决策时，则使用边际资金成本。

6.4.2 资金成本的作用

1）资金成本是项目选择资金来源、进行筹资决策的依据。项目在融资时，面对众多的资金来源渠道与筹资方式，如何做出筹资决策，取得所需资金，在这个决策过程中，除了考虑各种筹资来源及方式的可适用性、可行性、负债比率等因素外，资金成本是一个重要的因素。如果仅对筹资方式进行比较，在其他条件相同的情况下，应选择资金成本最低的筹资方式。如果更进一步分析比较，不同资金的数量及其成本的大小会影响项目总资金成本的大小，因此，在筹资决策中，必须考察所选择的筹资方式对项目总资金成本的影响，只有使项目总资金成本最小的筹资方案才是最佳筹资方案。

2）资金成本是评价和选择投资项目的重要标准。在评价投资方案是否可行时，一般是以项目本身的投资收益率与其资金成本进行比较，如果投资项目的预期投资收益率高于其资金成本，则是可行的；反之，如果预期投资收益率低于其资金成本，则是不可行的。因此，国际上通常将资金成本视为投资项目的"最低收益率"和是否采用投资项目的"取舍率"，同时将其作为选择投资方案的主要标准。

3）资金成本是项目进行资金结构决策的基本依据。项目的资金结构一般由借入资金与自有资金结合而成，这种组合有多种方案，如何寻求两者间的最佳组合，一般可通过计算综合资金成本作为企业决策的依据。因此，综合资金成本的高低是评价各个筹资组合方案、进行资金结构决策的基本依据。

6.4.3 个别资金成本

个别资金成本是指单种筹资方式的成本，如优先股资金成本、普通股资金成本、留存盈余资金成本、债券资金成本、银行借款资金成本、租赁资金成本等，一般用于不同融资方式的比较和评价。

1. 资本金资金成本

（1）优先股资金成本

公司发行优先股股票筹资，需支付的筹资费用有注册费、代销费等，其股息也要定期支付，但它是公司用税后利润来支付的，不会减少公司应上缴的所得税。

优先股资金成本率可按下式计算：

$$K_P = \frac{D_P}{S_P(1-f)} \tag{6-3}$$

式中 K_P——优先股资金成本率；

S_P——优先股筹资额，按发行价格确定；

D_P——优先股年股息，按票面价格确定。

证券（股票、债券）发行有折价发行、平价发行和溢价发行三种方式。折价发行是指低于票面价格发行证券，平价发行或等价发行是指以票面价格发行证券，溢价发行是指超过票面价格发行证券。

优先股股息按票面价格确定，实际筹资额按发行价格确定。

【例 6-1】

某项目发行优先股股票，总面额为 100 万元，发行总价为 150 万元，筹资费用率为 4%，股息年利率为 12%，试确定该优先股的资金成本。

解：由式（6-3），得

$$K_P = \frac{D_P}{S_P(1-f)}$$

$$= \frac{100 \times 12\%}{150 \times (1-4\%)}$$

$$= 8.33\%$$

即该优先股的资金成本为 8.33%。

（2）普通股资金成本

普通股资金成本计算可采用的计算方法主要有股利增长模型法、资本资产定价模型法和税前债券成本加风险溢价法。

1）股利增长模型法。普通股的股利往往不是固定的，因此，其资金成本率的计算通常用股利增长模型法计算。一般是假定收益以固定的年增长率递增，则普通股资金成本的计算公式如下：

$$K_C = \frac{D_C}{S_C(1-f)} + g \tag{6-4}$$

式中　K_C——普通股资金成本率；

S_C——普通股筹资额，按发行价格确定；

D_C——普通股预计年股利额；

g——普通股股利每年预期增长率。

【例 6-2】

某项目发行普通股，每股发行价 20 元，估计年增长率为 5%，第一年预计发放股利 2 元，筹资费用率为股票市价的 4%，试确定该股票的资金成本。

解：由式（6-4），得

$$K_C = \frac{D_C}{S_C(1-f)} + g$$

$$= \frac{2}{20 \times (1-4\%)} + 5\%$$

$$= 15.42\%$$

即该普通股的资金成本为 15.42%。

2) 资本资产定价模型法。这是一种根据投资者股票的期望收益来确定资金成本的方法。普通股资金成本的计算公式如下：

$$K_C = K_{rf} + \beta(K_m - K_{rf}) \tag{6-5}$$

式中　K_{rf}——无风险投资收益率；

　　　β——项目的投资风险系数；

　　　K_m——社会平均投资收益率。

在实际工作中，K_{rf}通常取政府债券的利率，β为某公司股票收益率相对于市场投资组合期望收益率的变动幅度。当整个证券市场投资组合的收益率增加1%时，如果某公司股票的收益率增加2%，该公司股票的β值为2。

【例6-3】

某期间市场无风险投资收益率为10%，社会平均投资收益率为14%，某公司普通股的β值为1.2。确定该股票的资金成本。

解：由式（6-5），得

$$\begin{aligned}K_C &= K_{rf} + \beta(K_m - K_{rf}) \\ &= 10\% + 1.2 \times (14\% - 10\%) \\ &= 14.8\%\end{aligned}$$

即该股票的资金成本为14.8%。

3) 税前债券成本加风险溢价法。普通股资金成本K_C计算公式如下：

$$K_C = K_h + RP_S \tag{6-6}$$

式中　K_h——债券资金成本；

　　　RP_S——普通股的风险报酬率，主要取决于普通股相对于债券而言的风险程度的大小，一般只能从经验获得信息，资本市场经验表明，公司普通股的风险溢价对公司的债券而言，绝大部分在3%~5%。

（3）留存盈余资金成本

留存盈余又称为留存收益，其所有权最终属于投资者，所以它具有与股票相同的财产性质。因此，留存盈余资金成本与普通股资金成本的计算基本相同，只是不考虑筹资费用，其计算公式如下：

$$K_R = \frac{D_C}{S_C} + g \tag{6-7}$$

式中　K_R——留存盈余资金成本率；

　　　S_C——普通股筹资额，按发行价格确定；

　　　D_C——普通股预计年股利额；

　　　g——普通股股利每年预期增长率。

2. 债务资金成本

（1）债券资金成本

根据财务制度，债券资金成本中的利息在税前支付，所以债券资金成本具有抵税效应。债券的筹资费用一般较高，这类费用主要包括申请发行债券的手续费、债券注册费、印刷费、上市费以及摊销费用等。债券成本的计算公式如下：

$$K_b = \frac{I_b(1-T)}{B(1-f)} \tag{6-8}$$

式中　K_b——债券资金成本；

　　　B——债券的筹资额，以发行价格计算；

　　　I_b——债券年利息额，以票面价格计算；

　　　T——项目主体所得税税率。

【例 6-4】

某项目平价发行面额为 500 元的 10 年期债券，票面利率为 12%，发行费用率为 5%，公司所得税税率为 25%。试确定该债券的资金成本。

解：由式（6-8），得：

$$K_b = \frac{I_b(1-T)}{B(1-f)}$$

$$= \frac{500 \times 12\% \times (1-25\%)}{500 \times (1-5\%)}$$

$$= 9.47\%$$

即该债券的资金成本为 9.47%。

【例 6-5】

假定【例 6-4】为溢价发行，发行价格为 600 元，试确定该债券的资金成本。

解：由式（6-8），债券资金成本为：

$$K_b = \frac{500 \times 12\% \times (1-25\%)}{600 \times (1-5\%)} = 7.89\%$$

即该债券的资金成本为 7.89%。

（2）银行借款资金成本

借款利息在所得税前支付。筹资费用主要是指借款手续费，一般较低。银行借款资金成本的计算公式如下：

$$K_L = \frac{I_L(1-T)}{L(1-f)} \tag{6-9}$$

式中　K_L——银行借款资金成本；

　　　L——贷款总额；

　　　I_L——贷款年利息；

　　　f——贷款费用率。

（3）租赁资金成本

企业租入某项资产，获得其使用权，要定期支付租金，并且租金列入企业成本，可以减少应付所得税。因此，租赁资金成本的计算公式如下：

$$K_L = \frac{E}{P_L}(1-T) \tag{6-10}$$

式中 K_L——租赁资金成本；
P_L——租赁资产价值；
E——年租金额。

一般地，以发行债券、银行借款等方式长期融资的现金流关系如图6-3所示。

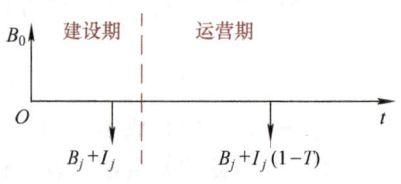

图 6-3 长期融资的现金流关系

所以，长期借款成本可用下列一般式计算：

$$B_0(1-f) = \frac{B_j+I_j}{(1+K_b)^j}(j \in [0,m],建设期) + \frac{B_j+I_j(1-T)}{(1+K_b)^j}(j \in [m+1,n],运营期) \quad (6-11)$$

式中 B_0——发行价计算的筹资额；
B_j——以票面价计算的第j期偿本额；
I_j——以票面价计算的第j期付息额；
K_b——个别资金成本。

在式（6-11）中，还款本息的计算应按建设期和运营期分别进行。因为建设期发生的借款利息要归集到资产原值中，即属于"资本化"利息，不涉及企业所得税，因而没有所得税"折扣的优惠"；而运营期发生的利息要归集到企业成本中，所以才会在企业所得税前列支，因而享受了企业所得税"折扣的优惠"。

【例 6-6】
某项目以550元的价格发行面值500元的企业债券，发行费用率为4%。约定中间在发行债券3年后（建设期）付息一次，5年末还本并偿付余息。债券票面年利率为8%，企业所得税税率为25%。试确定该债券的资金成本。

解：该债券的现金流量如图6-4所示。

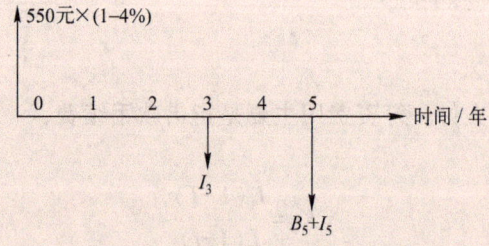

图 6-4 某债券的现金流量图

由式（6-11），得：

$$550 元 \times (1-4\%) = \frac{I_3}{(1+K_b)^3} + \frac{B_5+I_5(1-T)}{(1+K_b)^5}$$

其中：

$I_3 = 500 元 \times [(1+8\%)^3 - 1] = 129.86 元$

$I_5 = 500 元 \times [(1+8\%)^2 - 1] = 83.2 元$

$B_5 = 500 元$

代入上式,有:

$$550\times(1-4\%)=\frac{129.86}{(1+K_b)^3}+\frac{500+83.2\times(1-25\%)}{(1+K_b)^5}$$

解得:

$$K_b=6.1\%$$

即该债券的资金成本为6.1%。

6.4.4 综合资金成本

综合资金成本是指在项目总筹资中,综合各种不同的筹资渠道与方式确定的资金成本。通常以各种筹资方式的筹资额占总筹资额的比重为权数,对各种个别资金成本进行加权平均后得出,又称之为加权平均资金成本。

在实践中,由于受各种因素的影响,基于对风险以及优化资金结构的考虑,项目主体在融资时不可能只使用单一方式来筹集资金,而必须从多种来源以多种方式取得资金,这样就产生了各种来源资金的组合问题。项目主体以不同方式取得的资金,其个别成本各不相同,风险各异。加权平均资金成本一般用于筹资方案和投资方案的评选与优选,其计算公式如下:

$$K_w=\sum_{j=1}^n K_j W_j \qquad (6-12)$$

式中　K_w——加权平均资金成本;

　　　K_j——第j种个别资金成本;

　　　W_j——第j种个别资金成本占全部资金的比重(权数)。

【例6-7】
某项目发起人筹集的总资金为500万元,其中,银行借款为100万元,债券资金为50万元,普通股为250万元,留存盈余为100万元;其资金成本分别为6.7%、9.17%、11.26%、11%。试确定该项目的综合资金成本。

解:由式(6-12),得:

$$K_w=6.7\%\times\frac{100}{500}+9.17\%\times\frac{50}{500}+11.26\%\times\frac{250}{500}+11\%\times\frac{100}{500}=10.09\%$$

即该项目的综合资金成本为10.09%。

6.4.5 边际资金成本

公司无法以某一固定的资金成本筹集无限的资金,当筹集的资金超过一定限度时,原来的资金成本就会增加。所谓边际资金成本,是指筹集的资金量每增加一个单位而形成的资金资本。

若采用单一筹资方式进行筹资,则把新增筹资额的资金成本作为边际资金成本;若采用多种筹资方式进行筹资,就要把新增筹资额的加权平均资金成本作为边际资金成本。

边际资金成本计算的一般步骤如下:

1) 确定目标资金结构。
2) 确定各种筹资方式的筹资临界点与筹资范围。
3) 计算不同筹资范围的边际资金成本。

【例 6-8】

某项目为了满足追加投资的需要,拟筹集一定金额的长期资金。通过分析,确定追加筹资的资金结构为长期借款40%,普通股票60%。通过对资金市场状况和公司有关条件的分析,得到了各种筹资方式下筹资规模与资金成本的资料,见表6-3。试确定各追加筹资范围的边际资金成本。

表6-3 筹资规模与资金成本

筹资方式	个别资金筹资范围(万元)	资金成本率(%)
长期借款	$0 \leq C < 100$	6
	$100 \leq C < 200$	7
	$C \geq 200$	8
普通股票	$0 \leq C < 300$	13
	$300 \leq C < 600$	14
	$C \geq 600$	15

解:1) 确定筹资总额临界点及筹资范围。由目标资金结构和筹资方式资金成本分界点,确定筹资总额临界点,见表6-4。

表6-4 筹资总额临界点及筹资范围计算表

筹资方式	资金成本率(%)	筹资总额临界点(万元)	筹资总额范围(万元)
长期借款	6		$0 \leq C < 250$
	7	$100 \div 40\% = 250$	$250 \leq C < 500$
	8	$200 \div 40\% = 500$	$C \geq 500$
普通股票	13		$0 \leq C < 500$
	14	$300 \div 60\% = 500$	$500 \leq C < 1\,000$
	15	$600 \div 60\% = 1\,000$	$C \geq 1\,000$

2) 分组计算不同筹资总额范围的边际资金成本。根据各筹资方式、筹资总额范围,可得到新的筹资范围,分别测算其加权平均资金成本,即各筹资总额范围的边际资金成本,计算结果列入见表6-5。

表6-5 边际资金成本计算表

筹资总额范围(万元)	筹资方式	资金结构(%)	个别资金成本(%)	边际资金成本(%)
$0 \leq C < 250$	长期借款	40	6	2.4
	普通股票	60	13	7.8
第一个筹资总额范围的边际资金成本为10.2%				

（续）

筹资总额范围（万元）	筹资方式	资金结构（%）	个别资金成本（%）	边际资金成本（%）
$250 \leqslant C < 500$	长期借款	40	7	2.8
	普通股票	60	13	7.8
第二个筹资总额范围的边际资金成本为 10.6%				
$500 \leqslant C < 1\,000$	长期借款	40	8	3.2
	普通股票	60	14	8.4
第三个筹资总额范围的边际资金成本为 11.6%				
$C \geqslant 1\,000$	长期借款	40	8	3.2
	普通股票	60	15	9.0
第四个筹资总额范围的边际资金成本为 12.2%				

国际上通常将边际资金成本作为投资项目的最低收益率或是否采用投资项目的取舍率。因此，当边际资金成本大于项目的内部收益率时，说明目前的筹资方案不合理。

6.5 资金结构与筹资优化

6.5.1 资金结构的概念

资金结构是指项目投资总额中各种资金的构成及其比例关系。对建设项目来说，资金结构主要包括搭配资金结构、资本金内部结构和债务资金内部结构。

1. 搭配资金结构

资本金与债务资金的比例称为搭配资金结构，它是项目资金结构中最重要的比例关系。项目投资者希望投入较少的资本金，获得较多的债务资金，再借助债务资金的避税功能，发挥债务资金的杠杆作用，降低资金成本，提高资本金收益率。而提供债务资金的债权人则希望项目能够有较高的资本金比例，以降低债券的风险，提高债券保障程度。当资本金比例降低到债权人不能接受的水平时，债权人将会拒绝放贷。资本金和债务资金的合理比例需要由各个参与方的利益平衡来决定。

2. 资本金内部结构

资本金内部结构是指项目投资各方的出资比例。不同的出资比例决定着不同的权益、责任以及风险。根据项目的特点和投资各方的意愿，合理确定投资各方的出资比例。

3. 债务资金内部结构

债务资金内部结构反映债权各方为项目提供债务资金的比例。应根据债权人提供债务资金的方式、附加条件，以及利率、汇率、还款方式的不同，合理确定各种债务资金的比例。

在研究项目资金结构时主要要研究项目的资本金与债务资金的比例。

最佳的筹资方案是指使项目达到最佳资金结构、筹资成本最低，同时项目筹资风险最小的筹资方案。进行筹资决策应同时考虑资金成本与筹资风险对项目的影响。

6.5.2 筹资风险

1. 筹资风险的概念

项目风险来自经营和筹资两个方面。经营风险是指项目因经营上的原因而导致利润变动的风险。筹资风险又称财务风险，是指因借款而增加的风险，是项目因借入资金而产生的丧失偿债能力的可能性和项目利润（资本金收益）的可变性。

影响筹资风险的主要因素有：资本供求的变化；利率水平的变动；项目获利能力的变化；资金结构的变化，即财务杠杆的利用程度。其中财务杠杆对筹资风险的影响最大。

2. 财务杠杆

在搭配资本结构一定的条件下，企业从息税前利润中支付的债务利息是相对固定的。因此当息税前利润增加时，单位息税前利润所负担的固定性债务成本就会降低，扣除所得税后属于普通股的利润就会增加，从而给所有者带来额外的收益；相反，当息税前利润减少时，单位息税前利润所负担的固定性资金成本就会上升，扣除所得税后属于普通股的利润就会减少，从而给所有者带来额外的损失。这种由于债务融资的杠杆作用使得息税前利润变动对普通股股利变化的影响，称为财务杠杆。

财务杠杆作用的大小可用财务杠杆系数来表示。财务杠杆系数越大，表明财务杠杆作用越大，财务风险越大；财务杠杆系数越小，表明财务杠杆作用越小，财务风险也就越小。财务杠杆系数的计算公式如下：

$$DFL = \frac{\frac{\Delta EPS}{EPS}}{\frac{\Delta EBIT}{EBIT}} = \frac{EBIT}{EBIT - I} \tag{6-13}$$

式中　DFL——财务杠杆系数；
　　　EPS——每股收益；
　　ΔEPS——每股收益的变化；
　　　$EBIT$——息税前利润；
　$\Delta EBIT$——息税前利润的变化；
　　　　I——利息支出。

从式（6-13）可知，在息税前利润大于利息时，财务杠杆系数为正；在息税前利润小于利息时，财务杠杆系数为负；在息税前利润等于利息时，财务杠杆系数达到无穷大。在息税前利润超过利息支出后，随着息税前利润的增加，财务杠杆系数越来越小，逐渐趋近于1，即说明每股收益对息税前利润变动的敏感性越来越低，债务成本对每股收益的杠杆作用越来越弱。由此可见，即使项目债务成本很大，只要息税前利润远远超过利息支出，财务杠杆也会很低，也就是负债经营也是很安全的；但是，即使项目有很低的固定性资金成本，并且息税前利润很接近于利息支出，财务杠杆也会很高，也就是负债经营风险会很大。

【例 6-9】

A、B 两项目公司的有关资料见表 6-6。预计明年资本结构不变，而息税前利润会增加 22.5%。试确定其财务杠杆系数。

表 6-6　A、B 两项目公司 EBIT 及资金结构表

项　目	A 项目公司	B 项目公司
EBIT（元）	80 000	80 000
负债（利率8%）（万元）	40	60
股本（万元）	60	40
股数（万股）	6	4

财务杠杆系数计算见表 6-7。

表 6-7　A、B 两项目公司财务杠杆系数计算表

项　目	A 项目公司		B 项目公司		备注
	今年	明年	今年	明年	
EBIT（元）	80 000	98 000	80 000	98 000	增长 22.5%
减：I（元）	32 000	32 000	48 000	48 000	
利润总额（元）	48 000	66 000	32 000	50 000	
净利润（元）	36 000	49 500	24 000	37 500	所得税税率为 25%
EPS（元/股）	0.6	0.825	0.6	0.937 5	
EPS 增长率（%）		37.5		56.25	
DFL		1.67		2.5	

由表 6-7 可知，A 项目公司的息税前利润每变化 1%，普通股股利就会同向变化 1.67%；同样，B 项目公司的息税前利润每变化 1%，普通股股利就会同向变化 2.5%。在项目业绩趋好的情况下，普通股投资者可以从中获得比公司更好的股利回报；反之，在项目业绩趋衰的情况下，普通股投资者因此承担比公司更大的风险。而且，就上述两个项目而言，在总资本、总收益相同的情况下，因为 B 项目公司的债务比例高于 A 项目公司，所以其财务杠杆系数更大，普通股股利受项目业绩影响更显著。这就是债务资本的杠杆作用。

6.5.3　筹资优化

进行筹资决策，应同时考虑资金成本与筹资风险对项目的影响。筹资优化是寻找最佳筹资方案的过程。最佳筹资方案既使项目达到最佳资金结构、最低筹资成本，又使项目筹资风险最小。筹资一般应从以下几个方面进行优化：

1. 资金结构的优化

筹资有多种方式，各有优缺点，必须适当选择，以确立适合的融资模式。使资金来源多元化，资金结构优化。

在搭配资金结构融资中，项目资本金比例越高，企业的财务风险和债权人的债权风险就

资金结构优化

越小，可能获得较低利率的债务资金；而由于债务成本在企业所得税前列支，具有合理避税的功能，所以合理地利用债务筹资，可以收到减税的效果。

【例6-10】
某项目在不同负债率情形下每股股利分配情况见表6-8。

表6-8 不同负债率情形下每股股利分配情况

负债率	0	50%	80%
资本总额		1 000	
债务资金	0	500	800
权益资本	1 000	500	200
股　数	100	50	20
EBIT		150	
利息（10%）	0	50	80
DFL	1	1.5	2.14
毛利润	150	100	70
净利润（所得税税率为25%）	112.5	75	52.5
每股净利润	1.125	1.5	2.625

读者可以推演，当该项目的EBIT降为80单位时，随着项目负债率的提高，每股净利润反而不断下降，呈现出和息税前利润为150单位时相悖的规律。

通过表6-8，可以得出一般结论：在项目投资收益率大于债务利率时，由于财务杠杆作用，债务资金比例越高，权益资本收益率也就越高，这种情形下，如果其他条件能够满足，可以适当提高举债比例，以享受债务杠杆利益。在项目投资收益率小于债务利率时，因为财务杠杆作用，权益资本收益会受到债务资金比例高的更多影响，因而不宜举债，以有效避免财务风险。

实际上，根据项目运营收益（绩效）的分配规则，有：

$$R_e = \frac{(KR - K_d R_d) \times (1-T)}{K_e}$$

$$= \left[R + \frac{K_d}{K_e}(R - R_d) \right] \times (1-T) \tag{6-14}$$

式中 R_e——权益资本收益率；
　　　R——项目投资收益率；
　　　R_d——债务利率；
　　　K——项目总投资；
　　　K_e——权益资本；
　　　K_d——债务资金；
　　　T——企业所得税税率。

由式（6-14），可以得出融资中确定搭配资本结构的基本原则：

1）当 $R>R_d$ 时，K_d/K_c 越大，$R_c \gg R$，所以宜举债。

2）当 $R<R_d$ 时，K_d/K_c 越大，$R_c \ll R$，所以不宜举债。

2. 筹资期限结构优化

要保持一个相对平衡的债务期限结构，尽可能使债务与清偿能力相适应，体现均衡性。一般地，由于债务融资资本的外显性及财务风险，在安排资金使用计划（投资计划）时，可考虑先安排资本融资、再安排债务融资。另外，某时段筹资的额度一般与使用计划相吻合，以减少多余筹资量带来的资金成本的增加。

在安排债务期间时应注意，债务偿还期必须与筹资人投资回收期衔接，避免增大财务风险；应尽量均衡安排债务的还本付息时间，以避免在个别年或若干年度内出现过于集中的偿债高峰期。

3. 筹资利率结构优化

一般来说，筹集固定利率的债务比较有利。在采用浮动利率的情况下，若债务规模过大，一旦金融市场利率上扬，并在相当长的时间内居高不下，则债务的利息负担增加，导致清偿困难。选择利率方式的基本原则是，当资本市场利率水平相对比较低且有上升趋势时，应尽力争取固定利率融资以规避利率浮动升高可能带来的损失；反之，当市场利率处于相对比较高的水平且有回落趋势时，就应该考虑用浮动利率。应该注意的是，固定利率资金具有风险小但灵活性较差的特点，而浮动利率资金具有灵活性强但风险大的特点，项目投资者在进行融资时必须根据项目的特点和金融市场的变化趋势进行谨慎选择。

4. 筹资币种结构优化

融入资金的币种应能与筹资项目未来收入的币种相吻合，即现在所筹集的资金货币就是将来的还款货币。一般来说，融资货币应尽可能提高融入软币种的比重，以避免融入硬币种币值提高的损失。币种的选择，不能单纯以融资谈判时的货币市场汇率行情为依据。筹资人应注意研究国际金融市场汇率的变化趋势，将汇率与利率因素两者相结合，将不同货币的利率幅度以及不同货币汇率变化可能造成的影响综合考虑，权衡利弊得失，尤其是在筹集中长期资金时，更要把握未来较长时期内融入货币的利率与汇率走势。

5. 筹资方式的可转性

项目在募集资金时，应充分考虑筹资调整的弹性，即筹资方式应有较强的相互转换能力。应选择转换能力较强的筹集方式，以避免或减轻风险。在进行长期筹资时，可考虑发行可转换优先股和可转换债券，尤其是使用可转换债券既能增加股本，又能提高股本收益率。

总之，在为项目筹集资金时不要过度依赖某一种筹资方式或某几个筹资渠道，而要采取多元化、分散化的筹资方式，增强筹资转换能力，降低风险。

练 习 题

1. 公司以每股 220 元的价格发行优先股股票，股票票面额为 200 元，筹资费用率为 5%，股息年利率为 6%。试确定该优先股的资金成本。

2. 某公司以每股 22 元的价格发行普通股，股票票面额为 20 元，估计股利年增长率为 6%，第一年预计发放股利 2 元，筹资费用率为 4%。试确定该股票的资金成本。

3. 公司以 530 元的价格发行总面额为 500 元的 10 年期债券，债券票面利率为 12%，发行费用率为 5%，企业所得税税率为 25%。债券分两次付息，首次在建设期的第 3 年，其余利息在到期后连同本金一并支付。试确定该债券的资金成本。

4. 某项目投资 2 000 万元，项目建设期为 3 年，第一年投资 500 万元，第二年投资 1 200 万元，第三年投资 300 万元。筹资来源分别为资本金和债务资金，其中债务资金年利率为 15%。项目运营后，年息税前利润为 700 万元。项目经济寿命周期为 13 年。请问什么情况下该项目的资本金收益率最大？试为该项目安排合适的筹资方案。

第 7 章　建设项目的财务评价

【内容提要】

(1) 财务评价中两阶段、三方面的内容。
(2) 融资前评价的基本工具及其构成。
(3) 融资后评价中盈利能力评价的基本工具及其构成。
(4) 融资后评价中偿债能力评价的基本工具及其构成。
(5) 融资后评价中财务生存能力的基本工具及其构成。
(6) 不同角度盈利能力评价中基准折现率的选择。

【关键词】

财务评价；融资前评价；融资后评价；盈利能力评价；偿债能力评价；财务生存能力评价；直接效益；直接费用；调整所得税；项目投资现金流量；项目资本金现金流量；财务计划现金流量；投资各方现金流量

【学习指导】

建设项目的财务评价是工程经济学的核心内容。

建设项目的经济评价从微观和宏观两个层面进行，分别称为财务评价和国民经济评价。两个层面的评价是一个有机整体。

财务评价是在微观层面进行的，立足于国家现行财税制度和价格体系这个项目所处的特定环境，以项目的直接效益和直接费用为边界，据以判别项目的财务可行性。

财务评价分两阶段展开：融资前财务评价和融资后财务评价。融资前财务评价在忽略融资关系的前提下进行，用以考察项目自身的经济性，判断建设项目对于财务主体的价值，为投资决策提供依据。融资后财务评价在既定融资方案基础上进行，考察、判断项目建设、运营对投资方的财务贡献，为融资决策提供依据。

融资前财务评价借助"项目投资现金流量"这个基本工具进行，主要考察建设项目的盈利能力，应熟练掌握"项目投资现金流量"的科目构成，准确解析科目内涵，熟练进行科目计算。融资前财务评价可从所得税前和所得税后两方面进行。

融资后财务评价分别考察项目的盈利能力、偿债能力和财务生存能力等财务状况。三方面内容展示了建设项目经济效益的不同视角，共同形成一个完整整体，不可偏颇。融资后项目的盈利能力评价借助"项目资本金现金流量"和"投资各方现金流量"这两个基本工具进行。应熟练掌握"项目资本金现金流量"和"投资各方现金流量"的科目构成,准确解析科目内涵,熟练进行科目计算。

建设项目财务评价的折现率按以下原则选取:政府投资项目以国家有关部门定期测定和发布的行业折现率为基准,用该基准值作为项目财务盈利能力评价的判断依据参数;非政府投资项目,可以以行业折现率为参考,结合投资者的期望受益、资本成本、风险状况自行确定。也就是说,对于政府投资项目,作为国家参数的行业折现率是基准值,应予执行;对于非政府投资项目,行业折现率是参考,最终项目财务盈利能力评价的判断依据是自行确定的私人参数。

偿债能力评价可以通过"利润与利润分配表"和"借款还本付息计划表"用表上作业法完成。应熟练掌握"利润与利润分配表"和"借款还本付息计划表"的科目构成,准确解析科目内涵,熟练进行科目计算。

财务生存能力评价也称财务可持续能力评价,该评价借助"财务计划现金流量表"这个基本工具进行。通过考察资金来源对于资金运用的保障程度,判断项目的财务可持续能力。财务计划现金流量系统归纳了建设项目三支现金流——经营活动现金流、投资活动现金流和融资活动现金流,反映融资活动和经营盈余对于经营活动和投资活动的现金运用保障程度。

建设项目的财务评价是项目经济评价的重要组成部分。财务评价是在微观层面上,通过对项目的直接效益和直接费用分析,考察项目的财务可行性,为投资者和项目相关各方的有关决策提供基本依据。

【本章教学案例】

接第3、6章教学案例。
1. 试对该项目进行融资前财务评价。
(1) 编制项目投资现金流量表。
(2) 计算税前 IRR (NPV)、税后 IRR (NPV),评价项目方案设计的财务可行性。
2. 试对该项目进行融资后财务评价。
(1) 编制项目的资本金现金流量表。
(2) 计算项目的资本金收益率,评价项目的盈利能力。
(3) 计算项目的 DSCR,分析项目偿债能力。
(4) 若投资主体每年可以获得的短期贷款额度为 10 000 万元,年利率 10%,试评价项目的财务生存能力。

7.1 融资前财务评价

建设项目财务评价概述

7.1.1 财务评价的概念

财务评价又称企业经济评价,是指根据现行国家财税制度和价格体系,分析、计算项目的直接效益和直接费用,以考察项目的盈利能力、偿债能力和财务生存能力等财务状况,据以判别项目的财务可行性。

【例 7-1】

某项目设计能力为年产 A 产品 10 万 t。项目实施后,可减少进口 1 万 t。A 产品的进口到岸价为 1 000 美元/t,美元兑换人民币的牌价汇率按 6.5 元计算,A 产品在市场竞争中的价格为 6 500 元/t。进口的国内运输等费用为 20 000 元。求该项目财务评价中的营业收入。

解: 财务评价中的营业收入也就是项目的直接效益。直接效益包括项目产出增加国内需求产生的效益和减少进口带来的外汇支出减少。然而,在现行财税体制下,本例中因为项目的产出而减少进口带来的外汇支出,实际上并未体现在项目的范围内而成为投资者的利益。因此:

营业收入 = (10×6 500)万元 = 65 000 万元

【例 7-1】说明,项目的财务评价能反映项目对投资者的财务贡献,但具有片面性,不能全面反映出项目的效益和费用。

财务评价是站在项目的立场上,按照微观利益最大化的原则,在项目范围内以项目系统的实际发生为依据,分析、计算项目的财务效益和费用,考察项目对财务主体的价值以及对项目的投资者的财务贡献,据此判断项目在财务上的可行性,为投资决策、融资决策和其他有关方面决策提供依据。

不同类型的项目,财务评价的内容有所不同。对经营性建设项目,应全面评价其盈利能力、偿债能力和财务生存能力;对非经营性项目,应主要评价其财务生存能力。

财务评价显然是民间或国(境)外资本首先关注的,出于维护其资本完好性的基本考虑,投资者对财务评价投以比其他评价更多的关注。当然,财务评价对于国有资本也是十分重要的方面。

财务评价和国民经济评价共同构成建设项目的经济评价。一般地,建设项目只有分别通过了财务评价和国民经济评价才是可行方案。

建设项目决策主要包括投资决策和融资决策两个方面。投资决策重在考察项目净现值和投资成本的关系,融资决策以筹资方案是否能有效满足建设投资计划为标准。根据不同的决策需要,建设项目财务评价分为融资前财务评价和融资后财务评价,其基本流程如图 7-1 所示。

实质上,融资后财务评价考察的是项目融资方案设计的合理性。融资后财务评价通过了,说明某投资项目的融资方案设计(资本结构、投放时间、还本付息方式等)具有财务合理性,因此可以为项目融资决策提供依据。

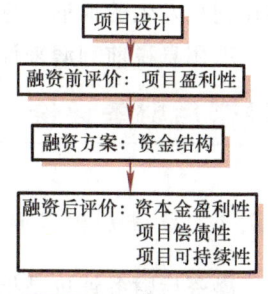

图 7-1 建设项目财务评价的基本流程

7.1.2 融资前财务评价的经济内涵

1. 融资前财务评价的概念

融资前财务评价是指在不考虑债务融资的条件下进行的财务评价。融资前财务评价不考虑债务资金的筹集、使用和偿本付息等融资问题对项目建设和运营效益的影响,以考察项目对财务主体的价值或项目自身的财务可行性。

财务评价一般先进行融资前财务评价。在融资前财务评价结论满足要求的情况下，再确定融资方案，进行融资决策，然后进行融资后财务评价。

在初步可行性研究阶段，可以只进行融资前财务评价。

2. 融资前财务评价的内容

融资前财务评价主要是从项目投资总盈利能力的角度，考察项目方案设计的合理性，为后续融资和投资决策做准备。所以，融资前财务评价是对项目盈利能力的评价。

项目盈利能力评价可从所得税前和所得税后两方面进行。由于所得税是项目现金流出的重要科目，因此（所得）税后评价可以更准确地判断项目对企业价值的贡献。

融资前项目盈利能力评价主要进行动态分析，即用折现现金流的方式，通过财务内部收益率、财务净现值等动态指标，对项目的盈利能力进行评价。

3. 融资前财务评价的项目投资现金流

由于融资前财务评价在不考虑债务融资的条件下进行，因此融资前财务评价的项目投资现金流量由以下科目构成：

1）现金流入，包括营业收入、补贴收入、固定资产残值及流动资金回收。

2）现金流出，主要包括建设投资、流动资金、经营成本、流转税及附加。在税后评价时，现金流出还包括企业所得税。

在融资前财务评价进行现金流量分析时，需要注意两点：①当项目计征增值税时，营业收入是否含（增值）税，一定要区别处理。当营业收入为不含（增值）税收入时，现金流出中不含增值税科目；当营业收入为含（增值）税收入时，现金流出中应增加增值税科目。②进行税后评价时，计算企业所得税的基础是息税前利润，这时计算的所得税称为调整所得税。严格地讲，在融资前财务评价中，所使用的所有经济要素均不应受融资和偿本付息活动影响。所以在税后评价时，用息税前利润作为计税的"调整所得税"代替以应税所得（毛利润）作为计税基础的"企业所得税"，试图剔除利息对所得税的影响。实际上，若建设期存在利息发生的情形，息税前利润就会受到利息的影响。在工程经济分析实务中，为简化起见，就用息税前利润来计算调整所得税。

7.2 融资后财务评价

7.2.1 融资后财务评价的概念

融资后财务评价是指在确定的融资方案基础上进行的项目财务评价。融资后财务评价考虑了债务资金的筹集、使用和还本付息等融资问题对项目建设和运营效益的影响，以考察项目对投资者的财务贡献。

融资前财务评价和融资后财务评价是递进的过程。

融资前财务评价是站在项目的角度，主要考察项目的经济可行性；融资后财务评价是站在投资者的角度，主要考察项目对资本金和其他投资的贡献，判断项目满足投资者投资期望的程度。

7.2.2 融资后财务评价的内容

融资后财务评价在设定的融资方案基础上进行,用于判断项目方案在融资条件下的合理性。所以,融资后财务评价全面考察项目的盈利能力、偿债能力和财务生存能力。

1. 盈利能力评价

融资后盈利能力评价是指在确定的融资方案基础上对建设项目的投资收益能力予以考察。盈利能力评价从动态和静态两方面进行。

(1) 动态评价

动态评价即用现金流分析的方式,通过财务内部收益率动态指标,对融资后项目的盈利能力进行评价。它可分为资本金财务评价和投资各方财务评价。

1) 资本金财务评价。资本金财务评价的现金流量由以下科目构成:

① 现金流入,包括营业收入、补贴收入、固定资产残值及流动资金回收。

② 现金流出,主要包括项目资本金投入、经营成本、流转税及附加、企业所得税、借款的偿本付息。

2) 投资各方财务评价。投资各方财务评价的现金流量由以下科目构成:

① 现金流入,包括利润分配、资产处置收益分配、租赁费收入、技术转让或使用收入。

② 现金流出,主要包括实缴资本、租赁资产支出。

(2) 静态评价

静态评价主要采用资本金利润率、投资收益率等静态指标对项目的盈利能力进行评价。

2. 偿债能力评价

偿债能力评价是指对于使用了债务资金的建设项目,考察其运营后形成的可用于还款的资金按照借款时设定的还款期限和还款方式偿本付息的能力。偿债能力评价主要通过计算还款期间各年的偿债备付率、利息备付率指标并结合贷款合同或贷款机构要求进行。

偿债能力评价建立在设定的还款期限和还款方式基础上。显然,还款期限要求不同或偿本付息的方式不同,项目偿债能力也就不同。因此,在进行项目偿债能力评价时,一定要首先对可能的还款方式做出客观分析。

3. 财务生存能力评价

财务生存能力评价也称资金平衡能力评价,是指在综合分析项目的融资活动、投资活动和经营活动的基础上,通过项目每个时点的净现金流量,分析项目现金流入对于项目融资活动、投资活动和经营活动现金流出的支撑和维持能力。项目财务生存能力评价是在观察项目的融资活动、投资活动和经营活动三大经济活动的综合现金流基础上,考察项目每个时点上经济活动中资金来源(通过经营收益、融资活动取得)对于资金运用(表现为投资、运营成本费用支出等)的保障程度和支撑能力,如图7-2所示。显然,项目的财务生存能力直接影响着项目的可实施性。

项目净现金流量是项目开展经济活动的现实反映,拥有足够的经营净现金流量,保证起码的累计净现金流,是维持项目财务可持续的基础。项目财务生存能力评价通过编制项目财务计划现金流量表进行,主要通过综合经济活动净现金流以及累计净现金流来考察。

项目财务生存能力评价通常和偿债能力评价结合进行。

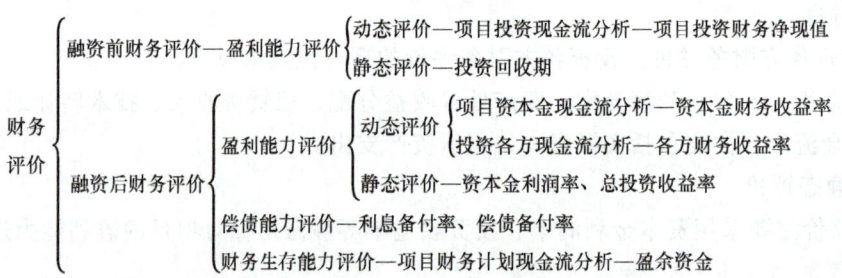

图 7-2　项目资金平衡示意图

7.2.3　融资前财务评价和融资后财务评价的关系

融资前财务评价和融资后财务评价关系如图 7-3 所示。

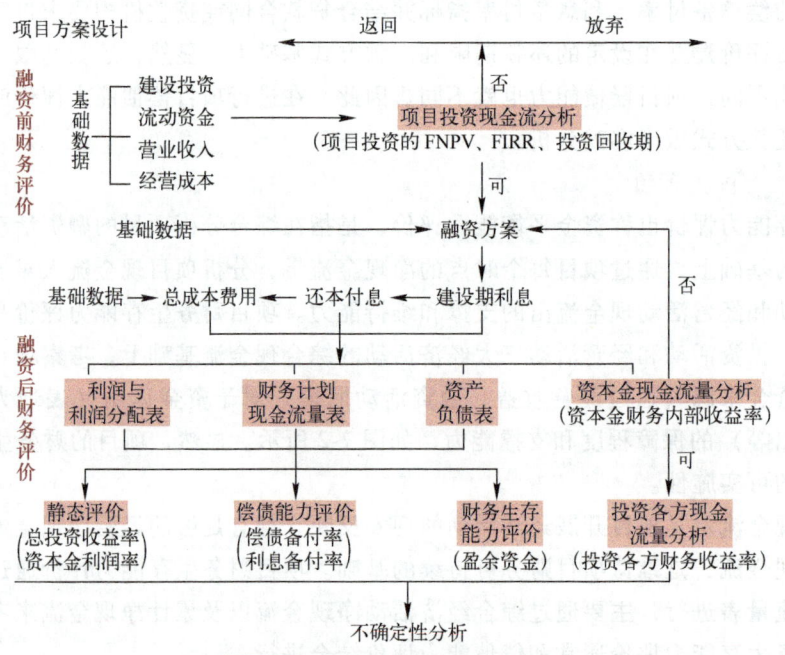

图 7-3　融资前财务评价和融资后财务评价的关系

综上所述，将财务评价的步骤和程序整理得图 7-4。

图 7-4　财务评价的步骤和程序

7.3 财务评价的基本报表

财务分析报表是进行建设项目财务评价的基本工具,财务评价借助基本财务分析报表进行。项目财务评价的基本报表主要有现金流量表、利润与利润分配表、财务计划现金流量表、借款还本付息计划表、资产负债表等。

7.3.1 财务现金流量表

财务现金流量表反映项目计算期内各年的现金流入和现金流出。按使用方向和评价目的的不同,财务现金流量表分为以下几种:

1. 项目投资现金流量表(表 7-1)

项目投资现金流量表在不考虑融资方案的基础上编制,反映项目在不考虑债务资金条件下各年现金流入和现金流出状况,用于计算项目投资财务内部收益率(FIRR)、财务净现值(FNPV)及投资回收期等指标,以考察项目的融资前盈利能力。

表 7-1 项目投资现金流量表

序号	项目	计算期							
		1	2	3	4	5	6	…	n
1	现金流入								
1.1	营业收入								
1.2	补贴收入								
1.3	回收固定资产余值								
1.4	回收流动资金								
2	现金流出								
2.1	建设投资								
2.2	流动资金								
2.3	经营成本								
2.4	流转税及附加								
3	所得税前净现金流(1-2)								
4	调整所得税								
5	所得税后净现金流(3-4)								

计算指标:
    项目投资财务内部收益率(%)(所得税前)
    项目投资财务内部收益率(%)(所得税后)
    项目投资财务净现值($i_c=$ %)(所得税前)
    项目投资财务净现值($i_c=$ %)(所得税后)
    项目投资回收期(年)(所得税前)
    项目投资回收期(年)(所得税后)

注:1. 本表适用于新设法人项目和既有法人项目的增量和"有项目"现金流分析。
    2. 调整所得税以息税前利润为基数计算,不同于其他基本报表中的所得税。
    3. 营业收入、经营成本采用含税价格时,在现金流出项目中应增加增值税科目。

2. 项目资本金现金流量表（表 7-2）

项目资本金现金流量表在以资本金为计算基础，考虑债务资金的还本付息条件下编制，用于计算资本金收益率（即资本金财务内部收益率）指标，以考察资本金的盈利能力。

表 7-2 项目资本金现金流量表

序号	项目	计算期						
		1	2	3	4	5	6	…	n
1	现金流入							
1.1	营业收入							
1.2	补贴收入							
1.3	回收固定资产余值							
1.4	回收流动资金							
2	现金流出							
2.1	项目资本金							
2.2	借款本金偿还							
2.3	借款利息支付							
2.4	经营成本							
2.5	流转税及附加							
2.6	所得税							
3	净现金流量（1-2）							
计算指标： 资本金财务内部收益率（%）								

注：1. 本表适用于新设法人项目和既有法人项目的增量和"有项目"现金流分析。
2. 项目资本金包括用于建设投资、流动资金和建设期利息的资本金。
3. 对于外商投资项目，现金流出项目中应增加职工奖励及福利基金科目。
4. 营业收入、经营成本采用含税价格时，在现金流出项目中应增加增值税科目。

3. 投资各方现金流量表（表 7-3）

投资各方现金流量表按不同的投资主体分别编制，反映其各自的现金流量状况，用于计算投资各方收益率（即投资各方财务内部收益率）指标，以考察投资各方的收益情况。

表 7-3 投资各方现金流量表

序号	项目	计算期						
		1	2	3	4	5	6	…	n
1	现金流入							
1.1	实分利润							
1.2	资产处置收益分配							
1.3	租赁费收入							
1.4	技术转让或使用收入							
1.5	其他现金流入							
2	现金流出							

(续)

序号	项目	计算期						
		1	2	3	4	5	6	...	n
2.1	实缴资本							
2.2	租赁资产支出							
2.3	其他现金流出							
3	净现金流量（1-2）							

计算指标：
　　投资各方财务内部收益率（%）

注：本表按不同投资方分别编制。

7.3.2 利润与利润分配表（表7-4）

利润与利润分配表反映项目计算期内各年的营业收入、总成本费用支出、流转税及附加、利润总额、所得税及税后利润分配情况，用于计算全投资收益率、资本金利润率等指标，以考察项目盈利能力。

表7-4　利润与利润分配表

序号	项目	计算期						
		1	2	3	4	5	...	n
1	营业收入							
2	补贴收入							
3	流转税及附加							
4	总成本费用							
5	利润总额（1+2-3-4）							
6	弥补以前年度亏损							
7	应纳税所得额（5-6）							
8	所得税							
9	净利润（5-8）							
10	期初未分配利润							
11	可供分配利润（9+10）							
12	法定盈余公积金							
13	可供投资者分配利润（11-12）							
14	优先股股利							
15	任意盈余公积金							
16	普通股股利分配（13-14-15）							
17	未分配利润（13-14-15-16）							
18	息税前利润（利润总额+利息）							
19	息税折旧摊销前利润（18+折旧+摊销）							

注：1. 对于外商投资项目应根据相关法律法规对表中项目进行调整。
　　2. 营业收入、经营成本采用含税价格时，在现金流出项目中应增加增值税科目。

7.3.3 财务计划现金流量表（表7-5）

财务计划现金流量表反映项目计算期内各年的投资、融资及生产经营活动的现金流入和现金流出情况，用于计算累计盈余资金，考察项目的财务生存能力。

表7-5 财务计划现金流量表

序号	项目	计算期						
		1	2	3	4	5	6	…	n
1	经营活动净现金流（1.1-1.2）							
1.1	现金流入							
1.1.1	营业收入							
1.1.2	补贴收入							
1.2	现金流出							
1.2.1	经营成本							
1.2.2	增值税							
1.2.3	流转税附加							
1.2.4	所得税							
2	投资活动净现金流（2.1-2.2）							
2.1	现金流入							
2.2	现金流出							
2.2.1	建设投资							
2.2.2	流动资金							
3	融资活动净现金流（3.1-3.2）							
3.1	现金流入							
3.1.1	项目资本金							
3.1.2	建设投资借款							
3.1.3	流动资金借款							
3.1.4	债券							
3.1.5	短期借款							
3.2	现金流出							
3.2.1	各种利息支付							
3.2.2	借款本金偿还							
3.2.3	应付利润（股利分配）							
4	净现金流量（1+2+3）							
5	累计盈余资金							

注：1. 对于新设项目法人，投资活动的现金流入为零。
 2. 对外商投资项目，应根据相关法律法规调整表中项目。

7.3.4 借款还本付息计划表（表7-6）

借款还本付息计划表反映项目计划期内各年借款的本金偿还和利息支付，用于计算偿债备付率、利息备付率等指标，考察项目偿债能力。

表7-6 借款还本付息计划表

序号	项目	计算期						
		1	2	3	4	5	6	…	n
1	建设投资借款							
1.1	期初借款余额							
1.2	当期借款额							
1.3	当期应计利息							
1.4	当期还本付息							
	其中：还本							
	付息							
1.5	期末借款余额							
2	债券							
2.1	期初债务余额							
2.2	当期发行数额							
2.3	当期应计利息							
2.4	当期还本付息							
	其中：还本							
	付息							
2.5	期末债务余额							
3	流动资金借款							
3.1	期初借款余额							
3.2	当期借款额							
3.3	当期应计利息							
3.4	当期还本付息							
	其中：还本							
	付息							
3.5	期末本息余额							
4	借款和债券合计							
4.1	期初余额							
4.2	当期发生数额							
4.3	当期应计利息							
4.4	当期还本付息							
	其中：还本							
	付息							
4.5	期末余额							
计算指标	利息备付率							
	偿债备付率							

注：1. 如有多种借款，应分别列出。
　　2. 本表可与辅助报表"建设期利息估算表"合并。

7.3.5 资产负债表（表 7-7）

资产负债表用于综合反映项目计算期内各年年末资产、负债和所有者权益的增减变化和对应关系，以及计算资产负债率。

表 7-7 资产负债表

序号	项目	计算期						
		1	2	3	4	5	…	n
1	资产							
1.1	流动资产							
1.1.1	货币资金							
1.1.2	应收账款							
1.1.3	预付款项							
1.1.4	存货							
1.1.5	其他							
1.2	在建工程							
1.3	固定资产净值							
1.4	无形及其他资产净值							
2	负债							
2.1	流动负债							
2.1.1	短期借款							
2.1.2	应付账款							
2.1.3	预收款项							
2.1.4	其他							
2.2	建设投资借款							
2.3	流动资金借款							
3	所有者权益							
3.1	资本金							
3.2	资本公积金							
3.3	盈余公积金							
3.4	未分配利润							

计算指标：资产负债率（％）

注：对于外商投资项目，应根据相关法律法规调整表中项目。

财务评价除编制以上基本报表外，通常还应编制一些辅助报表，主要包括：建设投资估算表、建设期利息估算表、流动资金估算表、项目总投资使用计划与资金筹措表、总成本估算表等。在编制总成本估算表时，还需要编制诸如外购材料费估算表、外购燃料动力费估算表、折旧和摊销估算表、工资及福利估算表等基础报表，在此不赘述。

7.4 新建项目财务评价案例

7.4.1 项目概况

该项目于 2008 年开始[○]，是私人投资新建的工业性生产项目。该项目已完成了项目市场需求预测、生产规模、工艺技术方案、原材料及动力供应、建厂条件及场址选择、环境保护、工厂组织和劳动定员、项目实施进度等研究内容，确定了项目实施的最佳方案。

7.4.2 项目基础数据

1. 生产规模

设计规模为年生产某产品 2.3 万 t。

2. 实施计划

项目 3 年建成，第 4 年投产，当年生产负荷为设计能力的 60%，第 5 年达到 90%，第 6 年起达到设计能力，生产期（运营期）为 17 年。

3. 总投资估算

（1）建设投资估算

建设投资估算的数据信息如下：

1）静态建设投资估算为 37 490 万元，见表 7-8。

表 7-8　建设投资估算表

序号	工程或费用名称	建筑工程费（万元）	设备购置费（万元）	安装工程费（万元）	其他费用（万元）	总值（万元）	其中：外币（万美元）
1	工程费用	3 466	22 331	8 651		34 448	2 899
1.1	主要生产项目	1 031	17 443	7 320		25 794	
	其中：外币		2 029	870			2 899
1.2	辅助生产项目	383	1 052	51		1 486	
1.3	公用项目	449	2 488	1 017		3 954	
1.4	环保项目	185	1 100	225		1 510	
1.5	总图运输	52	248			300	
1.6	厂区服务项目	262				262	
1.7	生活福利项目	1 104				1 104	
1.8	厂外项目			38		38	
2	其他费用				3 042	3 042	241
	其中：土地费用				612	612	
3	1、2 部分合计	3 466	22 331	8 651	3 042	37 490	3 140

[○] 鉴于项目 2008 年开始，因此本例计算中涉及的增值税税率、人民币兑美元汇率按当时实际情况计算。有兴趣的读者可参照当前的税率和汇率进行财务评价。

2）基本预备费按静态建设投资的10%估算。

3）预计国内年物价上涨率为6%。

4）市场汇率为1美元＝8元人民币。

5）建设期利息按资金计划计算。

（2）流动资金投资估算

流动资金投资估算为7 084万元。

4. 资金筹措

1）项目资本金为16 000万元，其中用于流动资金2 125万元。

2）外币通过外国银行借款，年利率为9%（复利）。

3）建设投资通过国内银行借款，年利率为9.6%（单利）；流动资金通过国内银行借款，年利率为8.6%（单利）。

4）弥补资金不足的短期借款，年利率为10%。

5. 投资计划

1）建设投资按第1年20%、第2年55%、第3年25%安排。

2）流动资金按生产负荷安排。

6. 成本估算

1）外购原材料15 748万元（以100%负荷计），单位成本项目估算见表7-9。

2）外购燃料动力（水、电、煤）2 052万元（以100%负荷计），各燃料动力的单位成本估算见表7-9。

表7-9 单位成本项目估算表

序号	项 目	消耗定额	单价（元）	金额（元）	备 注
1	原材料A	1.027	5 100	5 238	
	原材料B	0.59	1 600	944	
	原材料C	0.787	230	181	
	原材料D	0.14	2 400	336	
	原材料E	0.011	1 400	15	
	原材料F	0.864	154	133	原材料及燃料动力均为含税价格
	小计			6 847	
2	水	174	0.6	104	
	电	2 755	0.17	468	
	煤	1.83	175	320	
	小计			892	
3	合计			7 739	

3）全厂定员570人，平均工资为8 400元，福利按工资总额的10%计提。

4）固定资产折旧用线性法计提，折旧年限为生产年限，预计净残值率为4%；投资中其他费用的土地费用进入固定资产原值，其余1 700万元形成无形资产（以10年线性摊销），730万元形成其他资产（按5年以线性摊销）。

5) 修理费为折旧费的 54.7%。
6) 其他费用每年为 768 万元。

7. 产品销售价格
产品出厂单价为 15 400 元/t（含税）。

8. 税金
1) 产品征收增值税税率为 17%，城市维护建设税税率为 5%，教育费附加费率为 2%。
2) 企业所得税税率为 25%。

9. 法定公积金和公益金
法定公积金和公益金分别按税后利润的 10% 和 5% 计取。

10. 基准折现率
投资期望收益率为 12%。

11. 债务资金偿还
建设投资外币借款从第 6 年开始偿还，5 年内等额本息偿还。建设投资本币借款从第 4 年开始偿还，采用利息照付、本金等额偿还方式，6 年内偿还完毕。流动资金借款利息照付，本金在项目终结时偿还。

7.4.3 项目工程经济分析要求

1) 进行项目融资前财务评价。
2) 进行项目资本金财务评价。

7.4.4 项目经济分析报告

1. 投资估算

（1）建设投资估算

建设投资估算包括对基本预备费和涨价预备费的估算等。

1) 基本预备费。按静态建设投资的 10% 计算，见表 7-10。

表 7-10 固定资产投资估算表

序号	工程或费用名称	建筑工程费（万元）	设备购置费（万元）	安装工程费（万元）	其他费用（万元）	总值（万元）	其中：外币（万美元）
1	工程费用	3 466	22 331	8 651		34 448	2 899
1.1	主要生产项目	1 031	17 443	7 320		25 794	
	其中：外币		2 029	870			2 899
1.2	辅助生产项目	383	1 052	51		1 486	
1.3	公用项目	449	2 488	1 017		3 954	
1.4	环保项目	185	1 100	225		1 510	
1.5	总图运输	52	248			300	
1.6	厂区服务项目	262				262	
1.7	生活福利项目	1 104				1 104	
1.8	厂外项目			38		38	

（续）

序号	工程或费用名称	建筑工程费（万元）	设备购置费（万元）	安装工程费（万元）	其他费用（万元）	总值（万元）	其中：外币（万美元）
2	其他费用				3 042	3 042	241
2.1	土地费用				612	612	
	1、2部分合计	3 466	22 331	8 651	3 042	37 490	3 140
3	预备费用					5 487	314
3.1	基本预备费					3 749	314
3.2	涨价预备费					1 738	
4	建设投资					42 977	3 454

2）涨价预备费。按建设投资年度计划，以静态建设投资与基本预备费之和的国内资金部分为基础，分年计算如下：

第1年：$(37\ 490 - 3\ 140 \times 8 + 3\ 749 - 314 \times 8)$ 万元 $\times 20\% \times 6\% = 163$ 万元

第2年：$(37\ 490 - 3\ 140 \times 8 + 3\ 749 - 314 \times 8)$ 万元 $\times 55\% \times [(1+6\%)^2 - 1] = 925$ 万元

第3年：$(37\ 490 - 3\ 140 \times 8 + 3\ 749 - 314 \times 8)$ 万元 $\times 25\% \times [(1+6\%)^3 - 1] = 650$ 万元

涨价预备费小计为1 738万元（表7-10）。

3）建设投资。建设投资合计为42 977万元（表7-10）。其中，人民币15 345万元，外币3 454万美元（折合人民币为27 632万元）。

（2）建设期利息

建设投资借款还本付息计算见表7-11、表7-12。

建设期实际付出利息为0。

表7-11 外币借款还本付息计算表（复利率9%） （单位：万美元）

年份	期初借款余额	当期借款额	当期计息本金	当期计息	当期付息	当期还本	期末借款余额	备注
1	0	691	346	31	0	0	722	建设期
2	722	1 900	1 672	150	0	0	2 772	建设期
3	2 772	863	3 205	288	0	0	3 923	建设期
4	3 923	0	3 923	353	0	0	4 276	运营期
5	4 276	0	4 276	385	0	0	4 661	运营期
6	4 661	0	4 661	419	419	779	3 882	运营期
7	3 882	0	3 882	349	349	849	3 033	运营期
8	3 033	0	3 033	273	273	925	2 108	运营期
9	2 108	0	2 108	190	190	1 008	1 100	运营期
10	1 100	0	1 100	99	99	1 100	0	运营期

（3）项目总投资

项目总投资为50 061万元，其中，外币3 454万美元，见表7-13。

表 7-12 本币借款还本付息计算表（单利率 9.6%） （单位：万元）

年份	期初借款余额	当期借款额	当期计息本金	当期计息	当期付息	当期还本	期末借款余额	备注
3	0	1 470	735	71	0	0	1 541	建设期
4	1 541	0	1 470	141	141	257	1 284	运营期
5	1 284	0	1 213	116	116	257	1 027	运营期
6	1 027	0	956	92	92	257	771	运营期
7	771	0	699	67	67	257	514	运营期
8	514	0	442	42	42	257	257	运营期
9	257	0	185	18	18	257	0	运营期

表 7-13 项目总投资汇总表

构成项目	本币（万元）	外币（万美元）	合计（万元）
建设投资	15 345	3 454	42 977
建设期利息⊖	0	0	0
流动资金	7 084	0	7 084
投资总额	22 429	3 454	50 061

2. 资金筹措

（1）投资计划

投资计划包括建设投资计划和流动资金投资计划。

1）建设投资计划见表 7-14。

表 7-14 建设投资计划表

年份	1	2	3	总计
比例	20%	55%	25%	100%
建设投资计划（万元）	8 596	23 640	10 738	42 977
其中：人民币（万元）	3 069	8 440	3 836	15 345
外币（万美元）	691	1 900	863	3 454

2）流动资金投资计划见表 7-15。

表 7-15 流动资金投资计划表

年份	4	5	6	总计
比例	60%	30%	10%	100%
投资计划（万元）	4 250	2 125	709	7 084

（2）筹资方案

筹资方案的原则是：先行投放资本金，然后使用借款。分年筹资计算见表 7-16。

⊖ 按照权责发生制原则，以收到现金权利、付出现金责任的"权责发生"作为收入和费用的归期。显然，本例在建设期间借款人并无付出利息的责任。

表 7-16 投资使用计划与资金筹措表

（单位：人民币（万元）；外币（万美元））

序号	项目	合计 人民币	合计 外币	合计 折人民币	1 小计	1 人民币	1 折人民币	1 外币	2 小计	2 人民币	2 折人民币	2 外币	3 小计	3 人民币	3 折人民币	3 外币	4 小计	4 人民币	4 折人民币	4 外币	5 小计	5 人民币	5 折人民币	5 外币	6 小计	6 人民币	6 折人民币	6 外币
1	项目总投资（不含建设期利息）	50 061	691	5 527	8 596	3 069	5 527	691	23 640	8 440	15 200	1 900	10 740	3 836	6 904	863	4 250		4 250		2 125		2 125		709		709	
1.1	建设投资	42 977	691	5 527	8 596	3 069	5 527	691	23 640	8 440	15 200	1 900	10 740	3 836	6 904	863												
1.2	流动资金	7 084															4 250		4 250		2 125		2 125		709		709	
2	资金筹措	50 061	691	5 527	8 596	3 069	5 527	691	23 640	8 440	15 200	1 900	10 740	3 836	6 904	863	4 250		4 250		2 125		2 125		709		709	
2.1	资本金	16 000			3 069	3 069			8 440	8 440			2 366	2 366														
2.2	借款	34 061	691	5 527	5 527		5 527	691	15 200		15 200	1 900	8 374	1 470	6 904	863	4 250		4 250		2 125		2 125		709		709	
2.2.1	建设投资借款	29 101	691	5 527	5 527		5 527	691	15 200		15 200	1 900	8 374	1 470	6 904	863												
2.2.2	流动资金借款	4 959															2 125		2 125		2 125		2 125		709		709	
2.2.3	其他																											

3. 资产核算

1）固定资产及其折旧见表 7-17。

表 7-17 固定资产及其折旧表

序 号	项 目	数 额	备 注
1	固定资产原值（万元）	40 547	
1.1	工程费用（万元）	34 448	
1.2	土地费用（万元）	612	
1.3	预备费用（万元）	5 487	
1.4	建设期利息（万元）	0	
2	固定资产净残值（万元）	1 622	4%的净残值率
3	固定资产折旧率（%）	5.65	折旧年限 17 年
4	固定资产年折旧额（万元）	2 290	4~20 年

2）其他资产及其摊销见表 7-18。

表 7-18 其他资产及其摊销表

序 号	项 目	数 额	备 注
1	其他资产原值（万元）	730	0 残值
2	摊销年限/年	5	
3	其他资产年摊销额（万元）	146	4~8 年

3）无形资产及其摊销见表 7-19。

表 7-19 无形资产及其摊销表

序 号	项 目	数 额	备 注
1	无形资产原值（万元）	1 700	0 残值
2	摊销年限/年	10	
3	其他资产年摊销额（万元）	170	4~13 年

4. 成本估算

1）流动资金借款。流动资金借款利息计算见表 7-20。

表 7-20 流动资金借款利息计算表（单利率 8.6%） （单位：万元）

年份	期初借款余额	当期借款额	当期计息本金	当期计息	当期付息	当期还本	期末借款余额	备注
4	0	2 125	1 063	91	91	0	2 125	运营期
5	2 125	2 125	3 188	274	274	0	4 250	运营期
6	4 250	709	4 605	396	396	0	4 959	运营期
7~19	4 959	0	4 959	426	426	0	4 959	运营期
20	4 959	0	4 959	426	426	4 959	0	运营期

2）成本估算。成本估算见表 7-21。

表 7-21 成本估算表 （单位：万元）

序号	项目	投产期		达产期													
	年份	4	5	6	7	8	9	10	11	12	13	14	15	16	17	18	19	20
	生产负荷（%）	60	90	100	100	100	100	100	100	100	100	100	100	100	100	100	100	100
1	外购原材料	9 449	14 173	15 748	15 748	15 748	15 748	15 748	15 748	15 748	15 748	15 748	15 748	15 748	15 748	15 748	15 748	15 748
2	外购燃料动力	1 231	1 846	2 052	2 052	2 052	2 052	2 052	2 052	2 052	2 052	2 052	2 052	2 052	2 052	2 052	2 052	2 052
3	工资及福利费	527	527	527	527	527	527	527	527	527	527	527	527	527	527	527	527	527
4	修理费	1 253	1 253	1 253	1 253	1 253	1 253	1 253	1 253	1 253	1 253	1 253	1 253	1 253	1 253	1 253	1 253	1 253
5	折旧费	2 290	2 290	2 290	2 290	2 290	2 290	2 290	2 290	2 290	2 290	2 290	2 290	2 290	2 290	2 290	2 290	2 290
6	摊销费	316	316	316	316	316	316	170	170	170	170							
7	利息	232	390	3 840	3 285	2 652	2 340	1 218	426	426	426	426	426	426	426	426	426	426
7.1	建设投资外币利息			3 352	2 792	2 184	1 896	792										
7.2	建设投资本币利息	141	116	92	67	42	18											
7.3	流动资金利息	91	274	396	426	426	426	426	426	426	426	426	426	426	426	426	426	426
8	其他费用	768	768	768	768	768	768	768	768	768	768	768	768	768	768	768	768	768
9	总成本费用（1+2+3+4+5+6+7+8）	16 066	21 563	26 794	26 239	25 606	25 148	24 026	23 234	23 234	23 234	23 064	23 064	23 064	23 064	23 064	23 064	23 064
10	经营成本（9−5−6−7）	13 228	18 567	20 348	20 348	20 348	20 348	20 348	20 348	20 348	20 348	20 348	20 348	20 348	20 348	20 348	20 348	20 348

5. 流转税及附加

流转税及附加计算见表7-22。

表7-22 流转税及附加计算表　　　　　　　　　　　（单位：万元）

序号	项目	4	5	6~20	备注
1	营业收入（含税）	21 252	31 878	35 420	
2	营业收入（不含税）	18 164	27 246	30 274	
3	销项税	3 088	4 632	5 146	税率17%
4	进项支出（含税）	10 680	16 019	17 800	
5	进项支出（不含税）	9 128	13 691	15 214	
6	进项税	1 552	2 328	2 586	税率17%
7	增值税	1 536	2 304	2 560	税率17%
8	城市维护建设税	77	115	128	税率5%
9	教育费附加	31	46	51	费率2%
10	税金合计	1 644	2 466	2 739	

6. 利润及其分配

利润及其分配情况见表7-23。

7. 项目融资前财务评价

编制项目财务现金流量见表7-24。

8. 融资后财务评价

1）财务盈利能力评价。编制项目资本金财务现金流量见表7-25。

2）项目偿债能力评价。项目清偿能力计算见表7-26。

9. 财务生存能力评价

编制财务计划现金流量见表7-27。

10. 结论与建议

1）项目财务净现值税前为15 732.56万元，税后为4 430.45万元，均大于0，因此项目具有经济可行性。

2）项目资本金收益率为19.6%，能够满足资本金收益期望（资本金收益率为12%）。

3）项目在要求的第4~10年还款期间内，利息备付率均大于2，可以满足如期偿付利息的要求；第9年的偿债备付率小于1，项目不能满足偿债要求。

4）项目财务计划净现金流量均大于或等于0，资金来源能够满足资金运用的需要，项目财务生存能力强。

综上所述，建议重新调整筹资还款方案，重新评估后决定项目是否实施。

表 7-23 利润与利润分配表

(单位：万元)

序号	项目	年份																				
		0	1	2	3	4	5	6	7	8	9	10	11	12	13	14	15	16	17	18	19	20
	生产负荷（%）					60	90	100	100	100	100	100	100	100	100	100	100	100	100	100	100	100
1	营业收入（含税）					21 252	31 878	35 420	35 420	35 420	35 420	35 420	35 420	35 420	35 420	35 420	35 420	35 420	35 420	35 420	35 420	35 420
2	流转税及附加					1 644	2 466	2 739	2 739	2 739	2 739	2 739	2 739	2 739	2 739	2 739	2 739	2 739	2 739	2 739	2 739	2 739
3	总成本费用					16 066	21 563	26 794	26 239	25 606	25 148	24 026	23 234	23 234	23 234	23 064	23 064	23 064	23 064	23 064	23 064	23 064
4	利润总额					3 542	7 849	5 887	6 442	7 075	7 533	8 655	9 447	9 447	9 447	9 617	9 617	9 617	9 617	9 617	9 617	9 617
5	所得税（25%）					886	1 962	1 472	1 611	1 769	1 883	2 164	2 362	2 362	2 362	2 404	2 404	2 404	2 404	2 404	2 404	2 404
6	税后利润					2 657	5 887	4 415	4 832	5 306	5 650	6 491	7 085	7 085	7 085	7 213	7 213	7 213	7 213	7 213	7 213	7 213
7	法定公积金（10%）					266	589	442	483	531	565	649	709	709	709	721	721	721	721	721	721	721
8	公益金（5%）					133	294	221	242	266	283	325	354	354	354	361	361	361	361	361	361	361
9	可分配利润					2 258	5 004	3 752	4 107	4 509	4 802	5 517	6 022	6 022	6 022	6 131	6 131	6 131	6 131	6 131	6 131	6 131
10	应付利润																					
11	未分配利润					2 258	5 004	3 752	4 107	4 509	4 802	5 517	6 022	6 022	6 022	6 131	6 131	6 131	6 131	6 131	6 131	6 131
12	EBIT					3 774	8 239	9 727	9 727	9 727	9 873	9 873	9 873	9 873	9 873	10 043	10 043	10 043	10 043	10 043	10 043	10 043
13	EBITAD					6 380	10 845	12 333	12 333	12 333	12 333	12 333	12 333	12 333	12 333	12 333	12 333	12 333	12 333	12 333	12 333	12 333
14	调整所得税					944	2 060	2 432	2 432	2 432	2 468	2 468	2 468	2 468	2 468	2 511	2 511	2 511	2 511	2 511	2 511	2 511

表 7-24 项目财务现金流量表

(单位：万元)

序号	年份	0	1	2	3	4	5	6	7	8	9	10	11	12	13	14	15	16	17	18	19	20
	生产负荷（%）					60	90	100	100	100	100	100	100	100	100	100	100	100	100	100	100	100
1	现金流入					21 252	31 878	35 420	35 420	35 420	35 420	35 420	35 420	35 420	35 420	35 420	35 420	35 420	35 420	35 420	35 420	44 126
1.1	营业收入					21 252	31 878	35 420	35 420	35 420	35 420	35 420	35 420	35 420	35 420	35 420	35 420	35 420	35 420	35 420	35 420	35 420
1.2	残值回收																					1 622

序号	项目	0	1	2	3	4	5	6	7	8	9	10	11	12	13	14	15	16	17	18	19	20
1.3	流动资金回收																					7 084
2	现金流出	8 596	23 640	10 738	4 250	16 997	21 742	23 087	23 087	23 087	23 087	23 087	23 087	23 087	23 087	23 087	23 087	23 087	23 087	23 087	23 087	23 087
2.1	建设投资	8 596	23 640	10 738																		
2.2	流动资金				4 250	2 125	709															
2.3	经营成本					13 228	18 567	20 348	20 348	20 348	20 348	20 348	20 348	20 348	20 348	20 348	20 348	20 348	20 348	20 348	20 348	20 348
2.4	流转税及附加					1 644	2 466	2 739	2 739	2 739	2 739	2 739	2 739	2 739	2 739	2 739	2 739	2 739	2 739	2 739	2 739	2 739
3	税前NCF	−8 596	−23 640	−10 738	−4 250	4 255	10 136	12 333	12 333	12 333	12 333	12 333	12 333	12 333	12 333	12 333	12 333	12 333	12 333	12 333	12 333	21 039
4	调整所得税					944	2 060	2 432	2 432	2 468	2 468	2 511	2 511	2 511	2 468	2 511	2 511	2 511	2 511	2 511	2 511	2 511
5	税后NCF	−8 596	−23 640	−10 738	−4 250	3 312	8 076	9 901	9 901	9 865	9 865	9 822	9 822	9 822	9 865	9 822	9 822	9 822	9 822	9 822	9 822	18 528

计算指标：NPV(税前) ($i_c = 12\%$) = 15 732.56 万元   NPV(税后) ($i_c = 12\%$) = 4 430.45 万元

表 7-25 项目资本金财务现金流量表

（单位：万元）

序号	年份	0	1	2	3	4	5	6	7	8	9	10	11	12	13	14	15	16	17	18	19	20
	生产负荷(%)					60	90	100	100	100	100	100	100	100	100	100	100	100	100	100	100	100
1	现金流入					21 252	31 878	35 420	35 420	35 420	35 420	35 420	35 420	35 420	35 420	35 420	35 420	35 420	35 420	35 420	35 420	44 126
1.1	营业收入					21 252	31 878	35 420	35 420	35 420	35 420	35 420	35 420	35 420	35 420	35 420	35 420	35 420	35 420	35 420	35 420	35 420
1.2	残值回收																					1 622
1.3	流动资金回收																					7 084
2	现金流出	3 069	8 440	2 366	2 125	16 247	23 642	34 888	35 032	35 165	35 631	35 269	25 875	25 875	25 875	25 875	25 917	25 917	25 917	25 917	25 917	30 876
2.1	项目资本金	3 069	8 440	2 366	2 125																	

(续)

序号	年份	0	1	2	3	4	5	6	7	8	9	10	11	12	13	14	15	16	17	18	19	20
	生产负荷(%)					60	90	100	100	100	100	100	100	100	100	100	100	100	100	100	100	100
2.2	借款偿本					257	257	6 489	7 049	7 657	8 321	8 800										4 959
2.2.1	外币偿本							6 232	6 792	7 400	8 064	8 800										
2.2.2	本币偿本					257	257	257	257	257	257											4 959
2.3	借款付息					232	390	3 840	3 285	2 652	2 340	1 218	426	426	426	426	426	426	426	426	426	426
2.4	经营成本					13 228	18 567	20 348	20 348	20 348	20 348	20 348	20 348	20 348	20 348	20 348	20 348	20 348	20 348	20 348	20 348	20 348
2.5	流转税及附加					1 644	2 466	2 739	2 739	2 739	2 739	2 739	2 739	2 739	2 739	2 739	2 739	2 739	2 739	2 739	2 739	2 739
2.6	所得税					886	1 962	1 472	1 611	1 769	1 883	2 164	2 362	2 362	2 362	2 404	2 404	2 404	2 404	2 404	2 404	2 404
3	净现金流	−3 069	−8 440	−2 366	−2 125	5 005	8 236	532	388	255	−211	151	9 545	9 545	9 545	9 503	9 503	9 503	9 503	9 503	9 503	13 250
计算指标		资本金收益率为 19.6%																				

表 7-26 项目清偿能力计算表

序号	项目	4	5	6	7	8	9	10
1	EBIT (万元)	3 774	8 239	9 727	9 727	9 727	9 873	9 873
2	付息额 (万元)	232	390	3 840	3 285	2 652	2 340	1 218
3	ICR	16.27	21.13	2.53	2.96	3.67	4.22	8.11
4	EBITAD (万元)	6 380	10 845	12 333	12 333	12 333	12 333	12 333
5	所得税 (万元)	886	1 962	1 472	1 611	1 769	1 883	2 164
6	还本额 (万元)	257	257	6 489	7 049	7 657	8 321	8 800
7	DSCR	11.24	13.73	1.05	1.04	1.02	0.98	1.02

表 7-27 财务计划现金流量表

(单位：万元)

序号	项目	0	1	2	3	4	5	6	7	8	9	10
1	经营净现金流					7 030	11 187	13 421	13 282	13 124	13 010	12 729
1.1	现金流入					24 340	36 510	40 566	40 566	40 566	40 566	40 566
1.1.1	营业收入					21 252	31 878	35 420	35 420	35 420	35 420	35 420
1.1.2	增值税销项税					3 088	4 632	5 146	5 146	5 146	5 146	5 146
1.2	现金流出					17 310	25 323	27 145	27 284	27 442	27 556	27 837
1.2.1	经营成本					13 228	18 567	20 348	20 348	20 348	20 348	20 348
1.2.2	增值税进项税					1 552	2 328	2 586	2 586	2 586	2 586	2 586
1.2.3	流转税及附加					1 644	2 466	2 739	2 739	2 739	2 739	2 739
1.2.4	所得税					886	1 962	1 472	1 611	1 769	1 883	2 164
2	投资净现金流	−8 596	−23 640	−10 740	−4 250	−2 125	−709					
2.1	现金流出	8 596	23 640	10 740	4 250	2 125	709					
2.1.1	建设投资	8 596	23 640	10 740	4 250							
2.1.2	流动资金					2 125	709					
3	融资净现金流	8 596	23 640	10 740	4 250	1 636	62	−10 329	−10 334	−10 309	−10 661	−10 018
3.1	现金流入	8 596	23 640	10 740	4 250	2 125	709					
3.1.1	项目资本金	3 069	8 440	2 366								
3.1.2	建设投资借款	5 527	15 200	8 374	2 125							
3.1.3	流动资金借款					2 125	709					
3.2	现金流出					489	647	10 329	10 334	10 309	10 661	10 018
3.2.1	各种利息支付					232	390	3 840	3 285	2 652	2 340	1 218
3.2.2	借款本金偿还					257	257	6 489	7 049	7 657	8 321	8 800
4	净现金流量	0	0	0	0	6 541	10 540	3 092	2 948	2 815	2 349	2 711
5	累计盈余资金	0	0	0	0	6 541	17 081					

（续）

序号	项目	11	12	13	14	15	16	17	18	19	20
1	经营净现金流	12 531	12 531	12 531	12 489	12 489	12 489	12 489	12 489	12 489	21 195
1.1	现金流入	40 566	40 566	40 566	40 566	40 566	40 566	40 566	40 566	40 566	49 272
1.1.1	营业收入	35 420	35 420	35 420	35 420	35 420	35 420	35 420	35 420	35 420	44 126
1.1.2	增值税销项税	5 146	5 146	5 146	5 146	5 146	5 146	5 146	5 146	5 146	5 146
1.2	现金流出	28 035	28 035	28 035	28 077	28 077	28 077	28 077	28 077	28 077	28 077
1.2.1	经营成本	20 348	20 348	20 348	20 348	20 348	20 348	20 348	20 348	20 348	20 348
1.2.2	增值税进项税	2 586	2 586	2 586	2 586	2 586	2 586	2 586	2 586	2 586	2 586
1.2.3	流转税及附加	2 739	2 739	2 739	2 739	2 739	2 739	2 739	2 739	2 739	2 739
1.2.4	所得税	2 362	2 362	2 362	2 404	2 404	2 404	2 404	2 404	2 404	2 404
2	投资净现金流										
2.1	现金流出										
2.1.1	建设投资										
2.1.2	流动资金										
3	融资净现金流	−426	−426	−426	−426	−426	−426	−426	−426	−426	−5 385
3.1	现金流入										
3.1.1	项目资本金										
3.1.2	建设投资借款										
3.1.3	流动资金借款										
3.2	现金流出	426	426	426	426	426	426	426	426	426	5 385
3.2.1	各种利息支付	426	426	426	426	426	426	426	426	426	426
3.2.2	借款本金偿还										4 959
4	净现金流量	12 105	12 105	12 105	12 063	12 063	12 063	12 063	12 063	12 063	15 810
5	累计盈余资金										

练 习 题

1. 某项目使用 1 000 万元建设投资（含无形资产和其他资产 200 万元）进行建设（表 7-28），项目资本金为 900 万元，借款为 300 万元，借款利率为 8%，还款方式为：利息照付，本金从第 3 年开始偿还，在 4 年内等额偿还。项目流动资金为 200 万元，第 3 年年初投入。固定资产残值为 40 万元，其他资产无残值，均线性折旧和摊销。增值税征收率为 3%，企业所得税税率为 25%，基准折现率为 10%。试对项目进行财务评价。

表 7-28 项目信息　　　　　　　　　　　　　　　　　（单位：万元）

年　份	1	2	3	4	5	6	7
建设投资	800	200					
其中：借款	300						
流动资金			200				
营业收入			500	600	600	600	600
经营成本			100	140	140	140	140

2. 某项目的财务计划现金流量见表 7-29。

表 7-29 某项目的财务计划现金流量表　　　　　　　（单位：万元）

序号	项目	计算期						
		0	1	2	3	4	5	6
1	经营活动净现金流							
1.1	现金流入							
1.1.1	营业收入				500	600	600	600
…								
1.2	现金流出							
1.2.1	经营成本				100	140	140	140
1.2.2	流转税及附加				25	30	30	30
1.2.3	所得税				39.01	54.26	55.87	57.62
2	投资活动净现金流							
2.1	现金流出							
2.1.1	建设投资	800	200					
2.1.2	流动资金			200				
…								
3	融资活动净现金流							
3.1	现金流入							
3.1.1	项目资本金	480	200	190				
3.1.2	建设投资借款	300						
3.1.3	短期借款							
3.2	现金流出							
3.2.1	各种借款本息偿还				101.73	121.73	101.73	101.73

如果短期借款年额度为 20 万元，借期 1 年，年利率为 9%。试评价该项目的财务生存能力。

3. 某项目使用 1 000 万元建设投资（含其他资产投资 200 万元）、200 万元流动资金投资进行建设，见表 7-30，项目资本金为 900 万元，借款为 300 万元。借款以发行债券形式筹得。债券票面价格为 1 000 元，发行价为 1 250 元。发行费用率为 3%，票面年利率为 8%。借款从项目开始运营偿还，利息照付，4 年内等额偿还本金。固定资产残值率为 3%，其他资产无残值，均线性折旧和摊销。增值税征收率为 3%，企业所得税税率为 25%。行业基准折现率为 10%，投资者期望收益率为 12%。试分别进行项目融资前、融资后财务评价。

表 7-30 某项目信息 （单位：万元）

年 份	1	2	3	4	5	6	7
建设投资	800	200					
其中：借款	300						
流动资金			200				
营业收入			500	600	600	600	600
经营成本			100	140	140	140	140

第 8 章 建设项目的国民经济评价

【内容提要】

(1) 国民经济评价的提出。
(2) 国民经济评价与财务评价的异同。
(3) 国民经济评价中费用与效益的识别。
(4) 影子价格与外部效果。
(5) 国民经济评价基本报表的编制。
(6) 国民经济评价指标计算与分析。

【关键词】

国民经济评价；费用与效益；转移支付；内部效果；外部效果；环境影响效果；技术扩散效果；产业关联效果；乘数效果；无形效果；支付意愿原则；受偿意愿原则；机会成本原则；影子价格；影子工资；社会折现率；影子汇率；可外贸货物的影子价格；特殊投入物的影子价格；经济净现值；经济内部收益率

【学习指导】

财务评价以现行市场价格体系为评价基础，而市场发育不成熟、不完善，市场价格存在着"扭曲"和"失真"，所以导致财务评价基础有一定的缺陷。另外，财务评价是在项目的框架范围内进行的。而项目的存续除了依靠直接费用，还有赖间接费用；同样，项目的运营除了产生直接效益外，也会产生间接效益。所以，财务评价有片面性。为了克服财务评价的上述缺陷，为投资决策提供客观、公正的建议，有必要进一步进行国民经济评价。

建设项目国民经济评价是站在宏观的立场上，按照社会福利最大化的原则，在整个国民经济系统中，分析、计算项目的经济效益和费用，考察项目对社会经济发展的价值以及对社会福利的贡献，以判断项目的经济合理性，为决策提供依据。

一般地，建设项目经济评价包括财务评价和国民经济评价。财务评价是基础。通过财务评价考察项目对投资者的财务贡献，这是投资者十分关心的问题。在满足投资者期望受益的基础上，对于存在上述两类缺陷的建设项目再进行国民经济评价。国民经济评价是财务评价的延伸和发展，可以更全面、客观地对项目状况进行考察，提出更加稳妥的决策建议。财务评价和国民经济评价结论都可行的项目可以实施，反之，应予否定；国民经济评价结论不可行的项目，一般应予否定。对某些国计民生急需的项目，如国民经济评价结论好，但财务评价不可行，应重新考虑方案，必要时可向国家提出采取经济优惠政策的建议，使项目具有财务生存能力。

一般对具有下述特征的项目进行国民经济评价：
1) 具有垄断特征的项目。
2) 产出具有公共产品特征的项目。
3) 外部效果显著的项目。
4) 资源开发项目。
5) 涉及国家经济安全的项目。
6) 受过度行政干预的项目。

国民经济评价费用效益的识别遵循增量分析的原则、考虑关联效果的原则、以本国居民作为分析对象的原则、调整转移支付原则。

国民经济评价的外部效果是指未体现在财务评价的营业收入、经营成本、投资等现金流中的项目产出和投入。它一般包括：环境影响效果、价格影响效果、相邻效果、技术扩散效果、乘数效果和无形效果。对不同的外部效果应进行有针对性的客观分析与估价。

在国民经济评价中，还要注意调整转移支付。

国民经济评价采用影子价格来模拟在完全竞争市场环境下形成的价格。项目投入物或产出物的影子价格视不同情况分别采取不同的方法确定，如由市场价格调整为影子价格、可外贸货物的影子价格、非外贸货物的影子价格、特殊投入物的影子价格等。

国民经济评价通常借助于基本报表"表上作业"。在财务评价基础上编制经济效益费用流量表和直接编制经济效益费用流量表有所区别，应予注意。

国民经济评价内容、适用指标及其评价标准与财务评价类似。国民经济评价所采用的某些参数，如社会折现率、影子汇率、影子工资等有别于财务评价。

8.1 概述

国民经济评价和财务评价共同构成了建设项目的经济评价。国民经济评价是在财务评价的基础上针对某些项目而进行的。

8.1.1 国民经济评价的提出

建设项目国民经济评价的提出

建设项目财务评价是以现行市场价格体系为评价基础的。现金流计算中的基本经济要素的价格都取自于市场价格体系。而市场发育不成熟、不完善，市场价格可能存在背离价值的"扭曲"和偏离供求关系的"失真"，所以导致财务评价基础有一定的缺陷。显然，以这样的市场价格信号和价格杠杆难以实现资源在市场上的合理配置，在这样基础上的评价结论也有可能误导决策。

另外，建设项目财务评价是在项目的框架范围内进行的。现金流计算的边界是项目的直接产出与直接耗费，计算基础是直接效益与直接费用。而项目的存续除了依靠直接费用，还有赖间接费用；同样，项目的运营除了产生直接效益外，也会产生间接效益。所以财务评价又存在片面性。

鉴于建设项目财务评价的上述两类缺陷，为了客观、公正地评价项目，为决策提供翔实的信息，对于存在上述两类问题的建设项目，要在财务评价基础上再进行国民经济评价。

实际上，国民经济评价主要是为了校正上述两类缺陷可能带来的不实结论。或者说，上述两类缺陷问题较多的项目才有必要进行国民经济评价。

8.1.2 建设项目国民经济评价的经济内涵

建设项目国民经济评价是指在社会资源合理配置的前提下，从国家经济整体利益的角度出发，计算项目对国民经济的贡献，分析项目的经济效益、经济效果和对社会的影响，评价项目在宏观经济上的合理性。

国民经济评价站在宏观经济的立场上，按照社会福利最大化的原则，在整个国民经济系统中，分析、计算项目的经济效益和费用，考察项目对社会经济发展的价值以及对社会福利的贡献，以判断项目的经济合理性，为决策提供依据。

国民经济评价在财务评价的基础上进行。在完善的市场经济体系下，市场竞争机制充分发挥作用，市场价格能够真实地反映产品的价值和供求关系，财务评价和国民经济评价的结论是一致的，一般不再进行国民经济评价。但是对于关系公共利益、国家安全和市场不能有效配置资源的经济和社会发展的项目，除了进行财务评价，还应进行国民经济评价。

国民经济评价的作用主要体现在以下三个方面：

1. 可以从宏观上优化配置国家的有限资源

对于一个国家来说，其用于发展的资源（如资金、土地、劳动力以及其他资源等）总是有限的，资源的稀缺与社会需求的增长之间存在着较大的矛盾，只有通过优化资源配置，使资源得到最佳利用，才能有效地促进国民经济的发展。只有通过国民经济评价，才能从宏观上引导国家对有限的资源进行合理配置，鼓励和促进那些对国民经济有正面影响的项目的发展，而相应抑制和淘汰那些对国民经济有负面影响的项目。

2. 可以真实反映工程项目对国民经济的净贡献

在很多国家，尤其是发展中国家，由于产业结构不合理、市场体系不健全以及对民族工业的过度保护等原因，国内的价格体系产生了比较严重的扭曲和失真，不少商品的价格既未能反映价值，也未能反映供求关系。在此情况下，按现行价格计算工程项目的投入与产出，是无法正确反映出项目对国民经济的影响的。只有通过国民经济评价，运用能反映商品真实价值的价格来计算项目的费用与效益，才能真实反映工程项目对国民经济的净贡献，从而判断项目的建设对国民经济总目标的贡献。

3. 可以使投资决策更科学化

通过国民经济评价，合理运用经济净现值、经济内部收益率等指标以及影子汇率、影子价格、社会折现率等参数，可以有效地引导投资方向，控制投资规模，提高计划质量。对于国家决策部门和经济计划部门来说，必须高度重视国民经济评价的结论，把工程项目的国民经济评价作为重要的决策手段，使投资决策科学化。这样可以避免以下三个问题：①由于财务评价在对项目进行评价时是从企业角度出发，而不考虑项目以外的问题，因此结论很可能是片面的；②由于市场不完善，财务评价中的价格存在失真或扭曲的问题；③财务评价中包含了税收、补贴和贷款条件，使不同项目或方案的财务盈利效果失去了公平比较的基础。

8.1.3 国民经济评价的项目范围

对于财务价格扭曲、不能真实反映项目产出的经济价值,财务成本不能包含项目对资源的全部消耗,财务效益不能包含项目产出的全部经济效果的项目,需要进行国民经济评价,主要包括如下项目:

1) 具有垄断特征的项目。
2) 产出具有公共产品特征的项目。
3) 外部效果显著的项目。
4) 资源开发项目。
5) 涉及国家经济安全的项目。
6) 受过度行政干预的项目。

8.1.4 国民经济评价与财务评价的关系

对项目进行财务评价和国民经济评价所得到的结论,是项目决策的主要依据。企业的财务评价注重的是项目的盈利能力、偿债能力和财务生存能力,而国民经济评价注重的则是国家经济资源的合理配置以及项目对整个国民经济的影响。财务评价是国民经济评价的基础,国民经济评价则是财务评价的深化,两者相辅相成,互为参考和补充,既有联系,又有区别。

1. 财务评价和国民经济评价的共同点

(1) 提供决策依据

两者都以寻求经济效益最好的项目为目的,都要寻求以最小的投入获得最大的产出,为决策提供科学依据。

(2) 评价基础相同

两者都要在完成项目的市场预测、工艺技术选择、投资估算和资金筹措的基础上进行,评价的结论也都取决于项目本身的客观条件。

(3) 评价分析方法以及评价指标类似

两者都采用现金流量工具通过基本报表使用现金流折现的方法来计算净现值、内部收益率等经济指标,经济指标的含义也基本相同。

2. 财务评价与国民经济评价的区别

(1) 评价的角度不同

财务评价是站在企业的立场,从项目的微观角度按照现行的财税制度和市场价格体系去分析项目的盈利能力、偿债能力和财务生存能力,考察项目对投资者的财务贡献,以判断项目的财务可行性;而国民经济评价则是站在国家立场,从国民经济综合平衡的宏观角度去分析项目对国民经济发展、国家资源配置等方面的影响,以分析项目的国民经济合理性。

(2) 费用与效益的划分不同

财务评价以项目系统为边界,以内部效果为计算基础,以项目价值最大化为价值追求,在现行财税制度和价格体系下,根据项目的实际现金流量来计算项目的效益与费用,凡是项目的现金流入均计为效益,凡是项目的现金流出均计为费用。例如,工资、税金、利息都作为项目的费用,财政补贴则作为项目的效益。而国民经济评价则以国民经济系统为边界,以项目的全部效果(内部效果和外部效果)为基础,以公共福利最大化为价值追求,在科学的价格体系下，根据项目实际减少或增加的社会最终产品或服务来计算项目的效益与费用。在财务评价中作为费用或效益的税金、国内借款利息、财政补贴等，在国民经济评价中被视为国民经济内部转移支付，不作为项目的费用或效益；而在财务评价中不计为费用或效益的环境污染、降低劳动强度等，在国民经济评价中则需计为费用或效益。

【例 8-1】

某项目设计能力为年产 A 产品 10 万 t。项目实施后，可减少进口 1 万 t（A 产品的进口到岸价为 1 000 美元/t，美元兑换人民币的市场汇率为 1 美元＝6.5 元人民币）。A 产品在市场竞争中的价格为 6 500 元/t。产品进口发生的国内运输等费用为 20 000 元，汇率换算系数为 1.08 求该项目国民经济评价中的营业收入。

解：国民经济评价中的营业收入也就是项目的直接效益和间接效益总和。直接效益包括项目产出增加国内需求产生的效益和减少进口带来的外汇支出减少。间接效益在本例中未体现。因此

$$营业收入 = [(10 \times 6\,500) + (1 \times 1\,000 \times 6.5 \times 1.08 + 2)] 万元 = 72\,022 \text{ 万元}$$

对比【例 7-1】与【例 8-1】可总结出财务评价与国民经济评价的差异。由于财务评价和国民经济评价的视角、现金流量的边界等不同，所以"彼营业收入"非"此营业收入"。其他经济要素亦如此。所以国民经济评价中的基础数据不是简单套用财务评价。

（3）使用的价格体系不同

在分析项目的费用与效益时，财务评价使用的是以现行市场价格体系为基础的预测价格；而考虑到国内市场价格体系的失真，国民经济评价使用的是对现行市场价格进行调整后所得到的影子价格体系，影子价格能够更确切地反映资源的真实经济价值。

（4）采用的评价参数不同

财务评价采用的汇率是官方汇率，折现率因项目经济评价目的的不同而分别采用行业基准收益率、投资者期望收益率；而国民经济评价采用的汇率是影子汇率，折现率是国家统一测定的社会折现率。

社会折现率是项目在国民经济评价中项目经济可行性的基本判断依据。社会折现率应根据国家的社会经济发展目标、发展战略、发展优先顺序、发展水平、宏观调控意图、社会成员的费用效益时间偏好、社会投资收益水平、资金供给状况、资金机会成本等因素综合测定。《建设项目经济评价方法与参数》（第 3 版）测定的社会折现率为 8%。对于受益期长的项目，如果远期效益较大，效益实现的风险较小，社会折现率可适当降低，但不应低于 6%。

8.2 费用与效益的识别

8.2.1 费用和效益的识别原则

1. 增量分析的原则

项目经济费用效益分析应建立在增量效益和增量费用的识别与计算的基础之上，不应考虑沉没成本和已实现的效益。应按照"有无对比"增量分析的原则，通过项目的实施效果与无项目情况下可能发生的情况进行对比分析，作为计算机会成本或增量效益的依据。

2. 考虑关联效果的原则

识别费用与效益时，应考虑项目投资可能产生的其他关联效应。

建设项目除了对投资者有财务贡献外，还对其他人群乃至国民经济、环境生态（可统称为利益相关者）产生影响。这种影响就是项目的关联效果，主要表现为项目的间接效益和间接费用。

3. 以本国居民作为分析对象的原则

对于跨越国界、对本国之外的其他社会成员产生影响的项目，应重点分析对本国公民新增的效益和费用。项目对本国以外的社会群体所产生的效果，应进行单独陈述。

4. 调整转移支付的原则

转移支付代表购买力的转移行为，接受转移支付的一方所获得的效益与付出方所产生的费用相等，转移支付行为本身没有导致新增资源的发生。在经济费用效益分析中，税赋、补贴、借款和利息属于转移支付。一般在进行经济费用效益分析时，不得再计算转移支付的影响。

8.2.2 费用和效益的计算原则

1. 支付意愿原则

项目产出物的正面效果的计算遵循支付意愿（WTP）原则，用于分析社会成员为项目所产生的效益意愿支付的价值。

2. 受偿意愿原则

项目产出物的负面效果的计算遵循受偿意愿（WTA）原则，用于分析社会成员为接受这种不利影响所得到补偿的价值。

3. 机会成本原则

项目投入的经济费用的计算应遵循机会成本原则，用于分析项目所占用的所有资源的机会成本。机会成本应按资源的其他最有效利用所产生的效益进行计算。

4. 实际价值计算原则

项目经济费用效益分析应对所有费用和效益采用反映资源真实价值的实际价格进行计算，不考虑通货膨胀因素的影响，但应考虑相对价格变动的影响。

8.2.3 项目的外部效果

建设项目国民经济评价界限

外部效果是建设项目间接效益和间接费用的统称，是由于项目实施所导致的在项目之外未计入项目直接效益与直接费用的效果。

建设项目直接效益包括：增加项目产出以满足国内需求产生的效益，增加出口或减少进口带来的外汇收入增加或支出减少，替代效益低的项目带来的资源投入的减少。

建设项目直接费用包括：增加项目投入消耗的资源费用，增加进口或减少出口带来的外汇支出增加或收入减少，挤占其他项目带来的收益损失。

直接效益和直接费用统称为内部效果，主要体现在财务评价的营业收入、经营成本等现金流中。

建设项目的外部效果主要包括以下几方面：

1. 环境影响效果

项目对自然环境和生态环境造成的污染和破坏，如工业企业排放"三废"对环境产生污染，产生项目的间接费用。这种间接费用要定量计算比较困难，一般按同类企业所造成的损失或者按恢复环境质量所需的费用来近似估算。此外，某些项目，如环境治理项目，对环境产生的影响是正面的，在国民经济评价中也应估算其相应的间接效益。

2. 价格影响效果

若项目的产出物大量出口，导致国内同类产品的出口价格下跌，则由此造成的外汇收益的减少，应计为该项目的间接费用。若项目的产出物只是增加了国内市场的供应量，导致产品的市场价格下跌，可使产品的消费者获得降价的好处，但这种好处只是将原生产商减少的收益转移给了产品的消费者而已，对于整个国民经济而言，效益并未改变，因此消费者得到的收益并不能计为该项目的间接收益。

3. 相邻效果

相邻效果也称产业关联效果，是指由于项目的实施而带给上游企业（为该项目提供原材料和半成品的企业）"向后联"的效果和下游企业（使用该项目的产出物作为原材料和半成品的企业）"向前联"的效果。项目的实施会使上游企业得到发展，增加新的生产能力或使其原有生产能力得到更充分的利用，也会使下游企业的生产成本下降或使其闲置的生产能力得到充分的利用。实践经验证明，对相邻效果不应估计过高，因为在大多数情况下，项目对上、下游企业的相邻效果可以在项目投入物和产出物的影子价格中得到体现。只有在某些特殊情况下，间接影响难以在影子价格中反映时，才需要作为项目的外部效果计算。

4. 技术扩散效果

建设一个具有先进技术的项目，由于人才流动、技术推广和扩散等原因，整个社会都将受益。但这类间接效益通常难以识别和定量计算，因此在国民经济评价中一般只做定性说明。

5. 乘数效果

乘数效果是指由于项目的实施而使与该项目相关的产业部门的闲置资源得到有效利用，进而产生一系列的连锁反应，带动某行业、地区或全国的经济发展所带来的外部净效益。例如，当国内钢材生产能力过剩时，国家投资修建铁路，需要大量钢材，就会使原来闲置的生产能力得到利用，使钢铁厂的成本下降，效益提高；同时由于钢铁厂的生产扩大，连带使得炼铁、炼焦以及采矿等部门原来剩余的生产能力得以利用，效益增加，由此产生一系列的连锁反应。在进行扶贫工作时，就可以优先选择乘数效果大的项目。在一般情况下，乘数效果不能连续扩展计算，只需计算一次相关效果即可。

6. 无形效果

项目的产出有时表现为对人力资本、生命质量、疾病预防、生活秩序等的影响效果，难以货币化甚至难以量化，但由于它对社会成员产生了影响，因此在经济效益费用分析时应予考虑。

8.2.4 转移支付

在国民经济框架下，一个部门向另一个部门支付财富，而这笔财富并未带来社会财富总量的变化，这就是转移支付。比如，企业向国家缴纳的税金、企业获得的国家财政补贴、企业向国内贷款机构的借款及其利息、企业向国家缴纳的罚没款等。

在进行建设项目国民经济评价时，对转移支付需要进行调整。一般做如下处理：

1) 剔除企业所得税。
2) 剔除国内贷款利息。
3) 一些税收（比如消费税：对高污染、高能耗项目征收）、补贴或罚款（超标排放等）往往用于校正外部效果，这类转移支付可用于计算外部效果。
4) 对流转税应具体分析。对于项目的产出，增加供给满足国内市场供应的，影子价格按支付意愿确定，包含流转税；替代原有市场供应的，影子价格按机会成本确定，不含流转税。

对于项目的投入，用新增供应来满足项目的，影子价格按机会成本确定，不含流转税；挤占原有需求满足项目的，影子价格按支付意愿确定，含流转税。

不能判别产出或投入是增加供给还是挤占（替代）原有供给时，简化处理：产出的影子价格一般包含实际缴纳的流转税，投入的影子价格一般不含实际缴纳的流转税。

> **【例 8-2】**
> 某新建项目设计能力为年产 A 产品 10 万 t。预计项目实施后，会挤占原有 A 产品市场份额。目前 A 产品的市场竞争价格为 2 000 元/t（含税），已知增值税税率为 13%。求该产品国民经济评价中的营业收入。
>
> **解：** 根据流转税处理一般原则，对于项目的产出，替代原有市场供应的，影子价格按机会成本确定，不含流转税。
>
> $$影子价格 = 2\ 000\ 元/t \div (1+13\%) = 1\ 769.9\ 元/t$$
> $$营业收入 = 10\ 万\ t \times 1\ 769.9\ 元/t = 17\ 699\ 万元$$

8.3 国民经济评价中的价格

在完全竞争的市场环境下形成的价格可以很好地反映商品的价值和供求关系。以此价格为杠杆，在市场作用下，有助于实现社会资源的合理配置。所以，国民经济评价应采用在完全竞争市场环境下形成的价格。然而，现实市场环境不能满足完全竞争的要求，因而市场中不会形成满足国民经济评价要求的价格。在这种情况下，国民经济评价采用影子价格来模拟在完全竞争市场环境下形成的价格。

8.3.1 影子价格的概念

影子价格是指某一种资源处于最优配置时，其边际增量对社会福利的贡献值。经济学上一般认为影子价格是资源和商品在完全竞争市场中的供求均衡价格，它代表生产或消费某种商品的机会成本。理论上说，它可以通过数学规划的方法来求得。

8.3.2 影子价格的确定

建设项目国民经济评价价格

在工程经济分析中，通常区别以下情况具体确定影子价格。

1. 由市场价格调整为影子价格

（1）具有市场价格的商品影子价格的确定

对处于竞争性市场环境中的商品，取该市场价格确定为影子价格；若项目规模大，其实施足以影响市场价格，则取"有项目"和"无项目"两种情况下价格的均值确定为影子价格。

【例 8-3】

某新建项目设计能力为年产 A 产品 10 万 t。预计项目实施后，会冲击原有 A 产品市场，使得产品市场价格下降 20%。已知 A 产品的原市场竞争性价格为 2 000 元/t（含税）。求该产品国民经济评价中的营业收入。

解： 对于项目的产出，增加供给满足国内市场供应的，影子价格按支付意愿确定，包含流转税。

若项目规模大，其实施足以影响市场价格，则取"有项目"和"无项目"两种情况下价格的均值为影子价格。

影子价格 = [有项目价格(含税) + 有无项目价格(含税)] ÷ 2
= [2 000 元 + 2 000 元 × (1 - 20%)] ÷ 2
= 1 800 元

营业收入 = 10 万 t × 1 800 元/t
= 18 000 万元

将【例 8-2】与【例 8-3】进行比较分析。【例 8-2】中，由于项目的实施，使得既有企业的 A 产品市场供应量减少，新项目占用了市场中的"量"；【例 8-3】中，由于项目的实施，使得既有企业的 A 产品市场价格降低，新项目影响了市场的"价"。

（2）不具有市场价格的项目产出影子价格的确定

按照消费者支付意愿的原则，采用"显示偏好"的方法，通过其他相关市场价格信号，间接估算项目产出的影子价格；也可利用"陈述偏好"的意愿调查方法，分析调查对象的支付意愿或受偿意愿，推断项目产出的影子价格。

调查评估中应注意以下可能出现的偏差：

1）调查对象相信他们的回答能影响决策，从而使他们实际支付的私人成本低于正常条件下的预期值时，调查结果可能产生的策略性偏差。

2）调查者对各种备选方案介绍得不完全或使人误解时，调查结果可能产生的资料性偏差。

3）问卷假设的收款或付款方式不当，调查结果可能产生的手段性偏差。

4）调查对象长期免费享受环境和生态资源等所形成的"免费搭车"心理，导致调查对象将这种享受看作天赋的权利而抗拒为此付款，从而使调查结果的假想性偏差。

2. 可外贸货物的影子价格

可外贸货物是指其生产或使用直接或间接影响国家进出口的货物。它主要包括：项目产出物中直接出口（增加出口）、间接出口（替代其他项目产品供应国内市场而使其他企业增加出口）或替代进口（以产品满足其他企业或最终消费从而减少进口）；项目投入物中直接进口（增加进口）、间接进口（挤占其他企业投入物使其增加进口）或减少出口（挤占原可用于出口的国内产品）。

可外贸货物的影子价格以实际可能发生的国际市场价格（一般取边境价格）为基础确定。边境价格的选取应注意国际市场的变化趋势，进行有根据的预测。

$$\text{出口产出物的影子价格} = \text{离岸价(FOB 价)} \times \text{影子汇率} - \text{出口费用} \tag{8-1}$$

$$进口投入物的影子价格 = 到岸价（CIF 价）\times 影子汇率 + 进口费用 \quad (8\text{-}2)$$

离岸价（FOB 价）、到岸价（CIF 价）均以项目所在国口岸为依据。进口或出口费用是指货物进出口环节在国内发生的相关费用，包括运输、储运、装卸、运输保险等以及物流环节的各种损失、损耗等。在一般情况下，大致包括国内运杂费和贸易费用。

影子汇率是指能正确反映外汇真实价值的汇率，一般地，其计算公式如下：

$$影子汇率 = 影子汇率换算系数 \times 官方牌价汇率 \quad (8\text{-}3)$$

目前，我国影子汇率换算系数取值为 1.08。

如果贸易费用在国内支付人民币，则计算时直接用官方牌价汇率而不用影子汇率。

【例 8-4】 某建设项目拟进口设备，已知设备离岸价为 148 万美元，到岸价为 150 万美元；进口环节增值税税率为 13%，关税税率为 10%；国内运杂费为 24 万元人民币，贸易费用率为 3%；市场汇率为 1 美元 = 6.5 元人民币，影子汇率换算系数为 1.08。试计算该设备的影子价格。

解：根据题意，做如下分析：
1) 项目投入的进口环节增值税属于转移支付，不予考虑。
2) 项目投入的进口关税属于转移支付，不予考虑。
3) 贸易费用发生在国内，以人民币结算。

$$\begin{aligned}进口投入物的影子价格 &= 到岸价 \times 影子汇率 + 进口费用 \\ &= (150 \times 6.5 \times 1.08 + 150 \times 6.5 \times 3\% + 24) \text{ 万元} \\ &= 1\,106.25 \text{ 万元}\end{aligned}$$

即该设备的影子价格为 1 106.25 万元。

3. 非外贸货物的影子价格

非外贸货物是指其生产或使用将不影响国家进出口的货物。根据不能外贸的原因，非外贸货物分为天然的非外贸货物和非天然的非外贸货物。除了所谓天然的非外贸货物如建筑、国内运输等基础设施和商业的产品和服务外，还有由于运输费用过高或受国内、国外贸易政策和其他条件的限制不能进行外贸的非天然的非外贸货物。其特点是：到岸价 > 国内生产成本 > 离岸价。非外贸货物没有国际市场价格资料，必须根据投入产出非外贸货物对国民经济的影响来确定其影子价格。

（1）产出物

增加供应量满足国内消费的产出物：在供求均衡时，按财务价格定价；供不应求的，参照国内市场价格并考虑价格变化趋势定价，但一般不应高于相同质量产品的进口价格；对供求情况判别不清时，取上述价格中较低者。

不增加国内供应量，只是替代其他相同或类似企业的产出物，致使被替代企业减产或停产的：质量与被替代产品相同的，应按被替代企业同种产品的变动成本分解定价，此时说明国内市场有限，该产品不应扩大再生产；如果产出物质量比被替代产品质量高，国内又没有同样的产品，则可参照该产出物的国际市场价格定价。

按上述原则定价后，再适当增减运输费用和贸易费用，换算为销售的影子价格。

(2) 投入物

现有生产该投入物的企业生产能力有余,项目投入物直接或间接来自现有企业生产能力的利用,则投入物按边际生产成本定价。这时生产成本不含固定成本,仅包含所增加的变动成本,所以可按变动成本分解定价。

国内无富余生产能力,项目投入物直接或间接来自新增投资扩大生产规模的,按新增生产能力的边际生产成本定价。这时生产成本包含固定成本和变动成本,所以应按全部成本分解定价;难以取得资料时,也可参照市场价考虑定价。

项目投入物无法通过扩大生产规模增加供应,而是来自于减少对国内原用户的供应,则投入物的影子价格就是其他用户的边际产出价值。在缺乏有关其他用户边际产出价格数据的情况下,取这种投入物的市场交换价格作为边际产出价值的估计值。

按上述原则定价后,再适当增减运输费用和贸易费用,换算为购入的影子价格。

4. 特殊投入物的影子价格

(1) 人力资源的影子价格

人力资源的影子价格即影子工资,一般根据劳动力的机会成本确定:

$$影子工资 = 劳动力的机会成本 + 新增资源消耗 \tag{8-4}$$

劳动力的机会成本按以下原则确定:

由原企业转过来者,其影子工资是所放弃的原就业机会的工资及支付的税金之和;自愿失业者的影子工资是本项目所支付的税后净工资;非自愿失业者的影子工资应反映其为了工作而放弃休闲愿意接受的最低工资金额。

新增资源消耗是指劳动力在本项目就业而发生的经济资源消耗,而这种消耗与劳动者生活水平的提高无关。

在工程经济分析实务中,可将财务工资调整为影子工资:

$$影子工资 = 财务工资 \times 影子工资换算系数 \tag{8-5}$$

技术劳动力的工资报酬一般可由市场决定,影子工资可以以实际支付的财务工资计算;非技术劳动力的影子工资换算系数一般取 0.25~0.8。

(2) 土地影子价格

土地影子价格一般根据土地的机会成本确定。项目占用土地无论是否支付财务成本,均应根据土地用途的机会成本或消费者支付意愿计算其影子价格。

对于生产性用地,一般有:

$$土地影子价格 = 土地机会成本 + 新增资源消耗 \tag{8-6}$$

新增资源消耗应按照"有项目"情况下土地征用造成的原有地上附属物财产损失及其他资源消耗计算,主要包括搬迁费和安置费等。

对于非生产性用地,通常按照支付意愿的原则,根据市场价格测算其影子价格。

在工程经济分析实务中,土地的影子价格可以按下列方式确定:

1) 通过招标、挂牌、拍卖方式取得的国有土地,影子价格按财务价格计算。

2) 以划拨、协议、优惠等方式取得的土地,参照公平市场交易情况,对因为缺失市场竞争而产生的价格扭曲进行调整。

3) 难以市场价格类比时,可以开发收益确定。

4) 采用收益现值法确定土地影子价格时,以社会折现率对土地的未来收益和费用进行折现。

【例 8-5】
某项目需征地 275 亩[⊖]，每亩实际征地费为 80 000 元，其中，土地补偿和青苗补偿费为 22 000 元，安置补助为 20 000 元，拆迁费为 15 000 元，耕地占用税为 8 400 元，粮食开发基金为 5 600 元，其他费用为 9 000 元。土地的机会成本为 66 000 元/亩，拆迁费按建筑工程的影子价格换算系数 1.1 计算。该宗土地的国民经济费用是多少？

解： 根据题意，做如下分析：
1) 项目的新增资源消耗包括安置补助、拆迁费、其他费用。
2) 土地补偿和青苗补偿费、耕地占用税、粮食开发基金属于转移支付。

$$土地影子价格 = 土地机会成本 + 新增资源消耗$$
$$= (66\ 000 + 20\ 000 + 15\ 000 \times 1.1 + 9\ 000)元$$
$$= 111\ 500\ 元$$

即该宗土地的国民经济费用为 111 500 元。

8.4 国民经济评价的步骤及评价指标

8.4.1 国民经济评价的步骤

国民经济评价可以在财务评价的基础上进行，也可以直接进行。

1. 在财务评价基础上进行国民经济评价的步骤
1) 剔除财务评价中已计算为收益或费用的转移支付。
2) 增加财务评价中未反映的间接收益和间接费用。
3) 价格体系调整，用影子价格、影子工资、影子汇率和土地影子价格等代替财务价格及费用，对销售收入（或收益）、固定资产投资、流动资金、经营成本等进行调整。
4) 编制有关报表，计算项目的国民经济评价指标。

2. 直接进行国民经济评价的步骤
1) 识别和计算项目的直接收益与费用、间接收益与费用。
2) 价格体系调整，以货物的影子价格、影子工资、影子汇率和土地影子价格等计算项目固定资产投资、流动资金、经营费用、销售收入（或收益）。
3) 编制有关报表，计算项目的国民经济评价指标。

国民经济评价是通过有关评价指标的计算，编制相关报表来反映项目的国民经济效果。

8.4.2 国民经济评价的报表

建设项目进行国民经济评价，需要编制国民经济评价报表，这是一项基础工作。国民经济评价报表采用一种基本报表和五种辅助报表。

基本报表即项目投资经济费用效益流量表。

辅助报表包括：经济费用效益分析投资费用估算调整表、经济费用效益分析经营费用估

⊖ 1 亩 = 666.7 m²。

算调整表、项目直接效益估算调整表、项目间接费用估算表、项目间接效益估算表。

1. 基本报表

基本报表即项目投资经济费用效益流量表，见表 8-1。

表 8-1 项目投资经济费用效益流量表 （单位：万元）

序号	项目	合计	计算期/年									
			1	2	3	4	5	6	7	8	…	n
1	效益流量											
1.1	项目直接效益											
1.2	资产余值回收											
1.3	项目间接效益											
2	费用流量											
2.1	建设投资											
2.2	维持运营投资											
2.3	流动资金											
2.4	经营费用											
2.5	项目间接费用											
3	净效益流量（1-2）											

计算指标：
经济内部收益率（%）
经济净现值（i_s = %）

该表用以计算经济内部收益率、经济净现值等指标，考察项目投资对国民经济的净贡献，衡量项目的盈利能力，并据此判别项目的经济合理性。其编制方法可以按照经济费用效益识别和计算的原则和方法直接进行，也可以在财务分析的基础上将财务现金流量转换为反映真正资源变动状况的经济费用效益流量。

（1）直接进行经济费用效益流量的识别和计算

直接进行经济费用效益流量的识别和计算，其基本步骤如下：

1) 对于项目的各种投入物，应按照机会成本的原则计算其经济价值。
2) 识别项目产出物可能带来的各种影响效果。
3) 对于具有市场价格的产出物，以市场价格为基础计算其经济价值。
4) 对于没有市场价格的产出效果，应按照支付意愿及受偿意愿的原则计算其经济价值。
5) 对于难以进行货币量化的产出效果，应尽可能地采用其他量纲进行量化。难以量化的，进行定性描述，以全面反映项目的产出效果。

（2）在财务分析基础上进行经济费用效益流量的识别和计算

在财务分析基础上进行经济费用效益流量的识别和计算，其基本步骤如下：

1) 剔除财务现金流量中的通货膨胀因素，得到以实价表示的财务现金流量。
2) 剔除运营期财务现金流量中不反映真实资源流量变动状况的转移支付因素。
3) 用影子价格和影子汇率调整建设投资各项组成，并剔除其费用中的转移支付项目。
4) 调整流动资金，将流动资产和流动负债中不反映实际资源耗费的有关现金及应收、应付、预收、预付款项，从流动资金中剔除。
5) 调整经营费用，用影子价格调整主要原材料、燃料动力费用，工资及福利等。
6) 调整营业收入，对于具有市场价格的产出物，以市场价格为基础计算其影子价格；

对于没有市场价格的产出效果,以支付意愿或受偿意愿的原则计算其影子价格。

7) 对于可货币化的外部效果,应将货币化的外部效果计入经济效益费用流量;对于难以进行货币化的外部效果,应尽可能地采用其他量纲进行量化。难以量化的,进行定性描述,以全面反映项目的产出效果。

2. 辅助报表

1) 辅助报表 1——经济费用效益分析投资费用估算调整表(表 8-2)。

表 8-2 经济费用效益分析投资费用估算调整表

(单位:人民币(万元);外币(万美元))

序号	项目	财务分析			经济费用效益分析			经济费用效益分析比财务分析增减
		外币	人民币	合计	外币	人民币	合计	
1	建设投资							
1.1	建筑工程费							
1.2	设备购置费							
1.3	安装工程费							
1.4	其他费用							
1.4.1	其中:土地费用							
1.4.2	专利及专有技术费							
1.5	基本预备费							
1.6	涨价预备费							
1.7	建设期利息							
2	流动资金							
	合计(1+2)							

注:若投资费用是通过直接估算得到的,本表应略去财务分析的相关栏目。

2) 辅助报表 2——经济费用效益分析经营费用估算调整表(表 8-3)。

3) 辅助报表 3——项目直接效益估算调整表(表 8-4)。

表 8-3 经济费用效益分析经营费用估算调整表

序号	项目	单位	投入量	财务分析		经济费用效益分析	
				单价(元)	成本(万元)	单价(元)	费用(万元)
1	外购原材料						
1.1	原材料 A						
1.2	原材料 B						
1.3	原材料 C						
1.4	……						
2	外购燃料动力						
2.1	煤						
2.2	水						
2.3	电						
2.4	重油						
2.5	……						
3	工资及福利						
4	修理费						
5	其他费用						
	合计						

注:若经营费用是通过直接估算得到的,本表应略去财务分析的相关栏目。

表 8-4　项目直接效益估算调整表

产出物名称			投产第一期负荷(%)				投产第二期负荷(%)				…	正常生产年份(%)			
			A产品	B产品	…	小计	A产品	B产品	…	小计		A产品	B产品	…	小计
年产出量		计算单位													
		国内													
		国际													
		合计													
财务分析	国内市场	单价(元)													
		现金收入(万元)													
	国际市场	单价(美元)													
		现金收入(万元)													
经济费用效益分析	国内市场	单价(元)													
		直接效益(万元)													
	国际市场	单价(美元)													
		直接效益(万元)													
合计(万元)															

注：若直接效益是通过直接估算得到的，本表应略去财务分析的相关栏目。

4）辅助报表 4——项目间接费用估算表（表 8-5）。

表 8-5　项目间接费用估算表

序号	项目	合计	计算期					
			1	2	3	4	…	n

5) 辅助报表 5——项目间接效益估算表（表 8-6）。

表 8-6 项目间接效益估算表

序号	项目	合计	计算期					
			1	2	3	4	…	n

8.4.3 国民经济评价指标

国民经济评价主要是进行经济盈利能力分析，其主要指标是经济内部收益率和经济净现值。此外，还可以根据需要和可能计算间接费用和间接效益，将其纳入费用效益流量中，对难以量化的间接费用、间接效益应进行定性分析。

1. 经济内部收益率

经济内部收益率（EIRR）是指项目在计算期内各年经济净效益流量的现值累计等于零时的折现率。它是反映项目对国民经济所做净贡献的相对指标，也表示项目占用资金所获得的动态收益率，其表达式如下：

$$\sum_{t=0}^{n}(B-C)_t(1+\text{EIRR})^{-t}=0 \tag{8-7}$$

式中　B——项目的效益流入量；
　　　C——项目的费用流出量；
　$(B-C)_t$——第 t 年的净现金流量；
　　　n——项目的计算期（年）；
　　EIRR——经济内部收益率。

在评价项目的国民经济贡献能力时，若经济内部收益率等于或大于社会折现率，则表明项目对国民经济的净贡献达到或超过了要求的水平，此时项目是可行的；反之，则是不可行的。

2. 经济净现值

经济净现值（ENPV）是反映项目对国民经济净贡献的绝对指标，是用社会折现率将项目计算期内各年的净效益流量折算到建设期初的现值之和。其表达式如下：

$$\text{ENPV}=\sum_{t=0}^{n}(B-C)_t(1+i_s)^{-t} \tag{8-8}$$

式中　ENPV——经济净现值；
　　　i_s——社会折现率；
　其余符号的意义同式（8-7）。

在评价项目的国民经济贡献能力时,若经济净现值大于或等于零,表示国家为拟建项目付出代价后,可以得到符合社会折现率要求的社会盈余,或者还可以得到超额的社会盈余,表明项目的盈利性达到了基本要求,项目是可行的;反之,则是不可行的。

【例8-6】

某工程项目需要购置一台大型设备,现有A、B两个备选方案。A方案:购买国内设备,购置费为40万元人民币,运杂费用率为1%;设备在第4年和第7年进行大修,费用均为5 000元,吨产量耗燃料0.022t,年均维护费用为1 000元,年产量为6万t。B方案:从国外进口设备,离岸价为10万美元,海运费、保险费为3 000美元,进口关税和增值税为20万元,国内运输费为1 000元,进口贸易费费率为2%,设备在5年末大修,费用为10 000元,吨产量耗燃料0.02t,年均维护费为5 000元,年产量为8万t。外汇牌价为1美元等于6.5元人民币。两个方案设备的寿命均为10年,残值均为原值的5%。每台设备配1名工人,年工资为20 000元。上述数据,除外汇和燃料价格外,不存在价格扭曲。进口设备影子工资调整系数为1.1,影子汇率调整系数为1.08;进口燃料到岸价为100美元/t,国内运费为15元/t。社会折现率为8%,试从国民经济角度评价两个方案。

解:1)计算燃料影子价格。

$$(100 \times 6.5 \times 1.08 + 15) 元/t = 717 元/t$$

2)计算购置费。

A方案:$[40 \times (1+1\%)]$万元 $= 40.4$万元

B方案:$[(10+0.3) \times 6.5 \times 1.08 + (10+0.3) \times 6.5 \times 2\% + 0.1]$万元 $= 73.745$万元

3)计算年运行费用。

A方案:$[1\ 000 + 0.022 \times 717 \times 60\ 000 + 20\ 000]$万元 $= 96.744$万元

B方案:$[5\ 000 + 0.02 \times 717 \times 80\ 000 + 20\ 000 \times 1.1]$万元 $= 117.42$万元

4)计算经济费用现值。

$$PC_A = \sum_{t=0}^{n}(B-C)_t(1+i_s)^{-t}$$
$$= [40.4 + 96.744 \times (P/A, 8\%, 10) + 0.5 \times (P/F, 8\%, 4) +$$
$$0.5 \times (P/F, 8\%, 7) - 40.4 \times 5\% \times (P/F, 8\%, 10)] 万元$$
$$= 689.28 万元$$

$$PC_B = \sum_{t=0}^{n}(B-C)_t(1+i_s)^{-t}$$
$$= [73.745 + 117.42 \times (P/A, 8\%, 10) + 1.0 \times (P/F, 8\%, 5) -$$
$$73.745 \times 5\% \times (P/F, 8\%, 10)] 万元$$
$$= 860.62 万元$$

5)计算方案单位产量费用现值。

A方案:$(689.28 \div 6)$万元 $= 114.88$万元

B方案:$(860.62 \div 8)$万元 $= 107.58$万元

显然,B方案优于A方案。

练 习 题

1. 某项目设计年产某产品 10 万 t。预计项目投产后，可以减少该产品进口 3 万 t（该产品进口的到岸价为 800 美元），产品的国内市场也将受到影响，价格将会由 5 000 元/t 降为 4 000 元/t；并且国内原有生产企业将因成本过高而减产 2 万 t。该产品既有企业的财务成本为 4 600 元/t，变动成本调整后的影子价格为 3 500 元/t，市场汇率为 1 美元＝6.5 元人民币。不考虑国内运费和贸易费，求该项目国民经济评价的年营业收入。

2. A 项目的投入物 H 产品由 B 厂生产，由于 A 的建成使原用户 G 由 B 厂供应的投入物减少，一部分要靠进口。已知：A 距 B 为 100km，B 距 G 为 130km，G 距港口为 200km，进口到岸价为 300 美元/t，影子汇率为 1 美元＝6.5 元人民币，贸易费用按采购价格的 6% 计算，国内运费为 0.1 元/(t·km)。试求项目 A 投入物的影子价格。

3. 某项目动态建设投资为 24 172 万元。其中，建筑工程费为 9 020 万元，设备及工器具购置费为 5 772 万元（含进口关税和进口环节增值税 574 万元），安装工程费为 1 180 万元，工程建设其他费用为 4 308 万元（含建设用地费用 2 196 万元），基本预备费为 2 028 万元，涨价预备费为 1 038 万元，建设期贷款利息为 826 万元。已知房屋建设工程影子价格换算系数为 1.1，设备及安装材料价格均为市场价格，建设用地影子价格为 1 432 万元。问：国民经济评价的建设投资为多少？

4. 某项目目前年营业收入为 3 200 万元，年经营成本为 2 400 万元，财务效益较好。现计划进口一套设备进行扩建，设备到岸价为 180 万美元，到口岸后需要花费的费用包括：关税 41.5 万元，国内运输费 12.7 万元，外贸手续费（费率 3.5%），增值税 87.5 万元。扩建完成后，年营业收入可增加到 4 500 万元，年经营成本提高到 3 300 万元。项目生产的产品为市场竞争类产品。在经营成本计算中，包含环保部门每年收取的 200 万元排污费。该项目存在污染，专家分析认为，污染排放对国民经济的实际损害为营业收入的 10%。产品市场寿命为 5 年，第 5 年末进口设备的残值为 50 万元。如果决定实施扩建，原生产线的一些设备可以以 100 万元出售。市场汇率为 1 美元＝6.5 元人民币，影子汇率换算系数为 1.08，社会折现率为 12%。试对该项目扩建进行国民经济评价。

第 9 章　不确定性分析与风险分析

【内容提要】

(1) 不确定性及不确定性分析。
(2) 盈亏平衡分析。
(3) 敏感性分析。
(4) 项目敏感性的表示。
(5) 风险分析与不确定性分析的关系。
(6) 风险分析的方法。

【关键词】

不确定性；不确定性分析；盈亏平衡分析；盈亏平衡点；敏感性分析；转换值；敏感度系数；风险分析；风险；客观概率估计；主观概率估计；概率树；蒙特卡罗法

【学习指导】

对建设项目进行财务评价和国民经济评价，主要是针对拟建项目在投资前进行的。因此，分析所用的基础数据如投资、营业收入、经营成本、寿命周期等，主要是通过预测和估计取得的。在进行前述的财务评价和国民经济评价时，假定这些数据是确定不变的，以此得出方案的经济评价结论。但由于评价人员认识的局限性以及所采用的预测和估计方法本身的局限性，项目在未来实施中实际发生的数据与分析所用的数据不可能完全一致，甚至有可能出现较大的偏差，这样就产生了影响方案经济性评价的不确定性因素和项目实施的风险。因而在进行项目决策时，有必要进行收益和风险的权衡，使投资建立在稳妥的基础之上。

因此，为分析不确定性因素变化对未来项目投资建设和运营的影响，估计项目可能承担的风险，应进行不确定性分析与经济风险分析，提出项目风险的预警、预报和相应的对策，以保证投资决策的审慎和稳妥。

把知道发生可能性（概率）的不确定性称为风险，把不知道发生可能性（概率）的称为不确定性，即风险是可以或能够估量的不确定性，而不确定性（狭义的不确定性）是不能够估量的。在此基础上，不确定性分析仅指盈亏平衡分析和敏感性分析，而风险分析需要对风险因素发生的概率进行估计。

盈亏平衡分析是通过计算项目达产年的盈亏平衡点（BEP），分析项目成本与收入的平衡关系，判断项目对产出品数量变化的适应能力和抗风险能力。盈亏平衡分析只用于财务评价。

敏感性分析是通过分析不确定性因素发生增减变化时，对财务或经济评价指标的影响，并通过计算敏感度系数和临界点，找出敏感因素，判断可接受的不确定性因素波动幅度，为风险防范提供准确信息。在建设项目经济评价中，通常只进行单因素敏感性分析。

风险一般是指因某种不确定性引起的行动的潜在损失。但在决策理论中，风险与不确定性之间的差别在于两点：①风险条件下的决策意味着决策者可以列出一个决策的所有可能后果，及与之相关的出现概率，这种决策称为风险型决策；②不确定性条件下的决策则意味着决策者不能列出全部可能后果，或者不能确定各种后果的出现概率，这种决策称为不确定性决策。

风险分析的过程包括风险识别、风险测度、风险评价及风险应对（防范风险的对策）。

风险识别主要是指对来源于法律法规及政策、市场供需、资源开发与利用、技术的可靠性、工程方案、融资方案、组织管理、环境与社会、外部配套条件等一个方面或几个方面的风险因素进行识别。风险识别应采用系统论的观点对项目全面考察综合分析，找出潜在的各种风险因素，并对各种风险进行比较、分类，确定各因素间的相关性与独立性，判断其发生的可能性及对项目的影响程度，按其重要性进行排队或赋予权重。

风险测度应采用主观概率和客观概率的统计方法，确定风险因素的概率分布；运用数理统计分析方法，计算项目评价指标相应的概率分布或累计概率、期望值和标准差。本章以风险测度作为风险分析的重点内容予以阐述。

风险评价是指根据风险识别和风险测度的结果，通过建立项目风险的系统评价模型，依据项目风险判别标准，找出影响项目成败的关键风险因素，确定项目的整体风险水平，为如何处置这些风险提供科学依据。风险评价的判别标准可采用两类：一类是以经济评价指标（IRR 或 NPV）的累计概率、标准差为判别标准，另一类是以综合等级为判别标准。

风险应对就是指在风险评价的基础上，针对对项目成败具有重大影响的关键因素，采取相应的应对措施，尽可能降低风险的不利影响，实现预期的投资效益。

相对于不确定性分析与风险分析，之前的财务评价和国民经济评价是建立在确定性信息基础上的，可统称为确定性评价。确定性评价揭示了项目的收益（财务视角、国民经济视角），不确定性分析与风险分析揭示了项目的风险。因此，确定性评价和不确定性分析与风险分析共同构成了完整的项目评价体系。

需要指出的是，不确定性分析与风险分析是建立在确定性评价基础上的，所揭示的风险是基于确定性的项目建设和运营而提出的。离开了这个基础，不确定性分析与风险分析就失去了意义。所以不能简单地依据不确定性分析与风险分析结论进行决策。

【本章教学案例】

接第 7 章教学案例。

试对该项目进行不确定性和风险评价。

（1）试计算项目营业收入的转换值，并给出风险防范建议。

（2）试计算土地费用的转换值，并给出风险防范建议。

9.1 不确定性分析概述

不确定性分析是在对建设项目进行了财务评价和国民经济评价的基础上进行的，旨在用一定的方法考察不确定性因素对方案实施效果的影响程度，分析项目运行风险，以完善建设项目的评价结论，提高投资决策的可靠性和科学性。

不确定性与风险评价概述

9.1.1 项目不确定性的含义

项目不确定性是指对于项目未来经济状况（尤其是收益和损失）的分布范围和状态不能确知的性质。

项目是一个复杂工程，未来状态不会是一条既定的轨迹。所以项目的不确定性具有客观性。

建设项目的经济评价在项目实施之前进行，评价所需的基础变量数据用预测的方法获得，而由于项目未来的经济状况不能确知，即基础变量的预测值偏离实际状态值的程度不能确知，所以项目经济评价结论也具有不确定性。正是由于项目评价所基于的基础变量具有不确定性，所以简单依据财务评价和国民经济评价的结论而决策，无疑会给未来项目的实施带来风险。风险因不确定性而引发，不确定性导致风险。

9.1.2 项目不确定性产生的原因

概括地说，项目的复杂性、人们对项目发展认识的局限性，以及所采用预测方法的局限性，是项目具有不确定性的缘由。具体地说，建设项目所赖以存在的政治、经济、社会、市场环境以及项目自身等都存在着不确定性，是产生项目不确定性的原因。不确定性的原因可概括为以下几个主要方面：

1. 主观原因

1) 信息的不完全性及不充分。
2) 人的有限理性。

2. 客观原因

1) 经济环境因素的影响，如通货膨胀（紧缩）、汇率、经济周期的影响。
2) 技术环境因素的影响，如生产工艺技术、装备技术的变化。
3) 政策及法律环境因素的影响，如税收政策、国家对产业政策的变化的影响。
4) 市场供求变化的影响。
5) 社会文化环境因素的影响，如人们的环保意识及对待某些产品和服务态度及认知的变化。
6) 自然条件和资源因素的影响。

在项目经济评价中，要全面分析这些因素的变化对项目经济效果的影响是十分困难的。因此，在实际工作中，往往要着重分析和把握那些对项目影响大的关键因素，以期取得较好的效果。

9.1.3 不确定性分析的概念

不确定性分析是指通过对拟建项目实施有影响的不确定性因素进行分析，考察不确定性因素变化对项目实施经济效益的影响，预测项目可能承担的风险，评价项目的可靠性，为投资者权衡收益和风险、稳妥进行决策提供依据。

建设项目的财务评价和国民经济评价依据确定不变的现金流量的基础数据做出，因此得出的结论也是确定、唯一的，揭示了项目的收益，可称之为确定性分析；不确定性和风险分析通过分析项目的不确定性对项目实施的影响，预测、揭示项目可能存在或承担的风险，评价项目的可靠性。这两类不同性质的评价，共同构成了完整的项目评价体系。

不确定性因素是指项目评价中所依据的具有不确定性的基础变量，可分为完全不确定性因素（狭义的不确定性因素）和风险性因素两种类型。完全不确定性因素是指不可测定的因素，其未来状态和可能出现的概率分布均未知；风险性因素是指可测定的因素，其未来状态不确定，每种状态出现的可能性即概率分布是已知或是可估计的。

不确定性分析包括盈亏平衡分析和敏感性分析。在具体应用时，要在综合考虑项目的类型特点、决策者的要求、基础变量的不确定性程度等因素的基础上来选择。一般来讲，盈亏平衡分析只适用于项目的财务评价，而敏感性分析则可同时用于财务评价和国民经济评价。

9.1.4 不确定性分析的步骤

1. 鉴别项目的主要不确定性因素

尽管项目运行中涉及的许多因素都具有不确定性，但它们在不同条件下的不确定性程度是不同的。在不确定性分析时，没有必要对所有的不确定性因素进行分析，而应找出不确定性程度相对较大的关键因素作为分析的重点。

2. 预测和估计不确定性因素的变动范围

对项目的不确定性因素，应预测和估计其变化的一般趋势、变动的幅度范围，以及其可能的变动边界。

3. 选择不确定性分析的方法

根据项目的类型特点、决策者的要求、不确定性因素的性质等，选择不确定性分析的方法。盈亏平衡分析适用于在财务环境下对不确定性因素的概括分析，敏感性分析适用于各种环境状态的重点不确定性因素的揭示。

4. 确定分析的结果

根据选用的方法和依据的指标，不确定性分析的结果可以是盈亏平衡点确定、敏感度与敏感因素的界定等。

5. 提示项目实施风险

根据不确定性因素估计和不确定性分析结果，分析评判项目实施的风险状况，提示风险防范对策。

9.2 盈亏平衡分析

盈亏平衡分析

不确定性因素的变化影响着建设项目的经济效果，当这些因素的变化达到某一临界值时，可能致使原来盈利的项目变为亏损项目，并导致项目比选的结果发生质的变化。盈亏平衡分析的目的就是找出项目由盈利到亏损、由优到劣的临界点，据此考察建设项目对运营状态变化的适应能力、承受能力和抵御风险能力。

9.2.1 盈亏平衡分析的概念

盈亏平衡分析是根据项目产量（销售量）、成本与利润之间的经济数量关系，通过分析项目的盈亏平衡点（Break Even Point，BEP），考察项目对运营状态变化的适应能力、承受能力和抵御风险能力，是评价项目财务可靠性的不确定性分析方法。

盈亏平衡分析在财务评价环境中进行，分析在确定的目标市场、产品方案及建设规模、工艺技术路线等总体设计条件下项目的成本和收益关系；利用营业收入等于总成本费用的盈亏平衡点，考察项目对运营状态变化的适应能力。一般认为，盈亏平衡点越低，表明项目适应运营状态变化的能力越强，项目抵御风险的能力越强，财务可靠性越好。

9.2.2 盈亏平衡分析的原理

1. 盈亏平衡的数学模型

设定以下符号含义：

p——单位产品销售价格（单价）；

Q——年销售量（产量）；

v——单位产品变动成本；

F——年度固定成本；

P——年度总利润；

S——年度销售收入；

C——年度总成本费用；

R——流转税；

r——流转税税率或征收率。

可以建立下列数学模型：

1) 年度销售收入函数：

$$S = f(Q, p, \cdots)$$

2) 年度总成本费用函数：

$$C = f(Q, F, v, \cdots)$$

3) 年度总利润函数：

$$P = S - C - Sr = f(Q, p, v, r, \cdots)$$

当 $P = 0$ 时，称为盈亏平衡。据此建立盈亏平衡算式，就可求解各个因素的盈亏平衡点。

2. 线性盈亏平衡分析

（1）基本假设

1) 销售量等于产量。正常的营销策略是适销对路、以销定产。在项目经济分析时可以假定产销平衡。

2) 固定成本和单位变动成本固定不变。在一定的生产经营状况下，这种假定显然是可行的。

3) 销售单价相对固定。

4) 生产单一产品，或生产多种产品但可以换算为单一产品。

(2)线性盈亏平衡分析函数及盈亏平衡图

1)线性盈亏平衡分析函数。具体如下:

年度销售收入函数:
$$S = pQ$$

年度总成本费用函数:
$$C = F + vQ$$

年度总利润函数:
$$P = S - C - R$$

2)线性盈亏平衡分析图。在以上基本假设条件下,销售收入函数和总成本费用函数均为线性函数,如图9-1所示。

由图9-1可以看出:线S与线C有一个交点,这个交点就是盈亏平衡点(BEP)。它把S、C两条线所夹的范围分为两个区:交点左边总成本费用线高于销售收入线,为亏损区;交点右边销售收入线高于总成本费用线,为盈利区。交点所对应的产量Q_0,就称为盈亏平衡点产销量或保本产销量。也就是说,产销量水平高于Q_0时,项目是盈利的;当产销量水平低于Q_0时,项目是亏损的。交点越低,亏损区就越小,项目盈利的机会就越大,亏损的风险就越小。

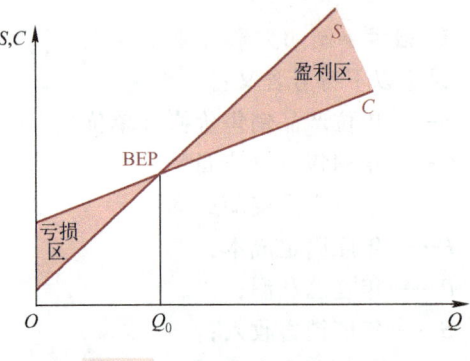

图9-1 线性盈亏平衡分析图

(3)盈亏平衡点的求解

盈亏平衡点的求解除借助盈亏平衡分析图之外,还可以应用数学模型建立的平衡算式进行求解。

盈亏平衡点表示方式不同,通常有以下几种:

1)以年产销量表示。设Q_0表示盈亏平衡点产量,由$P=0$得:

$$Q_0 = \frac{F+R}{p-v} \tag{9-1}$$

2)以销售收入表示。设S_0表示销售收入的盈亏平衡点,则:

$$S_0 = pQ_0 = \frac{p(F+R)}{p-v} \tag{9-2}$$

3)以生产能力利用率表示。设a_0表示生产能力利用率的盈亏平衡点,Q_s表示设计生产能力,则:

$$a_0 = \frac{Q_0}{Q_s} \times 100\% \tag{9-3}$$

a_0值越小,表明生产能力利用率很小就可盈利,项目的可靠性越大。若实际生产能力利用率大于a_0,项目就可盈利。一般情况下,$a_0 \leq 70\%$,就可认为项目具备较好的抗风险能力。

(4)盈亏平衡分析与经营风险的衡量

盈亏平衡分析给出了项目的盈亏区域界限,只有在盈利区内项目才可行。但是,项目在实施过程中会受到很多不确定性因素的影响，可能会超越盈亏分界线，进入亏损区。一般地，实际生产经营状况越远离盈亏平衡点，项目的经营安全性就越大，抗风险能力越强。为此，引入经营安全度这一指标来反映项目抗风险能力的大小：

$$A = \frac{Q_s - Q_0}{Q_s} \tag{9-4}$$

式中　A——经营安全度。

A 越大，表明经营的安全性越大，抗风险能力越强。一般认为，$A \geqslant 30\%$ 时，项目经营安全。事实上，生产能力利用率与经营安全度之和等于 1。

> **【例 9-1】**
> 某方案设计年产量为 30 万件，估计产品单价（不含税）为 10 元，单位变动成本为 8 元，年固定成本为 40 万元，增值税征收率为 3%。试分别用产量、销售收入、生产能力利用率表示盈亏平衡点，并计算经营安全度。
>
> 解：$Q_0 = \dfrac{F+R}{p-v} = \dfrac{40 + 10 \times 30 \times 3\%}{10 \times (1+3\%) - 8 \times (1+3\%)}$ 万件 $= 23.79$ 万件
>
> $S_0 = pQ_0 = \dfrac{p(F+R)}{p-v} = [10 \times (1+3\%) \times 23.79]$ 万元 $= 245$ 万元
>
> $a_0 = \dfrac{Q_0}{Q_s} \times 100\% = \dfrac{23.79}{30} = 79.3\%$
>
> $A = 1 - a_0 = 1 - 79.3\% = 20.7\%$
>
> 由于 $a_0 > 70\%$，$A < 30\%$，所以项目经营风险较高，财务运营可靠性不高。

需注意，若题中的价格（销售单价及成本）为含税价，则计算增值税时需调整为不含税价格后才能运用式（9-1）~式（9-4）进行计算。

3. 非线性盈亏平衡分析

线性盈亏平衡分析方法简单明了，但它在应用中有一定的局限性。项目在实际运营中，年度总成本费用函数和销售收入函数并不完全表现为线性关系，而通常是随着市场以及项目运营情况变化，表现为非线性的关系。当销售收入函数与年度总成本费用函数呈非线性变化趋势时，对其进行的盈亏平衡分析就是非线性盈亏平衡分析。非线性盈亏平衡分析的原理与线性盈亏平衡分析的原理是相同的，都是通过求解盈亏平衡算式获得盈亏平衡点的。

在进行项目经济评价时，一般只进行线性盈亏平衡分析。所以，关于非线性盈亏平衡分析不再赘述。

盈亏平衡分析在财务环境下，通过盈亏平衡点概括地对项目适应环境变化的能力以及项目的财务可靠性进行了评价，但未能具体揭示影响这种适应性和可靠性的不确定性因素的分布及其影响程度。这需要用敏感性分析方法来解决。

9.3　敏感性分析

敏感性分析也称灵敏度分析，是不确定性分析中常用的方法之一。通过敏感性分析可发现敏感性因素，为进一步的风险分析打下基础。

9.3.1 敏感性分析的概念

敏感性分析是指通过分析不确定性因素的变化对项目经济效益评价指标的影响,从中找出敏感因素,估计项目效益对其敏感程度,揭示经济效益指标及评价结论对不确定性因素的敏感性,以此粗略预测项目风险,并为进一步的风险分析做铺垫。

敏感性分析分为单因素敏感性分析与多因素敏感性分析。单因素敏感性分析是指进行敏感性分析时,假定只有单一因素是变化的,其他因素保持不变,用以分析单一因素对经济评价指标的影响以及评价指标对单一因素的敏感程度;多因素敏感性分析是指在同时有两个或两个以上的因素发生变化时,分析这些变化的因素对经济评价指标的影响程度和评价指标对它们的敏感程度。为了找出对评价指标影响最大的敏感性不确定因素,通常采用单因素敏感性分析方法。

9.3.2 敏感度系数

敏感性分析借助敏感度(灵敏度)系数进行。敏感度系数是指项目经济评价指标变化率与不确定性因素变化率之比。它反映了评价指标对于不确定性因素的敏感程度。其计算式如下:

$$S_{AF} = \frac{\Delta A/A}{\Delta F/F} \tag{9-5}$$

式中 S_{AF}——评价指标 A 对于不确定性因素 F 的敏感度系数;

$\Delta A/A$——不确定性因素 F 变化 ΔF 时,评价指标 A 相应的变化率;

$\Delta F/F$——不确定性因素 F 的变化率。

$S_{AF}>0$,表示评价指标与不确定性因素同方向变化;$S_{AF}<0$,表示评价指标与不确定性因素反方向变化。当$|S_{AF}|$值较大时,表示 A 对不确定性因素 F 敏感,该不确定性因素就叫作敏感因素。

9.3.3 转换值

转换值(Switch Value)也称临界点,是指由于不确定性因素的影响使项目由可行变为不可行的临界数值。它表示项目可以接受的不确定性因素的极限变化值。临界点可以用不确定性因素变化的绝对值表示,也可以用不确定性因素变化的相对值(变化率)表示。影响项目评价指标的不确定性因素在可接受的转换值范围内变化时,不影响财务评价和国民经济评价结论;超过可接受范围时,将影响评价结论。

一般认为,项目对不确定性因素转换值可接受的范围越大,表明该不确定性因素的变化对项目运营影响的危害越小,项目经济可行性对该不确定性因素不敏感;反之,表明不确定性因素的变化对项目运营影响的危害越大,项目经济可行性对该不确定性因素敏感。

9.3.4 敏感性分析的步骤

1. 选择不确定性因素

影响项目经济效益的不确定性因素很多,敏感性分析一般只选择那些对项目经济效果影响强烈的并可能发生变动的因素,如投资、寿命周期、残值、经营成本、销售量(产量)、产品单价、基准收益率等。

2. 预测不确定性因素的变动趋势、变动范围或幅度

综合考虑项目所处的外部环境及内部状况，依据事物的发展规律，对不确定性因素的变动趋势、变动范围或幅度进行预测。

3. 确定进行敏感性分析的指标

确定进行敏感性分析的指标就是确定敏感性分析的具体对象，即项目经济评价指标，如净现值、内部收益率、投资回收期等。不可能也不需要对每个经济评价指标进行敏感性分析，而应根据项目特点和决策的要求，选择一个或几个评价指标进行敏感性分析。

4. 计算各变动因素的敏感度系数和转换值

分别计算选定的评价指标对于每个不确定性因素的敏感度系数和不确定性因素的转换值。

5. 寻找敏感因素，进行项目风险的粗略分析

汇总计算结果，找出敏感因素，初步判断项目风险的状况，提出风险防范的初步对策。

9.3.5 单因素敏感性分析

单因素敏感性分析就是研究单一不确定性因素的变化对项目经济效益指标影响的敏感程度。在考察某个单一因素对评价指标的影响时，假定其他不确定性因素不变。

【例 9-2】

某建设项目基本参数估算值见表 9-1，试分别就年销售收入、投资、年经营成本及流转税进行敏感性分析（设 $i_c = 10\%$）。

表 9-1 项目基本参数估算值

主要参数	投资 K（万元）	年销售收入 S（万元）	年经营成本及流转税 C（万元）	期末残值 L（万元）	寿命 n/年
估算值	1 500	600	250	200	6

解：1）选定项目的净年值（NAV）为评价指标。

2）计算基本方案的净年值。

$$NAV = [-1\,500 \times (A/P, 10\%, 6) + 600 - 250 + 200 \times (A/F, 10\%, 6)] \text{万元}$$
$$= 31.52 \text{万元}$$

3）确定因素变动幅度为：-20%、-10%、10%、20%。

4）计算相应的净年值变动率。

如 $\Delta S/S = 10\%$，即 $S = [600 \times (1+10\%)]$ 万元 $= 660$ 万元，则：

$$NAV = [-1\,500 \times (A/P, 10\%, 6) + 660 - 250 + 200 \times (A/F, 10\%, 6)] \text{万元}$$
$$= 91.52 \text{万元}$$

$$\Delta NAV = (91.52 - 31.52) \text{万元} = 60 \text{万元}$$

$$\Delta NAV/NAV = 60 \div 31.52 = 190.36\%$$

5）计算净年值指标对于年销售收入的敏感度系数。

如 NAV 对于 S 的敏感度系数，$S = 190.36\% \div 10\% = 19.04$

其余计算过程略，其结果见表 9-2。

6) 计算不确定性因素的转换值。

如年销售收入，令：

$$NAV = -1\,500 \times (A/P, 10\%, 6) + 600(1+z) - 250 + 200 \times (A/F, 10\%, 6) = 0$$

解得：

$$z = -5.25\%$$

其余计算过程略，其结果见表9-2。

表 9-2 单因素变动对净年值的影响及敏感度

不确定性因素	变动幅度					敏感度系数	转换值(%)
	-20%	-10%	0	10%	20%		
年销售收入（万元）	-88.48	-28.48	31.52	91.52	151.52	19.04	-5.25
投资（万元）	100.40	65.96	31.52	-2.92	-37.36	-10.93	9.15
年经营成本及流转税（万元）	81.52	56.52	31.52	6.52	-18.48	-7.93	12.79

7) 找出敏感因素，粗略估计项目风险。

由步骤5)、6)的计算结果可以看出，NAV指标对年销售收入最为敏感，其次为投资，最后为年经营成本及流转税。如果年销售收入比财务评价的估计值降低5.25%，将导致项目不可行，所以，要对项目实施后的市场情况进行进一步的分析研究。也可以用敏感性分析图进行项目的敏感性分析，根据不同不确定性因素的直线斜率判定评价指标对其敏感性程度及转换值。图9-2为本例的敏感性分析图。

以年销售收入为例，由于它具有不确定性，项目运行的结果也具有不确定性。当年销售收入下降时，项目运行就承担了风险；当它的下降幅度达到预期的5.25%时，项目就会处于可行与否的边缘。从图9-2上看，年销售收入线与横轴的交点，就是销售收入在该项目的转换值。

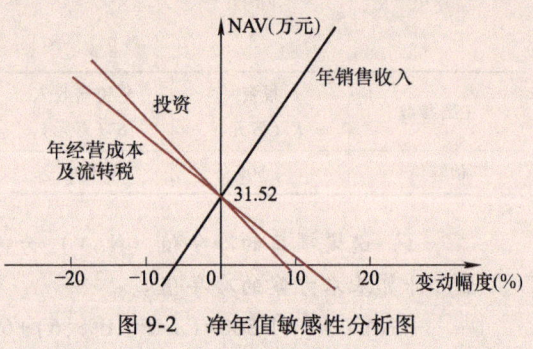

图 9-2 净年值敏感性分析图

【例9-2】中，在进行项目的敏感性分析时，基准折现率取10%，则项目销售收入的转换值为-5.25%。试问，如果基准折现率取值提高到12%，项目的转换值会如何变化？如果基准折现率降低到8%呢？读者可以自行思考这个问题。

9.3.6 多因素敏感性分析

单因素敏感性分析的方法简单，但忽略了因素之间的相关性。实际上某个因素的变动往往也伴随着其他因素的变动，多因素敏感性分析考虑了这种相关性，因而能反映多因素变动对项目经济效果产生的综合影响。因此，在对一些有特殊要求的项目进行敏感性分析时，除了进行单因素敏感性分析外，还应进行多因素敏感性分析。

多因素敏感性分析要考虑可能发生的多种因素不同变化情况的多种组合，计算起来要比单因素敏感性分析复杂得多。一般可以采用解析法与作图法相结合进行。以下以双因素敏感性分析为例对多因素敏感性分析做简要介绍。

双因素敏感性分析是指每次考察两个因素同时变化、其他因素固定不变时对项目经济效益的影响。通常采用作图法进行分析。

【例 9-3】

根据【例 9-2】中的基本方案数据，对投资和年销售收入两因素共同变动进行双因素敏感性分析。

解：设 x 表示投资变动的百分率，y 表示年销售收入变动的百分率，则方案的净年值可以表示如下：

$$NAV = [-1\,500(1+x) \times (A/P, 10\%, 6) + 600(1+y) - 250 + 200 \times (A/F, 10\%, 6)] 万元$$
$$= (31.52 - 344.4x + 600y) 万元$$

上式为一平面方程，令 $NAV=0$，借助平面坐标图，可得到 $NAV=0$ 的临界线方程为 $y=0.574x-0.0525$，如图 9-3 所示。

临界线将坐标平面分为两个区域，平面上的任何一点 (x_j, y_j) 都表示投资与年销售收入的一种变动组合。当这个点位于临界线的左上方时，$NAV>0$；当这个点位于临界线的右下方时，$NAV<0$。临界线的位置说明方案保持经济上可行的变动组合的多少。其位置相对靠下，说明可接受的变动组合较多，方案风险较小。

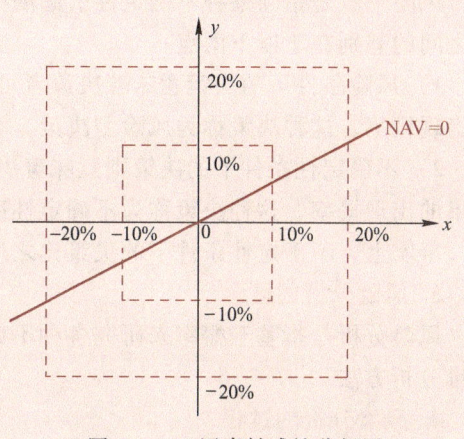

图 9-3　双因素敏感性分析图

9.3.7　敏感性分析的局限性

敏感性分析虽然分析了不确定性因素的变化对方案的经济效益的影响，但它并不能说明不确定性因素发生变动的可能性大小，即发生变动的概率，而这种概率与项目的风险大小直接相关。实际上，有些因素变动尽管对项目经济效果的影响很大，即为敏感因素，但由于其发生的可能性很小，所以给项目带来的风险并不大；而另外一些因素，虽然它们变动对项目的经济效益影响不大，不是敏感因素，但因其发生的可能性很大，反而可能给项目带来很大的风险。对这类问题的分析，敏感性分析无法解决，而应借助风险分析。

9.4　风险分析

9.4.1　相关概念

1. 风险的概念

前面分析了不确定性的概念，不确定性因素的存在是项目产生风险的根源。在项目寿命周期内，不确定性因素是广泛存在的。通常，可以将与国家宏观环境相关的政策、经济、社会文化、法律、技术等因素视为宏观不确定性因素，与项目建设效益密切相关的投资、市场销售状况、生产成本、产量等因素视为微观不确定性因素。一般情况下，在进行项目不确定性分析时，对宏观不确定性因素仅进行定性分析，对微观不确定性因素则采用定性与定量分析相结合的方法。

一般领域对风险和不确定性不做区分，都视为"风险"，本书在这里把风险理解为可测定概率的不确定性，与一般概念上的不确定性是有区别的，并且将风险 R 表示为不利事件发生的概率及其后果的函数：

$$R = f(P, C) \tag{9-6}$$

式中　P——不利事件发生的概率；

　　　C——不利事件的后果。

2. 风险与不确定性之间的差别

风险一般是指因某种不确定性引起的行动的潜在损失。但在决策理论中，风险与不确定性之间的差别在于以下两点：

1）风险条件下的决策意味着决策者可以列出一个决策的所有可能后果，以及与之相关的出现概率，这种决策称为风险型决策。

2）不确定性条件下的决策则意味着决策者不能列出全部可能后果，或者不能确定各种后果的出现概率，这种决策称为不确定性决策。

事实上，不确定性条件下的决策比之风险条件下的决策，决策者面临着更大的风险。

3. 风险分析的概念

风险分析是指基于概率来研究各种不确定性因素发生变化时对方案经济效益影响的一种定量分析方法。

4. 风险分析的过程

风险分析的过程包括风险识别、风险测度、风险评价、风险应对（防范风险的对策）。

（1）风险识别

风险识别主要是指对来源于法律法规及政策、市场供需、资源开发与利用、技术的可靠性、工程方案、融资方案、组织管理、环境与社会、外部配套条件等一个方面或几个方面的风险因素进行识别。

（2）风险测度

风险测度应采用主观概率和客观概率的统计方法，确定风险因素的概率分布；运用数理统计分析方法，计算项目评价指标相应的概率分布或累计概率、期望值和标准差。

（3）风险评价

风险评价是指根据风险识别和风险测度的结果，通过建立项目风险的系统评价模型，依据项目风险判别标准，找出影响项目成败的关键风险因素，确定项目的整体风险水平，为如何处置这些风险提供科学依据。风险评价的判别标准可采用两类：一类是以经济评价指标（IRR 或 NPV）的累计概率、标准差为判别标准，另一类是以综合等级为判别标准。

（4）风险应对

风险应对就是指在风险评价的基础上，针对对项目成败具有重大影响的关键因素，采取相应的应对措施，尽可能降低风险的不利影响，实现预期的投资效益。

本节主要以风险测度为主要内容，阐述基于概率的风险分析方法。

5. 风险分析的目的

风险分析的目的在于确定影响项目经济效益的关键变量及其可能的变动范围，并确定关键变量在此范围内的分布概率，然后进行期望值与离差系数的计算，进而帮助项目决策者根据项目风险的大小和特点，确定合理的项目收益水平，提出控制风险的方案，有重点地加强对项目风险的防范和控制。

9.4.2 风险测度

风险是和概率有关的概念，在测度工程建设项目的风险时，一般都以项目某一经济效益指标，如 $NPV \leqslant 0$、$IRR \leqslant i_c$ 发生的概率来度量。而项目的经济效益指标是受到不确定性因素（风险因素），如投资、市场销售状况、生产成本、产量等因素所影响的，所以在进行风险分析时，关键是首先应估计随机变量——不确定性因素（风险因素）的概率及其概率分布，即应用相关方法来测度风险因素的概率和概率分布，在此基础上才能分析出同样作为随机变量的项目经济效益指标（如 NPV、IRR）的概率和概率分布，从而得到反映工程建设项目的风险的相关数据。

不确定性因素（风险因素）的概率估计（测度）分为客观概率估计和主观概率估计。

1. 客观概率估计

客观概率估计是指利用同一事件或是类似事件的历史统计数据资料计算出的历史客观概率，或者通过实际大量的试验得出的客观概率来推定事物未来发生的概率。客观概率估计主要有两种方法：①将一个历史事件分解为若干子事件，通过子事件的概率来获得主要事件的概率；②通过足够量的试验，统计出事件的概率。

客观概率估计法需要足够的信息量，但通常实际是不可得的。客观概率只能用于完全可重复事件，因而并不适用于大部分现实事件。这是客观概率估计法的缺点。

2. 主观概率估计

主观概率估计是指基于知识、以往的经验或类似事件通过专家来推定事物未来发生的概率。

当有效统计数据不足或是不可能进行试验时，主观概率是唯一选择。

主观概率估计的一般步骤如下：

1）根据需要调查问题的性质组成专家组。专家组成员由熟悉该风险因素的现状和发展趋势的专家、有经验的工作人员组成。

2）调查某一变量可能出现的状态数或状态范围和各种状态出现的概率或变量在状态范围内的发生概率，由每个专家独立以书面形式反映出来。

3）整理专家组成员意见，计算专家意见的期望值和意见分歧情况，反馈给专家组。

4）专家组讨论并分析意见分歧的原因。重新独立填写变量可能出现的状态或状态范围和各种状态出现的概率或变量发生在状态范围内的概率，如此重复进行，直到专家意见分歧程度满足要求值为止。这个过程最多经历三个循环，否则不利于获得专家们的真实意见。

3. 风险概率分布

风险概率主要有如下分布形式：

1）离散型概率分布。输入变量的可能值是有限个数。各种状态的概率值之和等于1，它适用于变量取值个数不多的输入变量。

2) 连续型概率分布。输入变量的取值充满一个区间。常用的连续型随机变量概率分布见表 9-3。

表 9-3 常用的连续型随机变量概率分布

分布名称	正态分布	三角形分布	β 分布	经验分布
概率分布函数特点	概率分布函数以均值为对称分布。均值为 $\bar{x}$（期望值 $E(X)$），方差为 σ^2，分布用 $N(\bar{x},\sigma)$ 表示	概率分布函数是由最悲观值、最可能值、最乐观值构成的对称的或不对称的三角形	概率分布函数为在最大值两边不对称分布	概率分布函数并不适合于某些标准的概率分布，可根据统计资料及主观经验估计而得出此非标准概率分布
适用描述项目风险因素的范围	适用于描述一般经济变量的概率分布，如销售量、售价、产品成本等	适用于描述工期、投资等不对称分布的输入变量，也可用于描述产量、成本等对称分布的输入变量	适用于描述工期等不对称分布的输入变量	适用于项目风险评价中的所有各种输入变量
图形形状				
备注	明确这些项目风险因素（如工期、售价、产品成本、销售量）的概率分布函数，在用蒙特卡罗法时，可利用相关风险因素的概率分布，把抽取的随机数转化为风险因素的抽样值			

4. 风险概率分析指标

描述风险概率分布的指标主要有期望值、方差、标准差、离散系数等。

1) 期望值。期望值是风险变量的加权平均值，即：

$$\bar{x} = \sum_{i=1}^{n} x_i p_i \tag{9-7}$$

式中　n——风险变量的状态数；
　　　x_i——风险变量的第 i 种状态下的变量的值；
　　　p_i——风险变量的第 i 种状态出现的概率。

等概率的离散型风险变量期望值表示如下：

$$\bar{x} = \frac{1}{n} \sum_{i=1}^{n} x_i \tag{9-8}$$

连续型风险变量期望值表示如下：

$$\bar{x} = \int_a^b x_i p_i \tag{9-9}$$

2) 方差和标准差。方差和标准差都是描述风险变量偏离期望值程度的绝对指标。

对于离散型随机变量的方差可表示如下：

$$\sigma^2 = \sum_{i=1}^{n} (x_i - \bar{x})^2 p_i \tag{9-10}$$

标准差 σ 为方差的平方根。

3）离散系数。离散系数为随机变量的标准差与随机变量的期望值之比，即

$$\beta = \frac{\sigma}{\bar{x}} \tag{9-11}$$

4）概率分布指标的经济解释。具体如下：

① 期望值表明在各种风险条件下期望可能得到的经济效果。

② 标准差反映了经济效果各种可能值与期望值之间的差距。它们之间的差距越大，说明随机变量的可变性越大，意味着经济效果各种可能情况与期望值的差别越大；它们之间的差距越小，说明经济效果各种可能值越接近于期望值，这就意味着风险越小。所以，标准差的大小可以看作其所含风险大小的具体标志。

③ 离散系数作为衡量风险程度的指标可以定量描述方案风险的大小。离散系数越小，则风险越小；反之，风险越大。

9.4.3 风险分析方法

如果所分析的随机变量（即影响项目效益的主要风险因素）能够得到的数据样本较少，可以把所分析的变量看成是离散型随机变量，利用列表法和概率树法来进行分析和决策；如果所分析的随机变量（即影响项目效益的主要风险因素）能够得到的数据样本较多，可以把所分析的变量看成是连续型随机变量，用蒙特卡罗法进行分析和决策。

1. 列表法

一般分析步骤如下：

1）列出要考虑的各种风险因素，如投资、经营成本、销售价格等。

2）设想各种风险因素可能发生的状态，即确定其数值发生变化个数。

3）分别确定各种状态可能出现的概率，并使各种可能发生状态的概率之和等于1。

4）分别求出各种风险因素发生变化时，方案净现金流量各状态发生的概率和相应状态下的净现值 NPV_j。

5）求方案净现值的期望值（均值）$E(NPV)$，其计算公式如下：

$$E(NPV) = \sum_{j=1}^{n} NPV_j \times P_j$$

式中　P_j——第 j 种状态出现的概率；

　　　n——可能出现的状态数。

6）求出方案净现值非负的累计概率。

7）对概率分析结果做说明。

需要注意，用表列出所分析的随机变量（即影响项目效益的主要风险因素）发生的可能性（即概率）的各种组合，同时要求各个变量之间必须相互独立，否则联合概率就不是简单的各种状态概率之积，然后求出项目的经济效果指标值的期望值及方差（或标准差），用以分析和判断项目的风险。

【例 9-4】
对某一项目进行投资的风险分析时，产品市场状态和原料价格水平为风险因素，两者出现的状态及发生的概率见表 9-4，各种状态组合的现金流量及发生的概率见表 9-5。试用列表法对该项目进行风险分析。

表 9-4 风险因素状态及发生的概率

产品市场状态	畅销（θ_{A1}）	一般（θ_{A2}）	滞销（θ_{A3}）
发生概率	$P_{A1}=0.2$	$P_{A2}=0.6$	$P_{A3}=0.2$
原料价格水平	高（θ_{B1}）	中（θ_{B2}）	低（θ_{B3}）
发生概率	$P_{B1}=0.4$	$P_{B2}=0.4$	$P_{B3}=0.2$

表 9-5 各种状态组合的现金流量及发生的概率

序号	状态组合	发生概率	现金流量（万元） 0 年	现金流量（万元） 1~5 年	NPV（万元）（$i_c=12\%$）
1	$\theta_{A1}\cap\theta_{B1}$	0.08	−1 000	375	351.88
2	$\theta_{A1}\cap\theta_{B2}$	0.08	−1 000	450	622.15
3	$\theta_{A1}\cap\theta_{B3}$	0.04	−1 000	510	838.44
4	$\theta_{A2}\cap\theta_{B1}$	0.24	−1 000	310	117.48
5	$\theta_{A2}\cap\theta_{B2}$	0.24	−1 000	350	261.67
6	$\theta_{A2}\cap\theta_{B3}$	0.12	−1 000	390	405.86
7	$\theta_{A3}\cap\theta_{B1}$	0.08	−1 000	230	−170.90
8	$\theta_{A3}\cap\theta_{B2}$	0.08	−1 000	250	−98.81
9	$\theta_{A3}\cap\theta_{B3}$	0.04	−1 000	270	−26.71

解： 1) 该项目要考虑的风险因素有两种：产品市场状态和原料价格水平。

2) 产品市场状态有三种情况，即 θ_{A1}、θ_{A2}、θ_{A3}，对应有三种概率 P_{A1}、P_{A2}、P_{A3}；原料价格水平有三种情况，即 θ_{B1}、θ_{B2}、θ_{B3}，对应有三种概率 P_{B1}、P_{B2}、P_{B3}。

3) 得出各种状态组合、发生概率、现金流量及对应的 NPV，见表 9-5。

4) 计算方案净现值的期望值（均值）$E(NPV)$ 及标准差 σ。

$$E(NPV)=\sum_{j=1}^{9}(NPV_j\times P_j)=228.51\ \text{万元}$$

$$\sigma^2(NPV)=\sum_{j=1}^{9}\left[(NPV_j-228.51)^2 P_j\right]=59\,430.12\ \text{万元}$$

$$\sigma(NPV)=\sqrt{\sigma^2\times NPV}=\sqrt{59\,430.12}\ \text{万元}=243.78\ \text{万元}$$

5) 计算方案净现值非负的累计概率。

因为是离散型随机变量，数据样本较少，这时有：

$$P(NPV\geqslant 0)=1-(0.08+0.08+0.04)=0.8$$

6) 通过对 $E(NPV)$ 及标准差 σ 的数值分析，来判断项目的风险。

单从净现值 NPV≥0 的概率为 80% 来分析，项目承担风险的能力较强，但离散系数 $\beta=\dfrac{\sigma}{\overline{x}}>1$，也说明项目有一定的风险。

2. 概率树法

概率树法的分析步骤与列表法基本相同，只是通过绘制概率树可比较直观地反映项目的风险状况，如图 9-4 所示，通过树形图的方案枝、状态枝分层形象地表示项目风险要素的概率及各种状态组合，并以此来分别计算相关参数，分别计算在每种状态组合下的评价指标及相应的概率，得到评价指标的概率分布，再计算评价指标的期望值、方差、标准差和离散系数等。

采用概率树法，也要求各个变量之间必须相互独立，否则联合概率就不是简单的各种状态概率之积。此外，由于计算量随变量或状态的增长呈几何级数增长，所以在实际运用中一般将变量数限制在 3 个及其以下，状态数也不宜超过 3 个，这样组合状态可控制在 27 个之内。

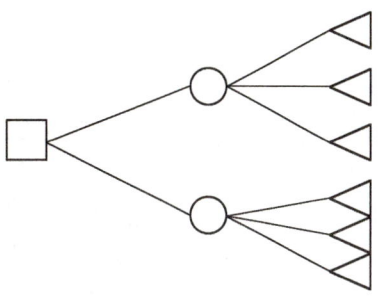

图 9-4 概率树示意图

【例 9-5】

某商品住宅小区开发项目现金流量的估计值见表 9-6，根据经验推断，销售收入和开发成本为离散型随机变量，其值在基本方案参数估计值的基础上可能发生的变化及其概率见表 9-7。试确定该项目净现值 NPV≥0 的概率。基准收益率 $i_c = 12\%$。

表 9-6 基本方案的参数估计值 （单位：万元）

年 份	1	2	3
销售收入	857	7 143	17 446
开发成本	5 888	4 873	6 900
其他税费	56	464	1 196
净现金流量	-5 087	1 806	9 350

表 9-7 不确定性因素的变化幅度及其概率

变化幅度	-20%	0	20%
销售收入	0.2	0.6	0.2
开发成本	0.1	0.3	0.6

解：1) 项目净现金流量未来可能发生的 9 种状态如图 9-5 所示。

2) 分别计算项目净现金流量各种状态的概率 $P_j (j=1,2,\cdots,9)$：

$$P_1 = 0.2 \times 0.6 = 0.12$$
$$P_2 = 0.2 \times 0.3 = 0.06$$
$$P_3 = 0.2 \times 0.1 = 0.02$$

其余依此类推。
计算结果如图 9-5 所示。

3) 分别计算项目各状态下的净现值 $NPV_j (j=1,2,\cdots,9)$，其结果如图 9-5 所示。

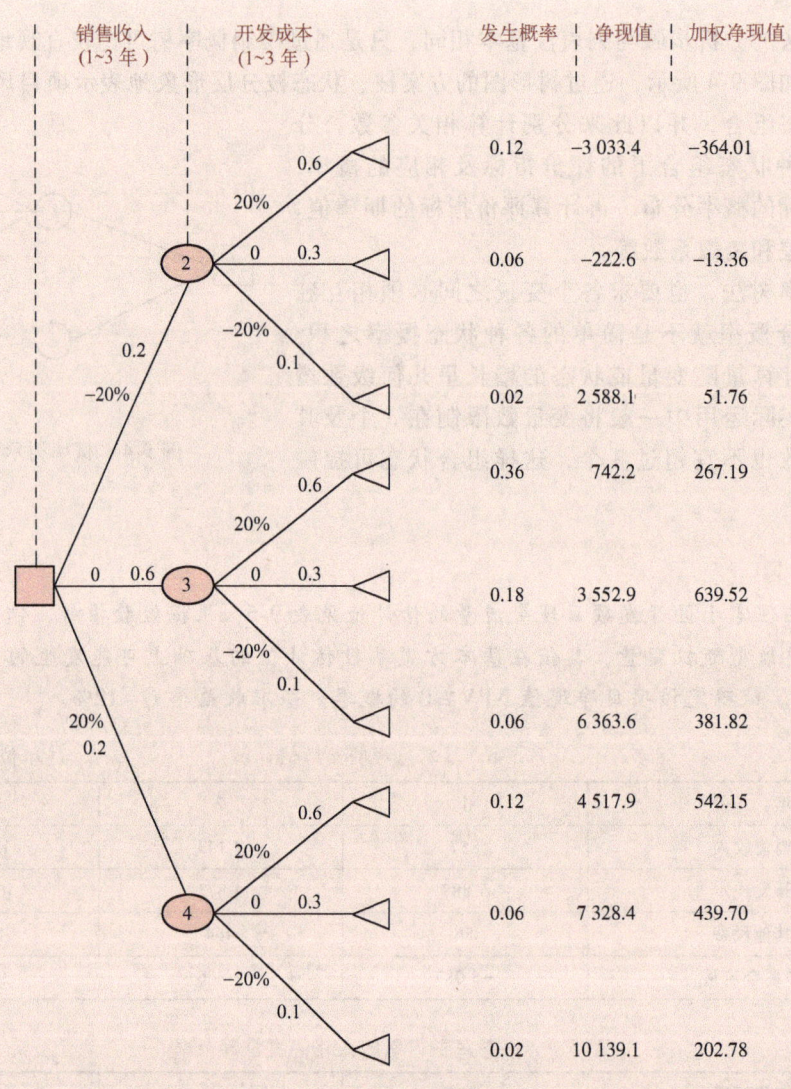

图 9-5 概率树结构图

4）计算项目净现值的期望值：

$$E(\text{NPV}) = \sum_{j=1}^{9} \text{NPV}_j \times P_j$$

$= [0.12 \times (-3\,033.4) + 0.06 \times (-222.6) + 0.02 \times 2\,588.1 +$
$\quad 0.36 \times 742.2 + 0.18 \times 3\,552.9 + 0.06 \times 6\,363.6 + 0.12 \times$
$\quad 4\,517.9 + 0.06 \times 7\,328.4 + 0.02 \times 10\,139.1]$ 万元
$= 2\,147.55$ 万元

5）计算净现值 NPV≥0 的概率：

$$P(\text{NPV} \geq 0) = 1 - 0.12 - 0.06 = 0.82$$

结论：该项目净现值的期望值 $E(\text{NPV}) > 0$，是可行的。NPV>0 的概率相对较大，说明项目具有一定的抵抗风险的能力。

3. 蒙特卡罗法

蒙特卡罗法（简称模拟法）是指通过反复地进行随机抽样来模拟各种随机变量的变化，进而计算分析项目经济效果指标概率分布的一种分析方法。

当变量数或状态数超过 3 个时，运用概率树分析的工作量将很大。这时，可以采用蒙特卡罗法，通过随机抽样的方法生成服从特定概率分布的建设投资、销售收入、经营成本等数据，并据此计算净现值、内部收益率等评价指标。经过反复地抽样、计算，当样本数足够大时，便可获得评价指标的概率分布以及累计概率分布、期望值、方差、标准差、离散系数等数据，从而估计项目的风险。

蒙特卡罗法的步骤为：

1）确定风险分析所采用的评价指标。
2）确定影响项目评价指标的主要风险因素。
3）估计主要风险因素的概率分布，并用数学模型表示。
4）为各风险因素独立抽取随机数。
5）将抽得的各随机数转化为各风险因素的抽样值。
6）将抽样值组成一组项目评价基础数据，并据此计算相应的评价指标。
7）重复上述步骤 4）~6），直至达到预定的模拟次数。
8）整理模拟结果，计算评价指标的期望值、方差、标准差、离散系数以及累计概率等，并可绘制累计概率图。

【例 9-6】

某项目初始投资为 1 800 万元，年净收益服从 $N(300,50)$ 分布，寿命周期为均匀分布，即发生在 12 年、13 年、14 年、15 年、16 年的概率均等，均为 1÷5＝0.20，其累计概率见表 9-8。试用蒙特卡罗法对项目风险进行分析。

解：1）确定净现值为风险分析的评价指标。

2）项目的风险因素为净收益、寿命周期，其概率分布题中已给出。

3）先从计算器中读取一个随机数 0.524，将其作为年净收益取值所对应的累计概率的一个随机值，由标准正态分布表可查得累计概率 0.524 所对应的 z 值为 0.06，由 $z = \dfrac{x-\mu}{\sigma}$ 可求得：

$$x = \mu + z\sigma = (300 + 0.06 \times 50) \text{万元} = 303 \text{万元}$$

即抽取的年净收益的第一个随机样本数据为 303 万元。

表 9-8 寿命周期及累计概率

寿命周期/年	12	13	14	15	16
累计概率	[0.00,0.20)	[0.20,0.40)	[0.40,0.60)	[0.60,0.80)	[0.80,1.00]

从计算器中读取一个随机数 0.291，作为寿命周期取值所对应的累计概率的一个随机值。由表 9-8 可知，随机数 0.291 对应的寿命周期为 13 年。这是抽取的第一个寿命周期随机样本数据。

4）计算净现值。根据上述第一组随机样本数据（年净收益303.00万元，寿命周期13年），可计算得到相应的净现值：

$$NPV_1 = [-1\,800 + 303 \times (P/A, 12\%, 13)] 万元$$
$$= (-1\,800 + 303 \times 6.424) 万元 = 146.47 万元$$

重复上述过程，可以得到方案年净收益和寿命周期的其他随机样本数据及相应的净现值计算结果。一般来说，模拟分析的随机样本数据应达到200~500组。这里取25组作为示例，见表9-9。

表9-9 净现值计算表

组号	随机数1	z值	年净收益（万元）	随机数2	寿命周期/年	净现值（万元）
1	0.524	0.060	303.00	0.291	13	146.47
2	0.936	1.522	376.10	0.019	12	529.56
3	0.076	-1.433	228.35	0.793	15	-244.71
4	0.434	-0.166	291.70	0.907	16	234.32
5	0.931	1.483	374.15	0.340	13	603.54
6	0.919	1.399	369.95	0.654	15	719.73
7	0.498	-0.005	299.75	0.341	13	125.59
8	0.956	1.706	385.30	0.702	15	824.28
9	0.205	-0.824	258.80	0.500	14	-84.67
10	0.363	-0.351	282.45	0.991	16	169.81
11	0.575	0.189	309.45	0.795	15	307.66
12	0.923	1.426	371.30	0.852	16	789.45
13	0.631	0.334	316.70	0.268	13	234.48
14	0.074	-1.446	227.70	0.193	12	-389.63
15	0.340	-0.412	279.40	0.397	14	-5.13
16	0.081	-1.399	230.05	0.849	16	-195.63
17	0.234	-0.726	263.70	0.522	14	-52.20
18	0.256	-0.656	267.20	0.883	16	63.45
19	0.896	1.259	362.95	0.380	13	531.59
20	0.037	-1.786	210.70	0.707	15	-364.92
21	0.213	-0.796	260.20	0.555	14	-75.39
22	0.130	-1.126	243.70	0.056	12	-290.52
23	0.399	-0.256	287.20	0.438	14	103.56
24	0.091	-1.335	233.25	0.664	15	-211.33
25	0.621	0.308	315.40	0.031	12	153.59

5) 计算净现值的期望值以及小于0的概率。将表9-9中的净现值按从小到大的顺序排列，并求和，见表9-10。由于每组净现值的概率均为1÷抽样组数＝0.04，所以净现值的期望值＝3 622.95万元(净现值之和)×0.04(概率)＝144.92万元。

表9-10中还可以计算净现值的累计概率。由计算结果可知，项目净现值NPV<0的概率为0.40+(0.44-0.40)×5.13÷(63.45+5.13)＝0.403 0，即项目不可行的概率为0.403 0。

表 9-10 累计概率及方差计算表

组　　号	净现值（万元）	概　　率	累计概率	方　　差
14	-389.63	0.04	0.04	11 429.66
20	-364.92	0.04	0.08	10 397.39
22	-290.52	0.04	0.12	7 584.25
3	-244.71	0.04	0.16	6 072.40
24	-211.33	0.04	0.20	5 076.51
16	-195.63	0.04	0.24	4 638.92
9	-84.67	0.04	0.28	2 108.43
21	-75.39	0.04	0.32	1 941.42
17	-52.20	0.04	0.36	1 554.22
15	-5.13	0.04	0.40	900.58
18	63.45	0.04	0.44	265.48
23	103.56	0.04	0.48	68.42
7	125.59	0.04	0.52	14.94
1	146.47	0.04	0.56	0.10
25	153.59	0.04	0.60	3.01
10	169.81	0.04	0.64	24.78
4	234.32	0.04	0.68	319.71
13	234.48	0.04	0.72	320.85
11	307.66	0.04	0.76	1 059.40
2	529.56	0.04	0.80	5 917.98
19	531.59	0.04	0.84	5 980.61
5	603.54	0.04	0.88	8 413.37
6	719.73	0.04	0.92	13 216.35
12	789.45	0.04	0.96	16 616.86
8	824.28	0.04	1.00	18 461.31
合　　计	3 622.95	1.000		122 386.94

注：1. 概率＝$\dfrac{1}{抽样组数}$。

　　2. 方差＝(净现值-净现值的期望值)^2×发生概率。

6) 计算净现值的方差、标准差和离散系数。

项目净现值的方差：

$$\sigma^2(X) = 122\,386.94 \text{ 万元}^2$$

标准差：

$$\sigma = 349.84 \text{ 万元}$$

离散系数：

$$\frac{\sigma}{E(X)} = \frac{349.84}{144.92} = 2.41$$

利用蒙特卡罗法，可得较大的样本数量，从而可以把所分析的项目评价指标（NPV、IRR）看成是连续型随机变量，通过模拟得到项目评价指标概率分布曲线，得到较能反映实际风险的分析结论。在【例 9-6】中，作为风险因素的年净收益服从正态分布，寿命周期服从均匀分布。事实上，蒙特卡罗法可以运用于具有更多个风险因素的情况，也适用于风险因素的其他概率分布类型，包括无法用解析模型加以描述的经验分布。

练 习 题

1. 某承包企业年固定成本为 864 万元，现有 A、B、C 三个建设项目的投资机会，经测算，三个项目的有关资料见表 9-11。

表 9-11 三个项目的有关资料

项　　目	A	B	C
工程量/m²	10 000	12 000	20 000
单位报价（元）	1 100	1 050	980
单位变动成本（元）	850	830	800

试分析，该企业应对哪些项目投标？通过此例，试根据成本性态分析企业盈利的充要条件。

2. 某工业项目年设计能力为生产某种产品为 30 万件，单位产品售价为 60 元，单位产品变动成本为 40 元，年固定成本为 400 万元，若该产品的销售税金及附加的合并税率为 5%，求以产量、生产能力利用率、单位产品售价表示的盈亏平衡点，经营安全度是多少？项目抗风险能力如何？

3. 有一个生产城市用小型电动汽车的投资方案，用于确定性经济分析的现金流量见表 9-12，所采用的数据是根据对未来最可能出现的情况的预测估算的。由于对未来影响经济环境的某些因素把握不大，投资、销售收入和经营成本均有可能在 ±20% 的范围内变动。设基准折现率为 10%，不考虑所得税，试分别就上述三个不确定性因素做单因素敏感性分析。

表 9-12 小型电动汽车项目现金流量表　　　　　　（单位：万元）

年　　份	0	1	2~10	11
投　　资	15 000			
销售收入			19 800	19 800
经营成本			15 200	15 200
期末资产残值				2 000
净现金流量	-15 000	0	4 600	4 600+2 000

4. 某项目投资为 170 000 元,寿命为 10 年,残值为 20 000 元,基准利率为 13%,预计年现金流入和流出分别为 35 000 元和 3 000 元。试对年现金流入和流出做双因素敏感性分析。

5. 某地区为满足水泥产品的市场需求,拟扩大生产能力建水泥厂,提出了三个可行方案:①新建大厂,投资 900 万元,据估计销路好时每年获利 350 万元,销路差时亏损 100 万元,经营期限 10 年;②新建小厂,投资 350 万元,销路好时每年可获利 110 万元,销路差时仍可以获利 30 万元,经营期限 10 年;③先建小厂,3 年后销路好时再扩建,追加投资 550 万元,经营期限 7 年,每年可获利 400 万元。据市场销售形势预测,10 年内产品销路好的概率为 0.7,销路差的概率为 0.3。若已知 $i_c = 5\%$,试用动态分析法解决以下问题:

(1) 计算各个方案的财务净现值。
(2) 计算财务净现值的期望值。
(3) 估计财务净现值 FNPV≥0 的累计概率。
(4) 判断项目运营风险。

第 10 章　可行性研究

【内容提要】

(1) 可行性研究的内涵与作用。
(2) 可行性研究的主要内容。
(3) 可行性研究报告的编写框架。
(4) 项目评审的内涵。
(5) 可行性研究与项目评审的关系。
(6) 项目评审报告的编制框架。

【关键词】

项目；建设项目；项目寿命周期；可行性研究；可行性研究报告；项目评审

【学习指导】

国内外大型项目实施前无一不进行项目的可行性研究（Feasibility Study）。没有项目的可行性研究，就不能做到科学的决策。从整个项目管理的角度来说，通过项目的可行性研究，能够在项目管理过程中做到"Do the Right Things"（做正确的事）。这是非常重要的工作。在这个前提下，在以后的项目管理中，只要做到"Do the Things Right"（把事情做正确）就可以了。项目的可行性研究不仅仅是经济分析，还包括技术、环境等许多方面，但项目的经济分析与评价是可行性研究的核心内容。通过认识可行性研究的主要内容，能够了解工程经济学基本理论在实践中的一个重要的应用领域，当然，这个应用领域的实践活动也在不断丰富工程经济学理论，并完善分析手段和工具。

可行性研究多是针对项目来说，项目侧重于过程，它是一个动态的概念。要明确可行性研究在项目发展过程中所处的阶段，可以通过对工程建设项目寿命周期的认识，了解可行性研究是在项目寿命周期中项目策划决策阶段的一个重要内容。

这里要明确的是，本书阐述的建设项目寿命周期是针对生产性建设项目而言的，因为这种类型的项目经过策划决策、勘察设计、建设准备、施工、生产准备、竣工验收、项目后评价、项目清理八个阶段，能够很好地体现项目投资实施的完整过程。

当然对不同类型的项目，如工业性建设项目、房地产开发项目、交通运输项目等各种类型的项目，在涉及具体的成本要素、收入内容、各种税金时有差别，在进行经济评价时，现金流的项目内容也会有差别，但可行性研究的内容和步骤基本相同。在这里阐述的可行性研究主要内容是针对生产性建设项目而言的。

完成可行性研究后,要提交的阶段书面成果就是可行性研究报告。国家(如我国的国家发展和改革委员会)通常对可行性研究报告的编制框架有相应的规定。

无论如何,作为项目融资来说,不管是债权人还是投资者,都需要通过可行性研究报告来了解项目的偿债能力及投资回报水平。因此,项目的可行性研究报告对于项目实施前来说,一定是必不可少的。

可行性研究完成后,并不能直接把它作为投资决策的依据,还需要由决策部门组织或委托有资格的工程咨询机构、贷款银行(或单位)、有关专家按照国家有关法规及条例,在可行性研究的基础上对拟建项目进行的可靠性、真实性、客观性和投资是否可行(包括最佳投资方案的确定是否合理)做出全面审核和再评价,即所谓的项目评审。这里阐述的是狭义上的项目评审——项目前评审。

项目评审与可行性研究是项目前期咨询的两项重要内容,两者既存在密切的联系,也存在明显的区别。项目评审作为一种对投资项目进行科学审查和评价的理论与方法,强调从长远和客观的角度对可行性研究进行论证并做出最后的决策。简单地说,可行性研究是论证项目的可操作性,而项目评审是评估可行性研究的客观性。一般必经的阶段是:项目机会识别—项目可行性研究—项目评审—项目实施—项目实施监察—项目完成。项目评审完成后,应按照相关要求编制项目评审报告。

10.1 建设项目寿命周期与可行性研究基础知识

10.1.1 建设项目的寿命周期

任何一个项目都是有始有终的,项目从开始到结束的这个过程,就是所谓的项目寿命周期。虽然由于每个项目的实质内容和应用的专业技术领域不同,包括所处的社会、技术、经济、政治环境不同,都会使不同项目寿命周期的内容有较大的差异,但是从项目管理的角度来说,任何一个项目都会经历一个从产生到结束的发展过程,每个项目都有自己的寿命周期。

在工程经济学中,对项目进行分析时,所采用的项目寿命周期概念,是来自英国皇家特许测量师协会(Royal Institution of Chartered Surveyors,RICS)所给的项目全寿命周期的概念。具体表述为:"项目的全寿命周期是指包括整个项目的建造、使用以及最终清理的全过程。项目的全寿命周期一般可划分为项目的建造阶段、运营阶段和清理阶段。项目的建造阶段、运营阶段和清理阶段还可以进一步划分为更为详细的阶段,这些阶段构成了一个项目的全寿命周期。"从这个表述可以看出,项目全寿命周期包括项目的建造周期和项目产出物的寿命周期(从项目运营到清理的周期)两个部分,也就是在工程经济分析中采用的项目寿命周期的内涵。

建设项目寿命周期在我国就是所谓的项目建设程序,即项目的建设过程。它是固定资产和生产能力或使用效益的形成过程。这一发展过程构成了建设工作程序的主要内容,一般说来,要经过项目策划(项目建议书)、可行性研究、勘察、设计、施工、竣工验收、生产准备、项目后评价、项目清理等阶段，每个大的阶段又都包含着许多环节。这些阶段和环节各有其不同的工作内容，它们互相之间联系在一起，并有其客观的先后顺序。所谓按程序办事，不仅仅是遵照其先后顺序，更重要的是注意各阶段工作的内在联系，确定各阶段工作的深度、标准，以便为下一阶段工作的开展提供有利条件，才能使整个建设过程的周期有缩短的可能性。例如，在初步设计阶段要为主要设备和材料的预安排订货提供清单，施工图设计按分期交付办法时，必须满足施工的延续性。

联合国工业发展组织所定义的项目寿命周期包括投资前时期、投资时期和生产时期三个不同的时期，在各个时期中又分为若干个阶段。

英国海外开发署把一个投资项目的发展周期分为立项阶段等八个阶段。

我国工程项目建设程序把项目的寿命周期分为八个阶段（图10-1）。

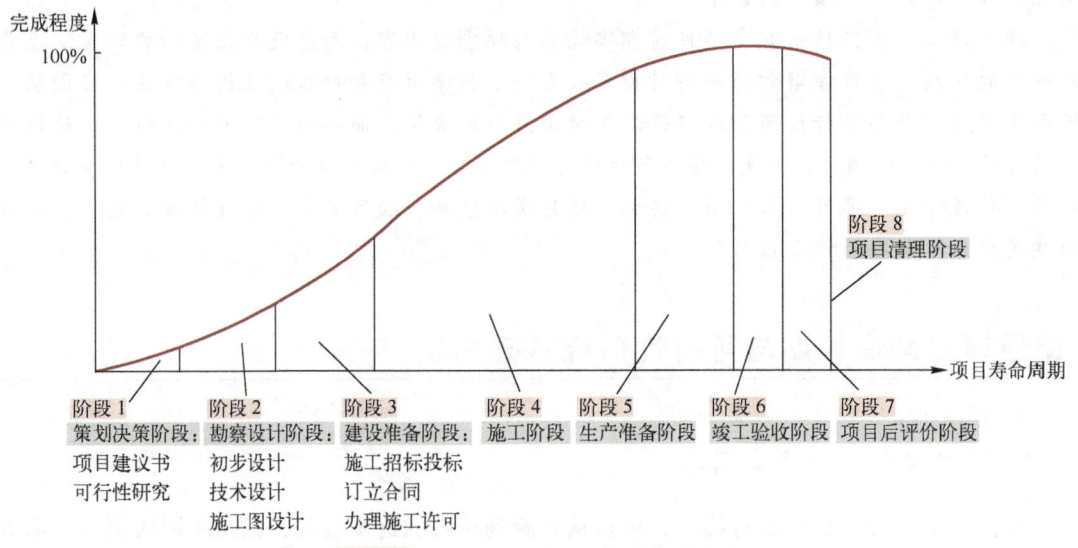

图 10-1　工程建设项目寿命周期示意图

1. 策划决策阶段

策划决策阶段又称为建设前期工作阶段，主要包括编报项目建议书和可行性研究两项工作内容。

1）编报项目建议书。编报项目建议书是项目建设最初阶段的工作，其主要作用是为了推荐建设项目，以便在一个确定的地区或部门内，以自然资源和市场预测为基础选择建设项目。

项目建议书经批准后，可进行可行性研究工作，但并不表明项目非上马不可，项目建议书不是项目的最终决策。

2）可行性研究。可行性研究是在项目建议书被批准后，对项目在技术上和经济上是否可行所进行的科学分析和论证。任何建设项目，在建成后位置是固定的，在什么地方建设，就在什么地方提供生产能力或使用效益。因此，对准备投资的项目，必须进行充分的可行性研究，认真进行勘察调查，搞清拟建地点的资源情况、工程地质和水文地质情况，以及一切有关的自然条件和社会条件，根据工业的合理布局和有关协作要求，慎重地选择建设地点。

随着我国投资体制改革的深入，目前对于政府投资项目需审批项目建议书和可行性研究报告；对于企业不使用政府资金投资建设的项目，一律不再实行审批制，区别不同情况实行核准制和登记备案制；对于《政府核准的投资项目目录》以外的企业投资项目，实行备案制。

2. 勘察设计阶段

一切投资项目，不论是生产性建设还是非生产性建设，也不论其规模大小，都是根据特定的用途进行的。每一项工程都是为发挥其特定的用途来设计的。因此，对每项拟建工程都要在事先有明确的概念，即产品或建设的规模多大，选用什么设备、生产流程或标准，建造什么样的建筑物和构筑物等，都要预先设计，才能进行施工和购置。

设计过程一般划分为两个阶段，即初步设计阶段和施工图设计阶段。对于大型复杂项目，可根据不同行业的特点和需要，在初步设计之后增加技术设计阶段。

初步设计是设计的第一步，如果初步设计提出的总概算超过可行性研究报告投资估算的10%以上或其他主要指标需要变动时，要重新报批可行性研究报告。

初步设计经主管部门审批后，建设项目被列入国家或地方固定资产投资计划，方可进行下一步的施工图设计。

施工图设计一经审查批准，不得擅自进行修改；如需修改，必须重新报请原审批部门，由原审批部门委托审查机构审查后再批准实施。

3. 建设准备阶段

建设准备阶段主要内容包括：组建项目法人；征地、拆迁、"三通一平"乃至"七通一平"；组织材料、设备订货；办理建设工程质量监督手续；委托工程监理；准备必要的施工图；组织施工招标投标，择优选定施工单位；办理施工许可证等。按规定做好施工准备，具备开工条件后，建设单位申请开工，进入施工阶段。

4. 施工阶段

建设工程具备了开工条件并取得施工许可证后方可开工。项目新开工时间，按设计文件中规定的任何一项永久性工程第一次正式破土开槽时间而定。不需开槽的以正式打桩作为开工时间。铁路、公路、水库等以开始进行土石方工程作为正式开工时间。

5. 生产准备阶段

对于生产性建设项目，在其竣工投产前，建设单位应适时地组织专门班子或机构，有计划地做好生产准备工作，包括招收、培训生产人员；组织有关人员参加设备安装、调试、工程验收；落实原材料供应；组建生产管理机构，健全生产规章制度等。生产准备是由施工阶段转入项目经营的一项重要工作。

6. 竣工验收阶段

工程竣工验收是全面考核建设成果、检验设计和施工质量的重要步骤，也是建设项目转入生产和使用的标志。验收合格后，建设单位编制竣工决算，项目正式投入使用。

7. 项目后评价阶段

多数项目在项目实施完毕并经过一段时间的运营之后，还需要对项目进行后评价，其主要目的包括两个方面：其一是对于项目最终的实际情况做出客观评价，其二是对项目相关决策的正确性予以评价。不管是哪一种情况，项目后评价的主要作用是总结项目的经验教训，从而在今后项目管理中，提高项目决策者和管理者的决策和管理水平。

8. 项目清理阶段

这个阶段项目终结退出市场，主要工作内容是对项目占用的生产要素和项目的最终残值进行清查、处理和回收。

10.1.2 可行性研究基础知识

可行性研究（Feasibility Study）是在项目寿命周期中，项目策划决策阶段的一个重要内容。可行性研究也称为可行性分析，主要是对拟投资的项目进行全面、综合的技术经济分析。追溯可行性研究的发展过程，它是在20世纪30年代，美国开发田纳西流域时首次推行应用的，在第二次世界大战后得到广泛发展，目前已成为许多国家（或企业）对新建、改建、扩建的工业建设项目及其他各种类型项目投资前所必不可少的分析研究手段。特别是最近20多年中，现代工业技术、科学管理和商品经济在世界各国都有着高度的发展，兴建一个工程项目要牵涉许多复杂的技术、工程、经济和外部配合问题。如何有效地运用资金，成功地实现拟建项目各个阶段的目标，最终获得预期的经济效益，已成为项目决策时期的中心研究问题。

在投资前时期，主要是解决项目的决定实施或决定不实施问题，分为机会研究、初步可行性研究、可行性研究、评价和决策四个阶段。从广义角度或整个该时期的内容来讲，这四个阶段都是属于可行性研究范围，只是各阶段要求的深度和标准不同，它们由粗到细，由浅到深，由不明朗到明朗，最终的目的是要判明所研究的项目是否可行。对于那些已经判明没有前途的项目，在任何阶段都可以中止下一阶段的研究，只有对于那些有前途的项目才有必要继续进行深入、详细的研究，得出供投资抉择的结论。

对项目进行可行性研究的一个核心是对项目投资合理性的论证，也就是对项目进行经济评价（财务评价和国民经济评价），需要应用所学的工程经济学基本原理与方法对拟投资项目在整个项目寿命周期内的各种投入和产出（经济性评价要素）进行分析，因此，工程经济学的基本原理和方法在实践中的一个应用领域就是针对项目的可行性研究。

1. 建设项目可行性研究的含义

建设项目可行性研究就是指对拟新建、改扩建项目的一些主要问题，如市场需求、资源条件、建设条件、资金来源、设备选型、环境影响等，从技术和经济两个方面进行详尽的调查研究、分析计算和方案比较，并对拟建项目建成后可能取得的技术经济效果和社会影响进行预测，从而提出拟建项目是否值得投资建设和怎样投资的意见，为投资决策提供可靠的依据。它是项目建设前期工作的一个重要阶段，是项目决策的关键，只有对拟建项目在技术、经济工程、外部协作和配套条件等诸方面的合理性进行全面的调查、研究和分析论证，提出科学的决策依据，才可以避免因项目盲目上马所造成的巨大浪费和损失，才能提高投资效益，使资本、劳动力、土地等稀缺资源创造出更大的经济效益和社会效益。

可行性研究经过批准（或备案），建设项目就正式确立。

与经济发达国家一样，我国把可行性研究分为三个阶段，即投资机会研究阶段、初步可行性研究阶段、详细可行性研究阶段。

2. 可行性研究的作用

可行性研究作为其他各项投资准备工作的主要依据，可以为投资者进行投资项目决策、申请项目贷款以及寻求合作者、机构设置等提供依据。总结起来，可行性研究有以下作用：
1）作为项目投资决策的依据。
2）作为向银行等金融机构或金融组织申请贷款、筹集资金的依据。
3）作为项目主管部门商谈合同、签订协议的依据。
4）作为编制设计和进行建设工作的依据。
5）作为项目组织管理、机构设置、技术、设备采用等工作的依据。
6）作为申报项目和接受相关部门评审的依据。

同时通过可行性研究，要能够针对拟建项目回答以下七个问题：
1）拟建项目在技术上是否可行？
2）建设周期多长？
3）拟建项目需要多少投资？
4）投资通过哪些渠道和方式筹集（项目融资），如何使用和偿还？
5）拟建项目在经济上是否合理？
6）拟建项目在财务上是否盈利？各种财务指标如何？
7）项目建成后对国民经济和社会环境有哪些影响？

所以，概括来说，可行性研究的作用就是为了解决工程建设项目技术是否先进、经济是否合理及对社会是否有益的问题。

3. 可行性研究的程序和可行性研究报告的内容

1）可行性研究的程序是指开展可行性研究工作应当依次经过的步骤，一般包括组建工作小组、数据调研和收集、方案编制与优化、形成可行性研究报告初稿以及论证和修改五个步骤。

2）联合国工业发展组织规定的可行性研究报告要包括实施纲要、项目的设想等十项内容。在我国，由中国国际工程咨询公司组织编写的《投资项目可行性研究指南》中更是包含了19项基本内容。

10.2 可行性研究的主要内容和可行性研究报告编制框架

为了能够回答上节中针对拟建项目提出的七个问题，解决好建设项目在技术是否先进、经济是否合理及对社会是否有益这三个方面的疑问，根据国家相关管理部门的规定，一般工程建设项目可行性研究应包括三大关键内容、十二个方面的主要内容。

10.2.1 可行性研究的主要内容

可行性研究的主要内容见表10-1。

在完成可行性研究工作后，要形成书面可行性研究报告，以书面形式来阐述项目可行性研究的主要内容（三个方面），即项目建设的"必要性"——市场调查和预测、项目在技术上的"可行性"——建设条件和技术方案、项目在经济上的"合理性"——经济效益分析与评价，这是可行性研究的核心内容，也是书面可行性研究报告中重点要阐述的内容。可行性研究通过上述三个方面对项目进行优化研究，从而提交书面可行性研究报告作为正式文件。

表 10-1　可行性研究的主要内容

关键内容	主要研究内容 （按可行性研究报告的编制顺序）	具体研究内容
市场分析	项目概要	项目背景，投资建设必要性，经济意义
	市场需求预测和拟建规模	市场需求规模分析，拟建项目规模，产品方案和发展方向的分析和比较
	原材料、能源、公共基础设施情况	供应状况，价格，运输条件
	建厂条件和厂址方案	建厂的地区选择，建厂的地点及布置方案选择
	环境保护与劳动安全	环境调研，投产后对环境影响，"三废"治理方案，劳动保护措施，编制审批环境影响报告
技术分析	工艺技术和设备选择	技术方案比较，工艺方案及设备选型方案比较
	节能分析	项目关于减少能源浪费、降低废气排放的措施
	企业组织、劳动定员及员工培训	组织结构，组织方式，劳动定额
	项目实施进度计划	项目进度总安排，各项任务所需时间和进度要求，最佳实施进度计划方案选择
经济分析	投资估算与项目融资	建设投资估算，建设期利息估算，流动资金估算，项目总投资使用计划，资金筹措（来源、方式）
	经济评价	财务评价，国民经济评价
	综合评价	建设方案综合性评价与方案选择

可行性研究报告既是投资决策的依据，也是向银行贷款的依据，同时也是向政府主管部门申请批复，或同其他单位合作谈判、签订协议的依据，因此，在可行性研究报告编制中体现的内容很重要，所以要对可行性研究报告的编制框架进行详细介绍（注：这里阐述的主要是针对生产性建设项目可行性研究报告内容的编制，大部分可行性研究所包括的范围都相同或类似，但由于项目的特点、性质、规模和复杂程度，以及所需投资费用和其他费用等因素，研究的侧重点或要求的细节会有很大的不同）。

10.2.2　可行性研究报告的编制框架

1. 总论

1) 阐述项目提出的背景、投资环境、项目投资建设的必要性和经济意义，项目投资对国民经济的作用和重要性。

2) 阐述项目可行性研究阶段的研究过程。

3) 阐述项目可行性研究的原则及编制依据。

4) 综述可行性研究的主要结论、存在问题与建议，列表说明项目的主要技术经济指标。

2. 市场需求调查、预测和拟建规模

1) 阐述针对项目的国内、外市场需求调查与预测。

2) 阐述国内现有的针对项目产出品生产能力的估计。

3) 阐述项目产出品销售预测、价格分析、产品竞争力分析、市场前景分析等内容。

4) 阐述拟建项目的规模、产品方案构成。拟建项目的规模是指项目的全部生产能力或使用效益，如工业项目中的主要产品品种、规格、产量，交通运输项目中的铁路、公路、管线的总长度。产品方案主要说明产品结构、中间产品衔接和工艺路线。例如，钢铁联合企业应说明铁矿石的开采、选别，烧结系统，焦化系统，炼铁、炼钢系统，钢材初轧、精轧等产品结构、衔接和配套安排；以石油为原料的石油化工联合企业，应说明原料的加工路线、中间产品品种的衔接平衡、最终产品的结构等；改扩建项目应包括原有固定资产的利用程度和现有生产能力的发挥情况。

3. 原材料、能源、公共基础设施情况

1）阐述项目产出品原材料的资源可利用量、资源品质情况、资源赋存条件、资源开发价值。

2）阐述辅助材料、燃料的种类、数量、来源和供应可能性，有毒、有害及危险品种类、数量和储运条件。

3）阐述总图运输与公用辅助工程主要情况，包括总图布置方案、场内外运输方案、公用基础设施与辅助工程方案。

4. 建厂条件和厂址方案

1）阐述建厂的地理位置、气象、水文、地质、地形条件和社会经济现状。

2）阐述厂址选择，包括厂址方案比选、推荐的厂址方案。

3）对于所有新建工业项目，在上报可行性研究报告时，都应当完成规划性选点工作，并附有有关部门或地区对拟建厂址的倾向性意见；铁路、公路、管线工程、输变电工程，应说明线路（线网）的经由和走向；某些有特殊要求的项目，如水利水电工程、桥梁工程，应完成工程的选址，确定具体的坝址或桥位；一般民用建筑工程的大体方位，在工程选址阶段，允许在可行性研究报告确定的范围内变动。

4）针对所有新建、扩建（厂外扩展）项目，在确定地点时，应说明所在地区的地震基本烈度以及建筑抗震要求。对建设占土地的数量和质量（耕地、山地、荒地）应加以估算，并附有项目所在地区征地管理部门的原则性意见。

5. 工艺技术和设备选择

阐述技术方案选择、主要设备方案选择、工程方案选择。

6. 节能分析

阐述节能措施，进行能耗指标分析，阐述节水措施，进行水耗指标分析。

7. 环境影响评价

这一部分主要包括三方面的内容：阐述环境条件调查；影响环境因素分析；提出环境保护措施。尤其针对新建工业项目，应编写环境影响评价报告，凡可能产生污染、影响环境、破坏生态平衡的，必须提出治理"三废"、控制污染、保护环境的措施，以便做到"三废"治理工程能与主体工程同步建成。

8. 劳动安全卫生与消防

阐述危险因素和危害程度，提出安全防范措施、卫生保健措施、消防设施。

9. 企业组织、劳动定员及员工培训

编制组织结构图；进行人力资源配置，即项目正式投产后所需的劳动定员，包括生产技术和经营管理人员、生产操作工人的定员；进行员工培训。

10. 项目实施进度

说明项目建设工期，即从工程正式破土动工到全部建成投产所需的天数，以及对工程建设的起止年限的建议、实施进度安排、技术改造项目建设与生产的衔接。

11. 投资估算与项目融资

1) 说明按照投资估算指标估算的建设项目本身所需的全部投资费用，作为编制工程设计概算的控制数；说明建设投资估算、建设期利息估算、流动资金估算及资金使用计划。

2) 阐述建设资金的来源或筹集方式，包括国家预算投资、地方预算统筹投资、自筹投资、银行贷款、利用外资、合资经营等；属于银行贷款项目的，应附有贷款银行的签署意见。

12. 经济评价

1) 财务评价。阐述财务评价基础数据与参数选取；估算营业收入与成本费用；编制财务评价报表；进行盈利能力分析、偿债能力分析、财务生存能力分析、不确定性分析（包括项目主要风险识别）、风险程度分析；制定防范风险对策；阐述财务评价结论。

2) 国民经济评价。阐述国民经济评价的内容，（针对有些项目）包括影子价格及评价参数选取、效益费用范围与数值调整、国民经济评价报表、国民经济评价指标、国民经济评价结论。

13. 社会评价

进行项目的社会影响分析、项目与所在地互适性分析、社会风险分析，得出社会评价结论。

14. 综合评价

1) 阐述建设方案的综合分析评价与方案选择。

2) 运用以上内容中的各项技术经济数据结果，从技术、经济、社会等方面论述建设项目的可行性，提出项目存在的问题、改进建议及结论性意见，提供决策参考。

15. 附件

通常应在可行性研究报告最后附有相应的重要的附件和附图，如环境影响报告、需要的市场调查报告、厂址地形或位置图、总平面布置方案图、工艺流程图、主要车间布置方案简图。

目前，利用一些项目可行性研究报告编制计算机应用软件，在依据《建设项目经济评价方法与参数》（第3版）的相关参数及原则基础上，基础数据的输入，能够自动生成可行性研究中主要报表、技术参数、不确定性分析、风险分析的结论。

10.3 可行性研究与项目评审

10.3.1 项目评审的含义

事实上，在项目寿命周期的各个阶段都有不同的项目评审工作，如图10-2所示。

本书表述的项目评审的含义，只是针对以可行性研究为基础的项目前评审（图10-2），在此基础上来研究可行性研究与项目评审的相关内容。

项目评审与可行性研究是项目前期咨询的两项重要内容，两者既存在着较为密切的联

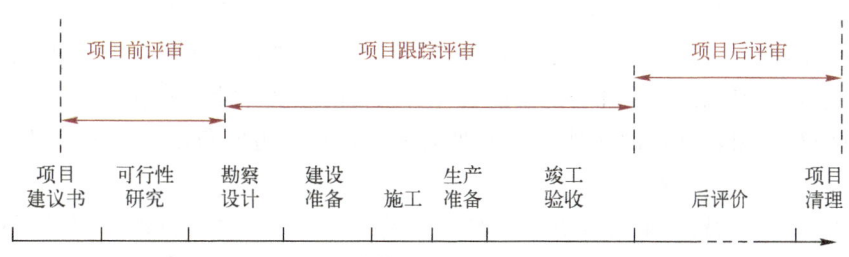

图 10-2　项目寿命周期对应的各个阶段的项目评审

系,也存在着明显的区别。

项目评审是由决策部门组织或委托有资格的工程咨询机构、贷款银行（或单位）、有关专家按照国家有关法规,在可行性研究的基础上对拟建项目进行的可靠性、真实性、客观性和投资是否可行（包括最佳投资方案的确定是否合理）所做的全面审核和再评价,狭义上是对可行性研究的评审。

项目评审作为一种对投资项目进行科学审查和评价的理论与方法,强调从长远和客观的角度对可行性研究进行论证并做出最后的决策。简单地说,可行性研究是论证项目的可操作性；而项目评审是评估可行性研究的客观性。一般必经的阶段是：项目机会识别—项目可行性研究—项目评审—项目实施—项目实施监察—项目完成。

10.3.2　项目评审与可行性研究的关系

1. 两者的相似性

1）两者同处于项目投资的前期阶段。可行性研究是继项目建议书批准后,对投资项目在技术、工程、外部协作配套条件和财务、经济和社会上的合理性及可行性所进行的全面、系统的分析和论证工作；而项目评审则是在项目决策之前对项目的可行性研究报告及其所选方案所进行的系统评估。它们都是项目前期工作的重要准备,都是对项目是否可行及投资决策的咨询论证工作。

2）两者的出发点一致。项目评审与可行性研究都以市场研究为出发点,遵循市场配置资源的原则,按照国家有关的方针政策,将资源条件同产业政策与行业规划结合起来进行方案选择。

3）两者考察的内容及方法基本一致。

4）目的和要求基本相同。两者的目的均是要提高项目投资科学决策的水平,提高投资效益,避免决策失误,都要求进行深入、细致的调查研究,进行科学的预测与分析,实事求是地进行方案评价,力求资料来源可靠、数据准确、结论客观而公正。

2. 两者的差异性

1）两者的承担主体不同。为了保证项目决策前的调查研究和审查评价活动相对独立,应由不同的机构分别承担这两项工作。在我国,可行性研究通常由项目的投资者或项目的主管部门来主持,投资者既可以独自承担该项工作,也可委托给专业设计或咨询机构进行,受托单位只对项目的投资者负责；项目评审一般由项目投资决策机构或项目贷款决策机构（如贷款银行）主持和负责,主持评审的机构既可自行组织评审,也可委托专门咨询机构进行。

2）两者评价的角度不同。可行性研究一般要从企业（微观）角度去考察项目的盈利能力，决定项目的取舍，因此它着重于讲求投资项目的微观效益；而国家投资决策部门主持的项目评审，主要从宏观经济和社会的角度去评价项目的经济和社会效益，侧重于项目的宏观评价。贷款银行对项目进行的评估，则主要从项目还贷能力的角度，评价项目的融资主体（借款企业）的信用状况及还贷能力。

3）两者在项目投资决策过程中的目的和任务不同。可行性研究除了对项目的合理性、可行性、必要性进行分析、论证外，还必须为建设项目规划多种方案，并从工程、技术经济方面对这些方案进行比较和选择，从中选出最佳方案作为投资决策方案，因此，它是一项较为复杂的工程咨询工作，需要较多人力进行较长时间的论证；而项目评审一般可以借助可行性研究的成果，并且不必为项目设计多个实施方案，其主要任务是对项目的可行性研究报告的全部内容，包括所选择的各种方案，进行系统的审查、核实，并提出评估结论和建议。

4）两者在项目投资决策过程中所处的时序和作用不同。在项目建设程序中，可行性研究在先，项目评审在后，其作用也不相同。可行性研究是项目投资决策的基础，是项目评审的重要前提，但它不能为项目投资决策提供最终依据；项目评审则是投资决策的必备条件，是可行性研究的延续、深化和再研究，通过更为客观地对项目及其实施方案进行评估，独立地为决策者提供直接的、最终的依据，比可行性研究更具有权威性。

10.3.3 项目评审的内容

项目评审的目标是为投资决策提供科学的依据。项目的类型很多，其规模、性质和复杂程度各不相同，因而其评估的内容与侧重点也有一定的差异，但其基本内容大同小异，这里主要针对生产性建设项目的项目评审内容进行阐述。项目评审主要包括以下几个方面：

1. 项目与企业概况评审

首先，对项目实施的背景进行简要分析；其次，对各类项目的基本概况进行简要分析。对于基本建设项目，主要评估项目的投资者、建设性质、建设内容、产品方案、项目隶属关系等；对于更新改造项目，除上述内容外，还要评估现有企业的基本概况、历史沿革、组织机构、技术经济水平、资信程度、经济效益等。

2. 项目建设必要性评审

主要从宏观和微观角度论述项目建设的必要性，如项目的建设是否符合国家的产业政策，是否符合国民经济发展规划与地区发展规划，是否有助于优化城市总体布局等。

3. 项目市场需求分析评审

主要分析项目所生产的产品（或所提供的服务）的市场现状、未来发展趋势以及产品（或服务）在市场上的竞争力等。

4. 项目生产规模确定

在建设必要性评审与市场需求分析评审的基础上，结合项目的具体情况（如厂址情况、资金筹措能力、技术和管理水平、规模经济等），确定项目的最佳生产规模。

5. 项目建设生产条件评审

主要评审项目的建设施工条件能否满足项目正常实施的需要，项目的生产条件能否满足正常生产经营活动的需要。

6. 项目技术评审

主要评审项目所使用的工艺技术、技术装备和实施技术等方面是否可行，项目所采用的工艺是否具备先进性、经济性、合理性和安全性。每个项目经济效益和社会效益产生的影响都是在既定的项目工艺技术与装备方案等前提下取得的，都是在一定的技术组织措施条件下取得的，只有项目技术可行才会进一步产生项目的经济价值，因此在进行项目经济评审之前必须进行项目技术评审，以确定项目的技术可行性。也只有技术可行的项目，才有必要进一步进行项目的财务评价和国民经济评价。

7. 投资估算与资金筹措

主要估算项目总投资额（包括建设投资、流动资金投资与建设期利息等），并制订相应的资金筹措方案和资金使用计划。

8. 财务效益分析

从企业或项目的角度出发，根据收集和估算出的财务数据，以财务价格为基础，编制有关表格，计算相应的技术经济指标，据此判断项目的财务盈利能力、偿债能力和财务生存能力。

9. 不确定性分析与风险分析

运用有关方法，计算相关指标，考察项目抵御风险的能力。

10. 项目总评审

在上述各项评估的基础上，得出项目评审的结论，并提出相应的问题和建议。

11. 编写项目评审报告

在完成上述工作后，整理相关资料，编写项目评审报告。

10.3.4 项目评审报告的编制框架

1. 内容提要

1）阐述项目评审原则、评审工作实施概况等。
2）阐述评审报告得出的结论及主要问题和建议。

2. 项目及项目法人概况

1）项目概况。包括：项目建设单位、建设地点；建设必要性、建设目标、功能及建设规模；建设内容、规划方案主要技术经济指标；投资及资金筹措情况。
2）业主基本情况。
3）项目规划背景。

3. 评审依据

1）咨询评审委托书。
2）委托投资咨询评审管理办法。
3）有资质单位编制的项目可行性研究报告（含项目招标方案）。
4）建设项目用地预审意见。
5）城市规划部门提供的建设项目规划意见。
6）当地环保部门提供的建设项目环境影响评价意见。
7）建设单位建设资金来源证明及近三年财务报表和财务指标。
8）规划部门批准的建设总体规划。

9）地方行政和行业管理部门颁发的现行各种行政收费文件。

4. 评审意见

（1）项目建设必要性评审

分析拟建项目是否符合国家国民经济和社会发展规划，是否符合国家产业布局等。从本项目实际情况出发，分析是否符合规划发展目标和总体规划要求，分析建设规模的确定原则和依据是否正确有据，对项目的必要性提出具体意见。

（2）文件编制依据和深度的评审

1）编制依据的评审。评审内容主要包括：项目是否具有立项批复文件，编制内容与投资规模是否在批准范围之内；民用建筑工程是否有当地规划部门规划要点的批复，是否符合规划要求，是否有重大变更，其变更是否合理，是否经主管部门批准。

2）对报告文件完整性及编制深度评审。可行性研究报告应包括报告文件、建设地点位置图、总平面图、建筑设计方案图、投资分析情况等内容。各项内容的编制深度应达到国家有关部门的规定。评审报告应明确指出可行性研究报告的编制是否有漏项、是否有不符合要求的内容，并提出建议。

（3）项目建设目标、规模和功能的评审

评审内容主要包括：项目建设目标是否符合国民经济和社会发展规划，是否满足生产力布局要求，是否是重复建设项目。建设规模确定的原则和依据是否准确有据，项目建设规模是否经济合理，功能是否合理并满足使用要求，在满足当前规划的前提下为今后一定时期内留有发展余地。

（4）项目建设条件评审

1）项目选址评审。评审内容主要包括：项目选址是否符合规划原则与要求，即项目建设地点的选择依据和理由是否充分，选址方案是否符合国家和所在地区国土规划、城市规划、土地管理、文物保护、环境保护等法律法规；项目建设用地的属性是否符合决策部门的要求，总用地规模是否明确，各种功能用地的规模及地点是否明确，各类建设用地是否落实。

2）项目建设一般条件评审。评审内容主要包括：项目建设所需要的供电、供水、供热、供气与交通运输、通信等设施条件是否落实且可靠稳定，能否满足项目建设和建成后正常运行的需要；当不能满足需求时，建设方案中是否有相应措施。

3）根据该场地的地质勘察资料对场地地层地况进行评审。对于无法提供拟建场地地质勘探报告的项目，可参考附近建筑物的地质资料进行评审，待正式勘探报告出来以后由初步设计再进行复核和调整。

（5）项目技术评审

1）规划总平面设计评审。评审内容主要包括：规划总平面设计构思意图及布局是否科学、合理，与周边环境是否协调，竖向设计、交通组织、绿化景观、文物保护和环境保护等方面的方案是否合理、可行，是否留有扩建、改造与进一步发展的余地；其技术指标是否符合当地城建部门规定。

2）建筑方案评审。建筑方案首先应满足该建筑的功能需要，其建筑形式、控制高度、层数、立面、出入口等应满足国家、行业、地方有关建筑法律法规的要求并考虑建筑风格以及与周边环境的协调。评审要考察方案中描述的建筑标准、采用的材料、采取的措施，如通风、采光、日照、出入交通、节能等是否符合规范标准的规定。

3）结构方案评审。评审内容主要包括：结构设计依据是否正确，结构安全等级、设计使用年限、建筑抗震设防、所选用的主要结构形式等是否符合国家及当地有关规范及规定的要求，是否安全可靠，结构设计中是否考虑了建设地点特殊的地基条件。

4）电气方案评审。评审内容主要包括：设计方案依据是否正确，内容是否齐全，用电负荷、各系统参数能否满足功能需要，建设标准是否恰当，系统方案是否可行，是否安全可靠、经济、合理，是否符合相应规范与标准。

5）给水排水方案评审。评审内容主要包括：设计方案依据是否正确，内容是否齐全，给水排水量、系统参数能否满足功能需要，建设标准是否恰当，各系统设计方案是否可行，是否安全、经济、合理，是否符合相应规范与标准。

6）采暖通风与空调、燃气方案评审。评审内容主要包括：采暖通风与空调、动力、燃气等方案设计依据是否正确，内容是否齐全，负荷、参数能否满足功能需要，各设备系统设计方案是否可行，是否安全、经济、合理，建设标准是否恰当，是否符合相应规范与标准。

7）环境保护评审。评审内容主要包括：是否按有关要求编制了环境影响评价报告（或在可行性研究报告中是否有专篇对该项目的环境影响做出评审），阐述其报告内容是否全面，保护措施是否得当、可行等；环境影响评价报告中提出的问题，是否有解决的措施，措施是否可行；排放废气、废水、废渣的治理措施是否有效。

8）安全卫生、安全生产评审。对于可能产生不安全因素和对卫生防疫有要求的项目，应重点阐述评审项目技术方案的安全防范措施的可靠性。

9）节能、节水评审。评审内容主要包括：建筑物的建筑、结构、采用材料和建筑设备的选型是否满足国家相关标准要求，是否有节能、节水措施，能源来源的选择、供能方式的选择、能耗指标的控制、节水方案等是否合理，并对存在的问题提出建议。

（6）组织管理、实施进度及招标方案的评审

1）项目组织管理。项目组织管理主要包括项目建设期组织管理和项目建成后的运行组织管理。对它的评审主要包括：阐述项目建设期组织管理机构与职能分工是否明确；对于不具有建设项目实施管理能力的建设单位是否落实了管理机构和管理方案；项目实施各阶段的管理方案或措施是否具体；项目建成后的运行管理机构设置是否落实及合理；项目建成投入运行后管理或经营方式是否可行；对于运行经费的解决方案是否做了分析和说明。

2）项目实施进度。根据项目的建设周期，阐述其是否最有效地安排了项目实施计划和工程进度，是否编制了相应的框图，说明各阶段的工作内容和进度安排。

3）项目招标方案。对土建工程、设备、设计、监理等投资额达到国家规定额度的，应进行招标，阐述其招标方案是否合理，招标方案是否符合国家发改委有关文件的规定。

（7）投资估算的评审

评审估算依据、编制方法、范围、内容及深度、主要技术经济指标等是否正确、合理，是否真实反映了可行性研究报告中建设内容的要求。

1）投资估算的内容。投资估算包括总投资估算和分项投资估算。投资估算的评审是指对项目总投资构成的完整性、合理性和计算的准确性进行的评审。总投资估算表包括建筑安装工程费、设备购置费、工程建设其他费用、预备费和贷款利息等内容。

2) 投资估算评审要求。具体包括：

① 投资估算依据是否准确。因各地政府出台的文件不同，对于地方性收费标准，数额差别较大，应审查取费依据是否齐全、合理。

② 投资估算的编制深度是否符合要求。评审内容主要包括：各项内容的组成是否详细，仪器设备是否有估算清单，工程建设其他费用是否有详细内容等。

③ 投资水平、投资结构是否合理。评审拟建项目投资水平是否恰当。投资结构主要是评审各个分项如建安工程费、设备购置费投资是否合理，其他费用各占项目总投资的比例是否合理，是否满足投资部门对投资方向、投资结构的要求。对不合理的投资部分进行调整，并编制投资估算评审调整表。评审调整表应含申报投资额、调整后投资额和调整增减额等内容。

(8) 项目资金来源与筹措方案评审

它对项目的资金来源、筹措方式、筹资额度、筹资风险及资金使用计划等方面的合理性和可靠性进行分析论证和评审，对存在的问题提出修改意见。

1) 资金筹措。评审内容包括可行性研究报告中提出的各类资金来源是否正当、合理、可靠，是否符合国家有关法规，各项资金来源是否落实，使用条件是否合理等内容进行评审；对相关的证明文件和材料是否齐全，地方承诺的配套资金和建设单位自筹资金到位的可能性进行评审；对资金筹措方案进行分析评审，包括筹资数量及投放时间、筹资风险以及筹资成本等的分析评审。

2) 资金使用计划方案。评审内容主要包括：资金使用的计划是否与项目实施进度计划相衔接，安排是否科学合理；用款计划安排能否与资金来源相适应，能否保证项目顺利实施；有无调整和修改的建议。

3) 还贷能力。评审内容包括对贷款建设的项目，是否有银行贷款证明或意向的评审，并评审建设单位财务状况，以确定其还贷能力。

(9) 建设项目的效益评审

主要从经济、社会等方面的效益状况进行评审。

1) 经济效益（主要用于生产性项目和有经济收益的项目）。评审内容包括：项目自身可能取得的经济效益状况的评审，其计算是否准确全面，是否合理、客观地反映了项目的经济效益；非经营性项目建成后能否持续、稳定运行，其运行费用如何解决等；如果建设项目是以经营性为主，则必须进行财务分析。

2) 社会效益。从建设单位投资所取得的社会效益方面来进行评审，主要是根据项目的性质和特点，分析项目对经济社会发展及各建设单位带来的效益。

5. 问题和建议

1) 阐述存在或遗留的重大问题。

2) 阐述潜在的风险。

3) 提出建议：解决问题的途径和方法；下一步工作的建议。

6. 项目总体评价

项目总体评价是在汇总各分项评审的基础上，阐述拟建项目的必要性和可行性，在全面分析和综合评审的基础上提出肯定或否定意见；对于报告中各部分内容和方案存在的重大问题提出修改意见；对申报投资估算做出投资估算调整表，确定具体调整额；对不能确定的重大问题提出建议，供主管或决策部门决策时参考；将其数据资料进行检验、审核和整理，以及对比分析、归纳判断，提出最终结论意见和建议。

练 习 题

1. 我国工程建设项目寿命周期具体分为几个阶段？
2. 建设项目可行性研究的主要内容有哪些？
3. 简述可行性研究与项目评审的关系。

第 11 章 改扩建项目的经济评价

【内容提要】

(1) 改扩建项目及其特点。
(2) 改扩建项目的范围界定。
(3) 改扩建项目效益与费用的识别。
(4) 改扩建项目的财务评价。
(5) 改扩建项目经济评价的总量法与增量法。
(6) 改扩建项目经济评价的简化处理。
(7) 改扩建项目经济评价应注意的问题。

【关键词】

改扩建项目；范围界定；有项目；无项目；有无法；前后法；总量法；增量法

【学习指导】

技术改造项目、扩建项目、改建项目、复建项目等统称为改扩建项目。它是增量劳动存量，形成新的生产能力，以扩大或完善既有企业生产运营系统，实现增加产品供给、开发新产品、调整生产结构、提高技术水平、降低生产消耗、减少污染排放等目的的建设项目。

一方面，改扩建项目中的"项目"建立在"既有企业"基础上，其建设和运营、效益与耗费与"既有企业"交织在一起。另一方面，改扩建项目又独立投资，独自建设，"脱离"于既有企业。改扩建项目的经济评价基础工作就是厘清"项目"和"既有企业"的关系，清晰界定其边界范围。

"有无对比法"（简称"有无法"）用"有项目"数据和"无项目"数据获取"增量数据"，准确识别了改扩建项目的现金流，厘清了"项目"和"既有企业"的关系。

改扩建项目在完成财务费用效益识别和估算以后，要进行融资分析（改扩建项目的资金筹措）、盈利能力分析、项目层次的偿债能力分析、企业层次的偿债能力分析及财务生存能力分析。

故扩建项目经济评价有总量法和增量法。总量法把改扩建与否视为一对互斥方案，通过各自绝对效益评价及相对效益评价来评判改扩建与否的相对优劣，逻辑严谨结论可靠。缺点是需要对既有企业进行准确的资产评估。增量法以"有无法"而产生的"增量数据"为基础，通过有关指标来评判改扩建与否的相对优劣，规避了总量法的难题。

11.1 改扩建项目概述

11.1.1 改扩建项目概念

改扩建项目是指在既有企业的基础上，借助既有资源，通过新投资活动形成的新生产能力而扩大或完善既有生产运营系统的建设项目总称。它包括技术改造项目、扩建项目、改建项目和复建项目等。

改扩建项目是相对于新建项目而言的。改扩建项目建立在既有企业的基础上，全部或部分利用既有资源，通过项目"增量"投资带动存量资产，从而发挥"增量"投资和既有"存量"资产的关联效应。这是改扩建项目经济性的逻辑基础。

改扩建项目的目的主要有增加既有适销产品的供给量，开发新产品品种，调整项目生产经营结构，提高项目技术水平，提高产品质量，降低生产劳动消耗和运营费用，改善劳动条件，减少环境污染和废物、废水、废气排放等，体现在经济上主要是减亏（或扭亏）和增盈。

11.1.2 改扩建项目的主要特点

相对于新建项目，改扩建项目具有如下特点：

1）改扩建项目运作是在既有企业主体组织下，利用既有企业资源，并由既有企业承担责任和后果而进行的，项目主体就是既有企业主体，项目是既有企业的有机组成部分。项目依托于企业，与既有企业存在着紧密的关联性，不能脱离企业。

由于项目确立在企业基础上，其建设和运营与企业有着紧密的关联性，因此改扩建项目的费用和效益识别和估计比新建项目要复杂得多。需要从企业费用和效益中"剥茧抽丝"分离出项目的增量费用和效益。

2）改扩建项目是独立投资、独自实施的，应区别于既有企业。尽管改扩建项目依托既有企业，与企业存在着紧密的关联性，但毕竟是独立建设或独立运营的单位项目，就此项目投资经济性的分析和评价应限定在项目范围以内。因此应把项目现金流和既有企业现金流分别开来，对项目的现金流量进行独立分析和估算，用项目自身的增量现金流量来考察项目的增量投资的经济性——项目的经济性。

3）改扩建项目的实施和企业的运营通常同时进行，项目的建设和运营对既有企业的运营会产生影响。例如，因项目建设可能导致企业停产、设备拆迁等，发生企业相关利益损失；因项目建设和运营还可能改善既有企业运营的技术环境、市场环境、管理环境，如提升企业范围的整体技术水平、产生市场的聚集效应、为企业带来相关利益等，诸如此类因项目实施而产生的对企业的影响应估算在项目的费用和效益中，在项目的费用和效益现金流量中体现出来。

4）改扩建项目由既有企业主体组织实施，它是项目的融资主体，承担着项目的债务和相关责任，负担项目的债务成本和风险。所以考察项目的经济性特别是偿债能力，既有必要在项目层次进行，更有必要在企业层次进行，以判断企业对项目债务的承担和偿还能力，考察项目融资能力及可行性。

11.1.3 改扩建项目的范围界定

改扩建项目依据其对既有企业的关系可分为整体改扩建项目和局部改扩建项目。整体改扩建项目是指在使用全部既有企业资源的基础上,再通过新投资注入对企业进行整体改扩建。局部改扩建项目是指仅使用部分既有企业资源,通过新投资对企业进行局部改扩建。

对于整体改扩建项目,项目的范围涵盖了整个企业。企业和项目的投资主体、融资主体、经营主体是统一的,项目范围就是企业范围。所以,识别和估算项目的效益和费用时,不仅要识别和估算项目的效益和费用,还要识别和估算企业其余部分的效益和费用。

对于局部改扩建项目,项目范围只是企业范围的一部分。企业和项目的投资主体、融资主体是统一的,但经营主体可能不统一。企业有一部分在项目内,还有一部分在项目外。所以,识别和估算项目的效益和费用时,应只识别和估算项目的效益和费用,不能识别和估算企业其余部分的效益和费用。

11.2 改扩建项目经济评价的主要内容

概括说来,改扩建项目的经济评价和新建项目的经济评价本质上是相同的,都是通过现金流分析用评价指标来判断项目的可行性。但改扩建项目是在既有企业的基础上进行的,受着现有技术经济条件的影响,有其自身的特点,因而其费用与效益的识别和经济评价与新建项目又有所不同。

11.2.1 改扩建项目效益与费用的识别

改扩建项目
现金流识别

识别效益和费用是进行改扩建项目经济评价的基础性工作,其准确合理性直接影响评价精度和评价结论。根据"有无对比"的原则,识别改扩建项目需注意以下四种数据:

1. 现状数据

现状数据也可称为基本值(Baseline),是反映改扩建项目实施前既有企业资源和运营状况的数据。现状数据是实际统计的一个时点数据,一般采用项目实施前一年的数据。当该数据不具有代表性时,可取有代表性的年份值或几个年份值的均值。现状数据是改扩建项目数据识别与取得的基础。现状数据是项目决策前既有企业运营的实际现金流的反映。

2. "有项目"数据

"有项目"(with Project)数据是指改扩建项目的投资注入后,在项目的计算期内,"项目+既有企业"范围内发生的费用和效益相关数据。"有项目"数据是预测的一组时间序列数据,是预测的项目实施后计算期内"项目+既有企业"各年项目现金流的反映。

3. "无项目"数据

"无项目"(without Project)数据是指既有企业利用拟建项目范围内的资源,在项目计算期内发生的费用和效益相关数据。"无项目"数据是预测的一组时间序列数据,是预测的项目未实施状态下,项目范围内和项目计算期期间企业各年现金流的反映。

"有项目"数据和"无项目"数据均是在现状数据基础上,通过对"有项目"和"无项目"各自状态的分析,用预测和估算的方法取得的。

4. 增量数据

增量(Increment)数据是"有项目"数据和"无项目"数据的相对数据,即"有项目"数据与"无项目"数据的算术差:"有项目"投资减去"无项目"投资即为增量投资——改扩建项目投资,"有项目"收益减去"无项目"收益即为增量收益——改扩建项目收益,"有项目"费用减去"无项目"费用即为增量费用——改扩建项目费用。增量数据是一组反映项目计算期内各年现金流状况的时间序列数据。

"有无对比法"取得的增量数据反映着改扩建项目的实际效益和费用情况,是评价改扩建项目经济性的基础数据,也是厘清"项目"和"既有企业"关系的有效方法。

需要注意的是,在识别和估算改扩建项目的费用和效益时,采用的是"有项目"与"无项目"对比的方法,即"有无法"。一定要与"项目后"与"项目前"对比的"前后法"区别开来。"项目前"数据即现状数据,"项目后"数据即"有项目"数据。"有无法"和"前后法"识别和估算改扩建项目的费用和效益流量的区别主要有以下几个方面:

1)因市场拉动和加强企业管理,在"无项目"情况下企业的年收益逐年增加,"有项目"后,企业的年收益增加幅度更大,如图11-1所示。在这种情况下,如果用"前后法"计算改扩建项目的收益,显然虚增了项目自身的效益。

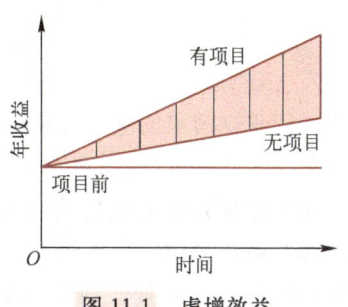

图 11-1 虚增效益

2)"无项目"时,企业收益逐年下降,由于实施改扩建项目而使企业维持目前收益水平,如图11-2所示。按"前后法"计算的增量净收益为0,明显地虚减了项目的效益。

3)"无项目"时,企业收益逐年下降,实施改扩建项目后,则使企业扭亏为盈,年收益逐年上升,如图11-3所示。若按"前后法"计算,则减少了改扩建项目的增量净收益,从而低估了项目的增量效果。

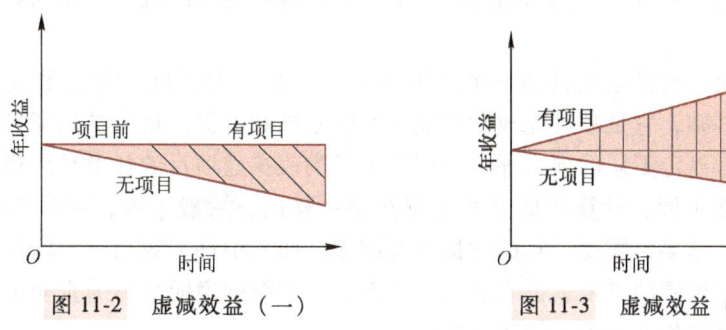

图 11-2 虚减效益(一)　　　　图 11-3 虚减效益(二)

11.2.2 改扩建项目的财务评价

改扩建项目的财务评价与新建项目财务评价本质上是相同的。具体评价方法和指标与新建项目又有区别。

1. 盈利能力分析

改扩建项目的盈利能力分析利用"有无法"取得的"有项目"和"无项目"的"增量"数据进行。通过对增量投资、增量营业收入、增量经营成本、增量流转税等增量经济要素形成的增量现金流量分析，计算相关的经济评价指标，如增量净现值、增量内部收益率等，考察改扩建项目的盈利能力。其计算公式如下：

$$\Delta NPV = \sum_{t=0}^{n} \Delta NCF_t (P/F, i_c, t) \tag{11-1}$$

$$\sum_{t=0}^{n} \Delta NCF_t (1 + \Delta IRR)^{-t} = 0 \tag{11-2}$$

式中　ΔNPV——增量净现值；

ΔIRR——增量内部收益率；

i_c——基准收益率，其选取的原则见本书前几章相关内容；

n——改扩建项目的计算期；

ΔNCF_t——增量净现金流量，其计算公式如下：

ΔNCF_t = 增量营业收入 + 增量资产回收 − 增量投资 −

增量经营成本 − 增量流转税

若 $\Delta NPV \geq 0$ 或 $\Delta IRR \geq i_c$，则表明在既有企业基础上对于改扩建项目的增量投资满足投资者、行业或国家的基本要求，具有经济合理性，项目可行；反之，则表明增量投资不能满足要求，项目不可行。

改扩建项目的盈利能力分析是在增量现金流量基础上，通过增量净现值 ΔNPV 和增量内部收益率 ΔIRR 分析进行的。这是改扩建项目经济评价区别于新建项目的总量现金流量分析经济评价之处。新建项目建立在零项目基础上，用"有无对比"取得的现金流量是项目的总量现金流量；而改扩建项目建立在既有企业基础上，"无项目"的基础是非零状态的。

需要注意的是，用增量现金流量分析的方法——增量法考察改扩建项目的盈利能力，当评价指标满足判断依据的要求，如 $\Delta NPV \geq 0$ 或 $\Delta IRR \geq i_c$ 时，表明增量投资具有财务可行性，改扩建项目在财务上可行。但该结论不表明作为投融资主体的既有企业也具有财务上的可行性。

与新建项目相比，改扩建项目的一个显著特征是存在"无项目"状态的既有企业，它是合理界定项目的基础，它是顺利完成改扩建项目的基础和前提。从改扩建项目盈利能力分析的方法不难看出，界定不同的项目评价范围并不影响改扩建项目的各项经济指标，因为所界定的项目范围虽然不同，计算出的增量数据却是一样的。一般来说，项目范围界定得越大，需要收集的资料越多，需要计算的数据也就越多，而其中许多数据对指标计算并不起实际作用。因此，项目范围的界定就盈利能力分析而言，在能够说明项目为企业带来的效益和费用的前提下，项目评价范围确定得越小越好。

2. 偿债能力分析

改扩建项目的偿债能力分析从项目和企业两个层次进行。

(1) 项目层次的偿债能力分析

项目层次的偿债能力分析就是考察用"有项目"状态的收益偿还项目的新增债务的能

力。与新设项目偿债能力分析一样,改扩建项目偿债能力分析也是用偿债备付率、利息备付率指标考量的。在计算相关指标时应注意的是,还款资金是指"有项目"状态时产生的利润总额、折旧和摊销,债务资金是指用于改扩建项目"新增投资"的债务资金,不包括用于既有企业的债务资金。指标的具体计算和评价标准参见本书前几章相关内容。

(2) 企业层次的偿债能力分析

项目偿债能力不足时,作为承担偿还债务责任主体的既有企业就要动用企业自有资金,用于偿还项目的债务资金。此时,需要进行企业层次的偿债能力分析。显然,企业偿债能力是债权人十分关心的信息,也是影响项目可行性(可实施性)的重要参数。

企业偿债能力分析主要考察企业从项目范围外取得还款资金、弥补项目还款资金不足的能力。企业主体偿还因项目实施而产生的债务、取得还款资金有两个基本渠道:项目收益和项目外企业收益。以项目收益清偿因项目而发生的债务的能力表现在项目层次的偿债能力分析中。所以,企业偿债能力分析需要在项目层次的偿债能力分析基础上,进而考察企业从项目外取得还款资金的能力。

3. 财务生存能力分析

改扩建项目财务生存能力分析只在"有项目"的状态下进行,分析的内容和方法同新建项目,即通过"有项目"状态下的累计财务计划现金流量来考察改扩建项目的财务生存能力。

4. 对企业贡献分析

改扩建项目的根本目的是减亏(或扭亏)和增盈,要通过分析项目对企业的贡献考察改扩建项目目的的实现程度。改扩建项目对既有企业贡献分析根据项目建设主要目标综合进行。在财务上,主要通过计算营业收入、利润总额等效益指标的新增数值及增长率,估计项目对企业的贡献。

11.2.3 改扩建项目经济评价的总量法与增量法

1. 总量法

总量法是对"整体项目"经济效益的考察,即对在"无项目"和"有项目"两种状态下,项目和既有企业的综合——"整体项目"的经济效益分别进行考察。总量法通过"无项目"和"有项目"两种状态下"整体项目"计算期内的现金流来分别考察"整体项目"的总量经济性,考量改扩建项目实施前后"整体项目"的经济状况,以此判断改扩建项目的经济可行性及改扩建项目对既有企业的贡献。

改扩建项目经济评价

总量法的逻辑关系如图 11-4 所示。

总量法不涉及费用、效益在改扩建项目和既有企业之间的划分问题,不需要判断现金流是由于新增投资带来的还是由既有基础产生的,解决了费用和效益识别的一大难题。总量法具有同时显示两种不同状态下"整体项目"绝对效益和相对效益的特点,因而对方案经济性的考察是全面的。

但总量法反映的是改扩建与否这两个方案的总量经济状况,因此在计算"无项目"的经济效益指标时,需要将既有资产视为投资。因而就需要对既有资产进行科学的评估,以其评估值作为既有项目的投资,列入现金流量中。同样,在计算"有项目"的经济效益指标时，对投资的估算也应该是在现有资产评估值基础上加上改扩建新增投资。由于资产评估是一项十分复杂、困难的工作，其工作量和难度甚至会超过项目经济评价本身，因此总量法有使用上的不足。

2. 增量法

增量法是对改扩建项目的增量经济效益的考察，即对增量投资（即改扩建项目投资）带来的增量效益进行考察来判断改扩建项目的经济性。增量法通过"有项目"与"无项目"两种状态下的现金流的识别与估算所得到的增量现金流来考察改扩建项目的经济可行性。

因为"有项目"与"无项目"两种状态下的现金流都有相同的既有资产，在进行增量计算时，两者抵消，所以增量法不必进行现有资产价值的估价，省却了资产评估的环节。

增量法的逻辑关系如图 11-5 所示。

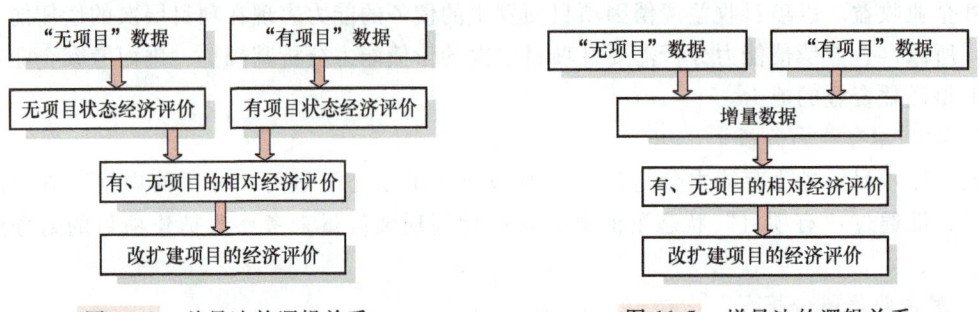

图 11-4　总量法的逻辑关系　　　　图 11-5　增量法的逻辑关系

但增量法计算的只是一种相对效果，只能考察改扩建与否两个方案的相对优劣，不能反映改扩建项目的绝对经济效益状况以及对既有企业"扭亏"目标的贡献，这是增量法的不足之处。

【例 11-1】

某企业现有资产估价为 1 000 万元，拟投资 250 万元进行整体改造以实现企业扭亏目标。改造前企业的年营业收入和年经营成本分别为 650 万元和 500 万元，改造后分别增加 100 万元和 50 万元。项目寿命周期为 10 年，不改造时期末残值为 200 万元，改造后预计增加 150 万元。财务基准折现率为 10%。试对改造项目的盈利能力进行分析并判断项目对企业的贡献。

解：（1）增量法

1）计算项目的增量现金流，见表 11-1。

表 11-1　项目的增量现金流　　　　　　　　　　　（单位：万元）

项　　目	投　　资	年营业收入	年经营成本	期 末 残 值
"有项目"数据	1 250	750	550	350
"无项目"数据	1 000	650	500	200
增量数据	250	100	50	150

2) 计算增量评价指标。

$$\Delta NPV = [-250+(100-50)\times(P/A,10\%,10)+150\times(P/F,10\%,10)]万元$$
$$= 115.055 万元$$

3) 判断改造项目的财务可行性。

由上面计算可知 $\Delta NPV \geq 0$，因为基准收益率为10%时，项目在财务上可行，并且项目实施可以使年营业收入提高100万元，所以项目对企业是有贡献的。

但项目实施能否实现企业的扭亏目标或改扩建项目实施后"整体项目"的经济效益状况，用增量法无法判断。

（2）总量法

1) 根据"无项目"数据计算评价指标。

$$NPV = [-1\,000+(650-500)\times(P/A,10\%,10)+200\times(P/F,10\%,10)]万元$$
$$= -1.21 万元$$

2) 根据"有项目"数据计算评价指标。

$$NPV = [-1\,250+(750-550)\times(P/A,10\%,10)+350\times(P/F,10\%,10)]万元$$
$$= 113.845 万元$$

（3）判断改造项目的财务可行性

由上述计算结果可以看出，由于改扩建项目的实施，"整体项目"在计算期间比以前增加了[113.845-(-1.21)]万元=115.055万元的净现值，所以基准收益率为10%时，该改扩建项目在财务上可行，并且根据"有项目"数据的计算结果，改扩建项目实施使得企业实现了扭亏目标，项目对企业的贡献是显著的。

增量法存在着只考察改扩建与否两个方案的相对经济性，不能直接用增量指标判断"整体项目"的可行性和项目对企业扭亏目标贡献的不足。总量法面临着现有资产合理估价的困难。那么，什么情况下才能既避免总量法资产评估带来的麻烦又可以直接使用增量指标评价改扩建项目的经济可行性呢？观察表11-2的分析，表中，"+"表示通过评价标准，"-"表示没有通过评价标准。

表11-2 增量效益和总量效益评价结论分析

| 序 号 | 增量效益 | 总量效益 | | 评价结论 |
		不 改 造	改 造	
1	+	+	+	改造
2	+	-	+	改造
3	+	-	-	改造或破产
4	-	+	+	不改造
5	-	+	-	不改造
6	-	-	-	不改造或破产

通过表11-2的分析，可得出结论：在一般情况下，只需对改扩建项目进行增量现金流

分析，以增量法的结论为依据进行决策。只有在既有企业面临关闭、停办、合并、转产、破产并且改扩建的目的在于扭亏时，才需要分别使用总量法计算"整体项目"的总量效益和使用增量法计算增量效益。

11.2.4 改扩建项目的国民经济评价

改扩建项目的国民经济评价采用新建项目国民经济评价的原理和方法，通过"有项目"和"无项目"的"有无对比"增量经济现金流量分析，计算增量经济净现值和增量经济内部收益率，判断项目的经济合理性。在此不再赘述。

11.2.5 改扩建项目经济评价的简化处理

改扩建项目一般要用到"有项目"数据、"无项目"数据、增量数据、现状数据、新增数据，从而增大了数据预测的工作量；在企业规模比较大时，有些必要的企业数据比较难以获得，或即使得到了可靠性也比较差；由于还款主体与经营主体不一致，一般还需进行项目层次和企业层次的分析。因此，改扩建项目的经济评价比较复杂，在项目经济评价的实践中，往往在遇到以下几种情况时要对改扩建项目按新建项目进行简化处理：

1) 项目与既有企业的生产经营活动相对独立。在这种情况下，项目的边界比较清楚，可以进行独立经济核算，项目的费用与效益比较好识别，现金流入与流出比较好测度，符合新建项目评价的基本条件，可简化处理。

2) 以增加产出为目的的项目，增量产出占既有企业产出的比例小。在这种情况下，既有企业产出规模大，项目的增量产出不会对既有企业现金流量产生较大的影响，项目实际上也是相对独立的，评价时可以简化按新建项目处理。

3) 利用既有企业的固定资产量与新增量相比较小。被使用的既有企业的固定资产量小，意味着"有项目"情况下现金流入与流出基本不受既有企业的影响，新增投资是项目建设期内主要的现金流出，项目其他现金流入和流出也是总现金流的主要组成部分，所以可以简化成新建项目处理，使用新建项目的评价过程。

4) 效益与费用的增量流量较易确定。"有无对比"是改扩建项目评价的根本原则，对比的结果是求出增量现金流量，增量现金流量可直接用于项目（含新建项目）的盈利能力分析。新建项目实际是改扩建项目的特例。"无项目"的净现金流量为零，也不利用既有企业的任何资产，增量现金流量可以视作"无项目"的流量为零时"有项目"的现金流量。

需要注意的是，对于可以进行简化处理的改扩建项目，一定要在评价时阐明简化处理的理由。

11.2.6 改扩建项目经济评价中应注意的问题

1) 计算期的可比性问题。根据费用和效益口径一致的原则，既有企业改扩建项目经济评价的计算期一般取"有项目"情况下的计算期。

2) 原有资产利用的问题。既有企业改扩建项目范围内的原有资产可分为"可利用的"和"不可利用的"两个部分。对于改扩建项目范围内的既有企业资产，不论项目是否可利用，均应作为"有项目"的投资处理，在合理计价基础上将其与项目的新增投资一并计入项目投资。

3) 停产、减产损失问题。改扩建项目的改建活动一般总会造成企业部分生产停止或减产，导致营业收入减少。应根据实际减少的数额计入"有项目"的营业收入估算表中，体现在费用效益流量中。

4) 沉没成本问题。沉没成本是指既有企业过去投资决策发生的、非现在决策能改变（或不受现在决策影响）、已经计入过去投资费用回收计划的费用。因此沉没成本是"有项目"和"无项目"都存在的成本，对于实现项目的效益不会增加额外的费用。所以，对于项目是否应当实施的决策来说，沉没成本不应当包括在项目增量费用之中。因此，在用增量法分析增量现金流、评价项目的经济性时，因沉没成本与有无项目均无关，所以不予考虑。但用总量法考察"整体项目"的经济性时，需要将沉没成本作为费用处理。

一般来说，在设计项目改扩建方案时，会尽量考虑到继续利用企业以前闲置不用的设备或厂房。这部分资产是企业以前投资决策的结果，在会计上已停止计提折旧，是企业的沉没成本。对于"继续利用"部分应该怎么处理呢？

改扩建项目的增量效益并不完全来源于新增投资，有一部分是来自企业原有固定资产潜力的发挥，这是改扩建项目的一个特殊优点——利用企业的原有资产。例如，某企业计划进行技术改造，那些可利用的固定资产是"无项目"投资，也是"有项目"的"继续利用"部分，其增量投资为零；过去预留发展的准备用来新建生产线用的厂房或地皮，在没有新项目的情况下，可出租或发展其他项目，其变现收入可作为"无项目"效益，增量投资也为零。因此，"继续利用"部分虽然继续发挥作用，但它不会随着是上马项目还是不上马项目而改变，与"有无对比"最终的增量数据无关，在做增量盈利能力分析时可不予考虑，如果忽略对这一部分的考虑，就会大大减少经济评价的工作量，而不会影响到评价结果的准确性。

5) 机会成本问题。如果项目利用的现有资产有明确的其他用途（出售、出租或有明确的使用效益），那么将资产用于该用途能为企业带来的收益被看作项目使用该资产的机会成本，也是"无项目"时的收入，按照"有无对比"是识别效益和费用的原则，应该将其作为"无项目"时的现金流入。

6) 总量与增量的评价问题。改扩建项目进行经济评价的目的主要有以下两个：第一是评价改扩建新增投资的经济效果；第二是从评价企业的整体效益出发进行评价，判断改扩建项目可能对企业产生的影响，决定该项目是否进行改扩建。目前，在国家经济还不发达、建设资金不够充裕的情况下，为了提高资金的利用率，应该对多个资金使用方案进行优化比较，在这种情况下不仅要考虑增量投资的经济效益是正是负，而且还要考虑这部分增量投资能够带来多大的经济效益。在一般情况下，根据增量评价结论即可做出改扩建项目的投资决策。

练 习 题

1. 某企业目前年营业收入为 3 000 万元，年经营成本为 2 200 万元，财务效益较好。现计划引进一条生产线进行扩建。拟引进设备的离岸价格为 160 万美元，海上运输及保险费用为 17 万美元。到我国境内后发生的费用包括：①关税，计价税率为 3%；②国内运输费为 13 万元；③外贸手续费，费率为 3%；④增值税及其附加 88 万元。扩大规模后企业年营业收入增加到 4 500 万元，年经营成本提高到3 200万元。扩建投资发生在期初，当年即可达产。扩建项目实施时，企业原有一些设备可出售，价值为10万元。

市场分析表明，该产品还有5年的市场空间。5年后生产线的残余价值为45万元。已知市场汇率为1美元=6.5元人民币，财务基准折现率为10%。试评价改扩建项目的财务可行性。

2. 若上题中企业生产的产品为市场竞争性产品。年经营成本数据中包含环保部门收取的排污费为200万元。经济与环保专家认为，该项目环境污染对国民经济的实际损害为年营业收入的10%。已知影子汇率换算系数为1.08，社会折现率为10%，试评价改扩建项目的国民经济可行性。

第12章　设备更新的经济评价

【内容提要】

(1) 设备磨损及其补偿。
(2) 设备的寿命。
(3) 设备大修理的经济实质及经济界限。
(4) 设备更新决策（原型更新、新型更新）。

【关键词】

设备有形磨损；设备无形磨损；设备的综合磨损；设备磨损的补偿；设备的经济寿命；设备大修理；设备原型更新；设备新型更新

【学习指导】

项目投资最终形成大量的资产，以此形成项目运营的基本条件，并成为投资者获利的平台。固定资产在生产使用或闲置过程中因力的作用或技术进步的作用会发生磨损，如不及时对磨损进行补偿或修复，将有可能影响其使用效率和效果。

设备磨损的补偿形式有许多种。选择什么方式进行补偿，实质上是方案选择的决策问题，所以，要建立在对方案技术性和经济性分析、评价的基础上。

在进行设备大修理时保留了设备的部分既有零部件，只是对磨损严重的部分进行了更换，这是大修理的经济实质，也是大修理这种设备磨损补偿方式能够存在的经济前提。大修理应满足两个条件：①该次大修理费用小于或等于同种设备的重置价值；②该次大修理后的设备生产单位产品的费用小于或等于具有相同功能的新设备生产单位产品的费用。

设备更新有原型更新和新型更新两种形式。原型更新是用同类型的新设备替换磨损严重不能继续使用的旧设备。原型更新的实质是选择合适的更新时机，所以最终归结为设备的经济寿命的问题。

新型设备更新是指以结构更先进、技术更完善、性能更优越、效益更高的新型设备替代原有设备。因此，新型设备更新实质上是现有设备方案与新型设备方案的互斥比较问题，即决定继续使用现有设备在经济上有利，还是购置新型设备有利。

12.1 概述

12.1.1 设备磨损的内涵

所谓设备磨损，是指设备性能的劣化或其价值、使用价值的贬损。设备磨损因力或科技因素而引发，所以设备磨损可以分为两类：有形磨损和无形磨损。

1. 有形磨损

（1）第Ⅰ类有形磨损

由于外力的作用（如摩擦、受到冲击、超负荷或交变应力作用、受热不均匀等）造成的设备实体磨损、变形或损坏称为第Ⅰ类有形磨损。

（2）第Ⅱ类有形磨损

由于自然力的作用（如生锈、腐蚀、老化等）造成的磨损称为第Ⅱ类有形磨损。

无论是第Ⅰ类有形磨损还是第Ⅱ类有形磨损，都会导致设备"肌体"老化，实体发生变化，并因而使设备的使用价值和价值贬损。在技术上使加工精度降低，生产品质下降；在经济上使运行费和日常维修费增加，生产效率下降。因此受到有形磨损影响的设备要考虑对于磨损的补偿问题。

使用中的设备同时存在第Ⅰ类、第Ⅱ类两类有形磨损。根据磨损状态的不同，有的磨损可以通过修理的方式得以局部补偿，称之为可消除性有形磨损；而有的磨损则难以通过局部修理而获得补偿，称之为不可消除性有形磨损。

2. 无形磨损

设备的无形磨损是指由于技术进步使得原类型设备的重置价值降低，或者出现性能更加完善、生产效率更高的设备，从而使原有设备的价值和使用价值相对贬损。无形磨损不表现为设备实体的变化和损坏，所以也称经济磨损或精神磨损。无形磨损的形式有两种：

（1）第Ⅰ类无形磨损

由于设备制造技术改进、劳动生产率提高，使得原类型设备的重置成本降低，并因而使原有设备的价值相应贬损，这类磨损称为第Ⅰ类无形磨损。

（2）第Ⅱ类无形磨损

由于技术进步，出现了性能更加先进、完善、生产效率更高、耗费原材料和能源更少的新型设备，并因而使原有设备的价值和使用价值相对贬损，这类磨损称为第Ⅱ类无形磨损。

第Ⅰ类无形磨损只是影响了设备的价值，在技术进步作用下，使得价值相对贬损，并未影响设备的使用价值，并没有改变现有设备本身的技术性能。因此受到第Ⅰ类无形磨损影响的设备，其以后的使用并不受妨碍。第Ⅱ类无形磨损不仅影响了设备的价值，还影响了设备的使用价值。由于技术进步而出现的新型设备，可能会因为其技术上的更加完善和经济上的更加合理而使得现有设备被淘汰。所以对于受到第Ⅱ类无形磨损影响的设备要考虑补偿问题。

3. 综合磨损

综合磨损是指设备同时存在着有形磨损和无形磨损的综合情况。一般地，设备的两种磨损会同时发生。一方面会在使用或闲置中受力的作用发生有形磨损，使得设备实体发生变化，影响设备的价值和使用价值；另一方面，在设备受着上述有形磨损的过程中，技术进步也会随时呈现，从而使得设备的价值或使用价值相对贬损。因此综合磨损是设备磨损的常态。讨论设备的更新问题就要综合分析设备的综合磨损。

12.1.2 设备磨损的补偿

设备磨损的补偿是指选择合理的方式和合适的时机对设备磨损的使用价值进行的修复。由于磨损使得作为投资者获利平台的运营基础劣化，影响甚至威胁到期望利益的实现，因而需要修复这种被劣化了的运营基础，改善、恢复或基本恢复设备的使用价值。

设备磨损的类型、形式不同，磨损的补偿方式也不相同。设备磨损的补偿方式有设备修理、原型设备更新、新型设备更新和设备技术改造四种。对于设备的有形磨损，如具有可消除性，则可以通过大修理予以局部补偿，也可以通过原型设备更新予以完全补偿；如不可消除，则只能进行原型设备更新。对于设备的无形磨损，如属于第Ⅰ类无形磨损，因不影响其使用价值，可不考虑补偿；如属于第Ⅱ类无形磨损，则可以通过设备技术改造，使设备磨损得以改革性补偿，还可以通过新型设备更新，实现设备的革命性补偿。设备磨损形式与其补偿方式的相互关系如图 12-1 所示。

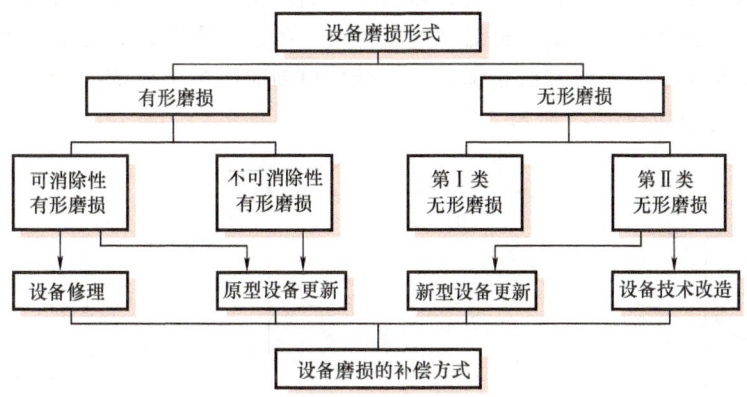

图 12-1 设备磨损形式与其补偿方式的相互关系

由于设备一般同时遭受有形磨损和无形磨损，因此，对其综合磨损的补偿方式应进行深入研究，以确定合适的补偿方式。

12.1.3 设备的寿命

由于磨损的存在，设备的使用价值和价值逐渐消失，因而设备具有一定的寿命。设备的寿命，由于研究角度的不同其含义也不同，一般有以下几种不同的概念。

1. 自然寿命

自然寿命又称物理寿命，是指设备从全新状态下开始使用，直到报废的全部时间过程。它主要取决于设备的有形磨损。做好设备的例行保养和日常维修工作可延缓有形磨损进程，延长设备的自然寿命，但不能从根本上避免设备的磨损。

设备使用时间的长短，实际上通常不取决于其自然寿命，而要考虑市场、经济、技术等多种因素。

2. 技术寿命

技术寿命是指设备从投入使用到因技术落后而被淘汰所延续的时间。技术寿命是设备在市场上体现其使用价值的时间，所以又称有效寿命。它主要取决于设备的无形磨损。技术进步越快，其设备的技术寿命就越短。例如曾经的 486 计算机，即使完全没有使用过，也会随着后期奔腾系列计算机的上市，以及酷睿系列计算机的推广，而因技术落后被淘汰，其技术寿命就宣告终结。在估算设备寿命时，必须考虑设备技术寿命期限的变化特点及其使用的制约因素或影响。

3. 折旧寿命

折旧寿命或折旧年限是指国家有关部门规定的设备计提折旧费的时间长度。折旧寿命的确定除考虑设备的自然寿命、技术寿命外，还考虑了国家技术政策、产业政策、财政税收状况等。

4. 经济寿命

经济寿命是指设备在经济上最合理的使用期限，也就是年均总费用最低的期间。它是由有形磨损和无形磨损共同决定的。

设备费用主要包括：发生在期初的一次性购置费用以及持续发生在使用期间的年均运营费用——保养、维修费用，燃料动力费用，操作费用等。一方面，随着使用时间的延长，年均购置费用越来越小；另一方面，年均运营费用不断递增。在这两种费用相互消长的变化过程中，有某一时点会使年均总费用最低，这就是设备的经济寿命，如图 12-2 所示。

在设备更新分析中，经济寿命是确定设备最佳更新时机的主要依据。

设备的经济寿命如图 12-3 所示。

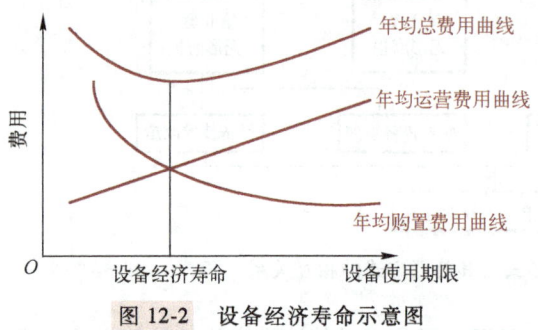

图 12-2　设备经济寿命示意图

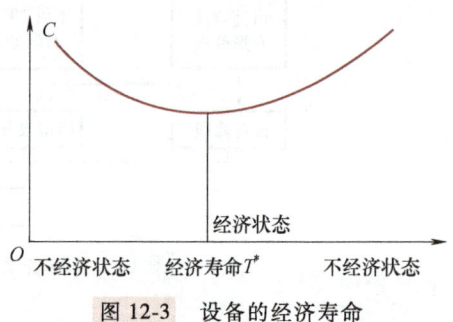

图 12-3　设备的经济寿命

12.1.4　设备更新分析

设备更新是设备磨损补偿的具体表现形式。广义的设备更新包括所有的设备使用价值改善、恢复或基本恢复的形式，如大修理、现代化改装、原型更新（更换）、新型更新等。狭义的更新仅只原型更新（更换）和新型更新。

设备更新分析是为更新方案选择提供依据的工程经济分析活动。设备更新方案的选择实质上是决策问题，需建立在设备更新分析的基础上。设备更新分析要把握如下原则：

1) 技术性原则。设备更新决策首先是技术问题。在综合磨损成为设备磨损常态的情况下，设备更新分析首先要注意对设备技术性能缺失的补偿。这是保证设备成为投资者良好获利基础所必需的，也是设备更新具有经济性的前提。

2) 经济性原则。设备更新决策更是经济问题。之所以提出更新决策的命题，就是为了解决设备使用价值的贬损及其带来的经济上的不合理。因此设备更新分析应充分进行设备使用费用的估计、分析和评价,最终的设备更新建议方案一定是在经济上更加合理的方案。

12.2 设备大修理的经济性分析

12.2.1 设备大修理的经济实质

为了保持设备在寿命周期内的完好使用状态而进行的局部修复或更换工作称为修理或维修。修理按其实际发生的费用和修理的性质可以分为保养、小修理和大修理三种。

1) 保养是为了通过减少整机和零件磨损以保持设备性能、减少故障而进行的清洁、检查、调整、紧固、润滑、防腐等工作,必要时更换少量易损件。

2) 小修理主要是排除设备运转中出现的突发性故障和异常,以及对损坏严重的局部进行调整修理。

3) 大修理是通过调整、修复或更换磨损的零部件,恢复设备的精度和生产率,使整机全部或接近全部恢复功能,以期达到设备原有的技术性能。

在进行设备大修理时保留了设备的部分既有零部件,只是对磨损严重的部分进行了更换,这是大修理的经济实质,也是大修理这种设备磨损补偿方式能够存在的经济前提。

为了提高设备的效能,有时可结合大修理进行设备的技术改造。

12.2.2 设备大修理的经济界限

设备虽然通过大修理可以修复设备磨损,延长其使用寿命,但是这种延长,无论是在技术上,还是在经济上,都不是没有限度的。大修理不可能完全修复设备已经磨损的性能。每经过一个大修理周期,都会导致设备性能的低劣化。大修理的周期会随着设备使用时间的延长而越来越短,即大修理的间隔时间呈现边际递减的现象,如图12-4所示。当修理达到一定的次数后,其综合性能指标特别是经济性能指标再也无法达到继续使用的要求或超出了一定的经济界限,此时也就不应该再修了。

设备大修理时应当考虑以下两个经济条件:

1) 该次大修理费用小于或等于同种设备的重置价值与旧设备被替换时的残值之差,否则大修理不具有经济合理性,而应考虑设备更新。这是大修理在经济合理性上的基本条件或称最低经济界限,即:

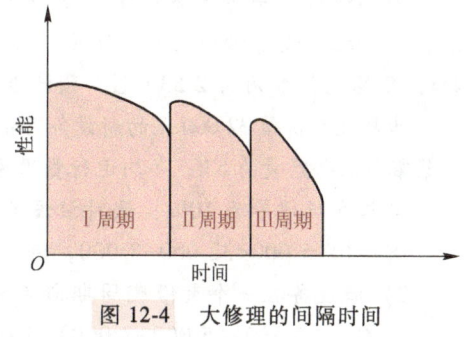

图12-4 大修理的间隔时间

$$R \leqslant P - L \tag{12-1}$$

式中 R——该次大修理费用;

P——同种设备的重置价值,即同种新设备在大修理时刻的市场价格;

L——旧设备被替换时的残值。

上述第1)条讲的是大修理经济性的基本条件或必要条件,但不是充分条件。大修理的经济性还要考查大修理后使用该设备生产的单位成本。因为大修理后的设备,与新设备相比还是存在性能低劣化的问题，会增加与设备使用有关的费用，如日常维护和小修理的费用等。

2) 该次大修理后的设备生产单位产品的费用小于或等于具有相同功能的新设备生产单位产品的费用，即：

$$C_j \leq C_0 \tag{12-2}$$

式中　C_j——用第j次大修理后的设备生产单位产品的费用；

　　　C_0——相同功能的新设备生产单位产品的费用。

C_j和C_0的计算公式如下：

$$C_j = \frac{C_{gj} + (R_j + \Delta V_j) \times (A/P, i_c, T_j)}{Q_j} \tag{12-3}$$

$$C_0 = \frac{C_{g01} + \Delta V_{01} \times (A/P, i_c, T_{01})}{Q_{01}} \tag{12-4}$$

式中　R_j——设备第j次大修理的费用；

　　　ΔV_j——设备在第$j+1$个大修理周期内的价值损耗现值，其值为第j次大修理价值与第$j+1$次大修理价值之差的现值；

　　　Q_j——设备第$j+1$个大修理周期的年均产量；

　　　C_{gj}——设备第$j+1$次大修理周期期间生产单位产品的运营成本；

　　　T_j——设备第$j+1$次大修理的周期期间；

　　　ΔV_{01}——新设备第1个大修理周期的价值损耗现值；

　　　Q_{01}——新设备第1个大修理周期的年均产量；

　　　C_{g01}——用新设备生产单位产品的经营成本；

　　　T_{01}——新设备第一次大修理的周期期间。

【例 12-1】

某已使用6年的设备市值为3 000元。如果进行一次大修理的话预计费用为5 000元，大修理后设备增值为6 400元。该大修理周期为4年，其间加工某零件的年产量为45t，年均运行费用为2 530元。预计至下次大修理时，设备价值为2 000元。

市场现有价值32 000元的新设备可供更新。新设备的首个大修理周期为5年，其间年加工某零件的年产量为63t，年均运行费用为2 260元。至下次大修理时，设备价值为7 500元。

若基准折现率为10%，试对该设备此次大修理进行经济分析。

解：1) 5 000<32 000-3 000，满足此次条件$R \leq P-L$。

2) 旧设备在一个大修理周期内的费用现金流如图12-5所示。

$C_j = [2\,530 + (5\,000 + 3\,000) - 2\,000 \times (P/F, 10\%, 4) \times (A/P, 10\%, 4)]$元$\div 45$t

$\quad = 102.73$元/t

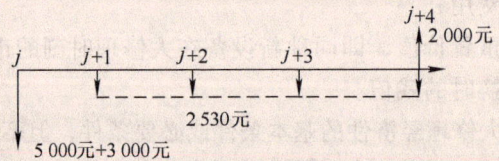

图 12-5　旧设备在一个大修理周期内的费用现金流

新设备在一个大修理周期内的费用现金流如图12-6所示。

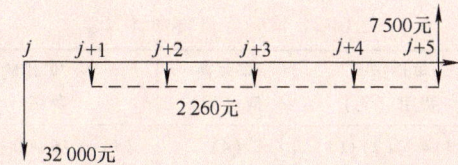

图12-6 新设备在一个大修理周期内的费用现金流

$$C_0 = \{2\,260+[32\,000-7\,500\times(P/F,10\%,5)]\times(A/P,10\%,5)\}元\div 63t$$
$$= 150.37 \text{ 元/t}$$

满足条件 $C_j \leqslant C_0$，所以该设备此次大修理是经济的。

12.3 设备更新决策

设备更新包括原型更新（更换）和新型更新两种形式。原型更新又称简单更新，是指用结构、性能、效率相同的同型号新设备来代替原有旧设备。这种更新主要是用来更换已经损坏的或陈旧的设备，解决由于有形磨损导致设备不能继续使用的问题。新型更新是指以结构更先进、技术更完善、性能更优越、效率更高的新型设备代替原有设备。这种更新主要用来解决由于第Ⅱ类无形磨损在经济上不宜继续使用的问题。

12.3.1 原型更新分析

原型更新是用同类型的新设备替换磨损严重不能继续使用的旧设备。现用设备与备用替换设备类型完全相同，具有完全相同的经济属性。所以，原型更新实质上就是更新时机的选择问题。设备在经济寿命时进行更新，在经济上是最合理的。因此设备原型更新的最佳时机就是设备的经济寿命。

按照是否考虑资金时间价值，设备经济寿命的确定可以分为经济寿命的静态计算和动态计算两种情形。

1. 设备经济寿命的静态计算

由图12-2可知，设备年均总费用由设备年均购置费用和年均运营费用构成，且各自随时间的变化成相反规律。据此规律，可以分析随设备使用时间的变化，两类费用的具体变化规律，其中年均总费用最低所对应的年份即为经济寿命。

【例12-2】

某设备的原始价值为16 000元，使用年限为7年，有关资料见表12-1。求该设备的静态经济寿命。

表12-1 设备经济资料

使用年限/年	1	2	3	4	5	6	7
年运营费用（元）	2 000	2 500	3 500	4 500	5 500	7 000	9 000
年末残值（元）	10 000	6 000	4 500	3 500	2 500	1 500	1 000

解：列表计算设备经济寿命，结果见表12-2。

表12-2 设备经济寿命计算表

使用年限/年	年运营费用（元）	年均运营费用（元）	年末残值（元）	年均购置费用（元）	年均总费用（元）
(1)	(2)	(3)=∑(2)÷(1)	(4)	(5)=[16 000−(4)]÷(1)	(6)=(3)+(5)
1	2 000	2 000	10 000	6 000	8 000
2	2 500	2 250	6 000	5 000	7 250
3	3 500	2 667	4 500	3 833	6 500
4	4 500	3 125	3 500	3 125	6 250
5	5 500	3 600	2 500	2 700	6 300
6	7 000	4 167	1 500	2 417	6 584
7	9 000	4 857	1 000	2 143	7 000

从表12-2中可以看出，设备使用4年的年均总费用为6 250元，为各年最低，所以该设备的经济寿命为4年。

2. 设备经济寿命的动态计算

经济寿命的动态计算即考虑资金的时间价值时的经济寿命计算。在计算设备年均购置费用和年均运营费用时，应将时间因素考虑进去。

【例12-3】

根据【例12-2】的数据，设 $i_c = 10\%$，计算设备的动态经济寿命。

解：计算过程及结果见表12-3。

表12-3 动态经济寿命计算表

使用年限/年	年运营费用（元）	年运营费用现值（元）	年均运营费用（元）	年均设备费用（元）	年末残值（元）	年均残值（元）	年均总费用（元）
(1)	(2)	(3)	(4)	(5)	(6)	(7)	(8)=(4)+(5)−(7)
1	2 000	1 818	2 000	17 600	10 000	10 000	9 600
2	2 500	2 066	2 238	9 219	6 000	2 857	8 600
3	3 500	2 630	2 619	6 434	4 500	1 359	7 694
4	4 500	3 074	3 025	5 048	3 500	754	7 319
5	5 500	3 415	3 430	4 221	2 500	409	7 242
6	7 000	3 952	3 893	3 674	1 500	194	7 373
7	9 000	4 619	4 431	3 286	1 000	105	7 612

注：(3)=(2)×(P/F,10%,j)，(4)=∑(3)×(A/P,10%,j)，(5)=16 000×(A/P,10%,j)，(7)=(6)×(A/F,10%,j)。

由表12-3可知，设备的动态经济寿命为5年。

12.3.2 新型更新分析

在技术不断进步的条件下，设备受着第Ⅱ类无形磨损的影响。生产效率更高和经济效果更显著的新型设备问世，使现用设备不再具有经济合理性。此时就要考虑设备的更新决策了。新型更新就是在继续使用现用设备还是进行设备的更新之间做出选择。这实质上是一对互斥方案的比选问题。

新型更新分析常用的方法有差额投资回收期法和费用年值法。

差额投资回收期法请参见前面章节的介绍，在此不再赘述。

费用年值法是指在考虑资金时间价值的条件下，通过比较现用设备和新型设备服务期（或经济寿命）内的年均总费用，决定使用新型设备或继续使用现用设备。

运用费用年值法进行设备更新决策需注意以下几个方面：

1) 在设备仍需使用较长时间时，需计算、比较新旧设备在其各自经济寿命内的费用年值（即年均总费用）。若新设备费用年值小于旧设备费用年值，则应考虑马上进行设备更新；在相反的情况下，则继续使用旧设备。

2) 在设备还需使用的时间是一固定的确切期限时，计算、比较新旧设备在该服务年限期内的费用年值。若新设备的费用年值小于旧设备的费用年值，则应考虑马上进行设备更新；否则继续使用旧设备。

3) 在计算旧设备费用年值时，其初始购置费用发生在决策之前，与决策事件无关，无论选择设备更新还是继续使用旧设备其均已发生，因此它是设备更新决策的沉没成本，不予考虑。计算费用年值时应将设备的现时价值作为"拟制购置费"处理。

[例 12-4]

公司用某设备加工关键零件，设备是 8 年前以 9.6 万元购置的，目前市场价为 28 000 元。估计可再使用 2 年，1 年后残值为 15 200 元，报废时残值为 2 850 元。目前市场上出现了一种新型设备，购置费用为 12 万元，使用年限为 8 年；第 1 年价值贬损 18 000 元，以后价值贬损每年递减 1 800 元，最后 2 年分别损失 9 200 元和 13 400 元。旧设备和新设备加工 100 个零件所需时间分别为 5.24h 和 4.6h，公司预计今后年均销售 24 000 件该产品。该公司人工费为 18.7 元/h。使用旧设备第 1 年的动力费为 8.7 元/h，次年为 9.7 元/h；使用新设备第 1 年动力费为 7.9 元/h，以后每年递增 0.50 元/h。试分析是否应进行设备更新。

解：（1）计算旧设备的费用年值

分析、计算中须注意以下两个方面：

1) 设备购置费用 9.6 万元发生在决策当时的 8 年前，无论最终决策结果如何，这笔费用都是已然付出的，对未来方案不产生任何影响，属于沉没成本，不予考虑。

2) 设备目前的市场价为 28 000 元，是目前决策应予考虑的价值因素，并且估值的准确与否影响着决策的质量。

旧设备费用年值的计算结果见表 12-4。

（2）计算新设备的费用年值

新设备费用年值计算结果见表 12-5。

表 12-4 旧设备费用年值计算

计算年限/年	年运营费用（元）	年均运营费用（元）	期末残值（元）	年均购置费用（元）	费用年值（元）
1	34 458	34 458	15 200	12 800	47 258
2	35 716	35 087	2 850	12 575	47 662

表 12-5 新设备费用年值计算

计算年限/年	年运营费用（元）	年均运营费用（元）	期末残值（元）	年均购置费用（元）	费用年值（元）
1	29 366	29 366	102 000	18 000	47 366
2	29 918	29 642	85 800	17 100	46 742
3	30 470	29 918	71 400	16 200	46 118
4	31 022	30 194	58 800	15 300	45 494
5	31 574	30 470	48 000	14 400	44 870
6	32 126	30 746	39 000	13 500	44 246
7	32 678	31 022	29 800	12 886	43 908
8	33 230	31 298	16 400	12 950	44 248

(3) 设备更新分析

分析结果如下：

1）若该企业只需使用该类设备 1 年时间，则无须更换。

2）若需较长时间使用该类设备，则应考虑马上更新设备。

练 习 题

1. 某机器购价为 25 000 元，第 1 年年末残值为 15 000 元，之后每年递减 1 500 元；第 1 年的经营成本为 8 000 元，以后每年递增 4 000 元，若利率为 20%，试求其经济寿命。

2. 某企业年销售收入为 10 000 万元，总成本为 9 000 万元，其中固定成本为 4 000 万元，变动成本为 5 000 万元。有一新设备可提高产销量 36.5%，变动成本率降低 5%，固定成本增加 50%，问：是否要更新设备？

3. 某企业 5 年前用 15.5 万元购得设备甲，预计寿命 10 年，终末残值为 0.5 万元，线性折旧，继续使用的年运营费用分别为 1.4 万元、2.1 万元、2.75 万元、3.7 万元、4.8 万元。现有生产效率比甲设备高 10% 的新型设备乙可用于替代设备甲，乙的购置费用为 20 万元，年运营费用及年劣化值见表 12-6。设备甲现在退出的变现值为 6 万元，年末价值为 4.5 万元，以后每年劣化为 1 万元。已知设备计划长期使用，基准折现率为 12%。试问，是否应更新设备，何时更新为宜？

表 12-6 设备乙的年运营费用及年劣化值

年限/年	1	2	3	4	5	6	7	8	9	10
年运营费用（万元）	0.2	0.3	0.45	0.65	0.95	1.35	1.9	2.6	3.5	4.6
年劣化值（万元）	4	3.6	3.1	2.5	1.8	1.2	0.8	0.5	0.5	0.4

第13章　价值工程与价值管理

【内容提要】

(1) 价值及其分类。
(2) 厂商价值、用户价值与产品价值的关系。
(3) Miles 创建价值分析的基本思维。
(4) 价值工程及其特点。
(5) 价值工程对象选择与信息收集。
(6) 功能分析。
(7) 功能评价。
(8) 方案创新的主要方法。
(9) 价值管理。

【关键词】

价值；功能；寿命周期成本；用户价值；厂商价值；产品价值；价值工程；价值工程的一般工作程序；功能分析；功能定义；功能分类；功能整理；功能评价；价值系数；成本系数；方案创新；价值管理

【学习指导】

价值工程是一种现代技术经济分析方法。价值工程是由美国通用电气（GE）公司工程师迈尔斯（L. D. Miles）在第二次世界大战时期创建的。在创建价值工程的"石棉事件"中，经过了 Miles 式思考：行为的目的是什么——追踪、探究行为背后的目的；有多少路径可选——搜索实现目的的手段；哪条路径最合理——比较判断手段的性价比，选择最合理的路径。

站在消费者的角度，他关心两个基本问题：其一，它（消费对象）能否满足需要——目的；其二，得到这样的满足要付出多大的代价——匹配判断。同样在生产者的角度也有这样两个问题：第一个是收益问题——目的；第二个是成本问题——匹配判断。这种目的和实现目的手段的合理匹配就是价值。目的和实现目的手段的匹配判断就是价值判断。人们理性的、正确的行为都是通过价值判断后做出的。这就是价值导向——在价值的引导下做出行为。

站在不同主体的立场上，价值有其不同的确切内涵。这就是厂商价值、用户价值、产品价值、社会价值等。

产品（或商品）价值是价值管理的基础。产品价值是功能和成本比较的结果，是对功能和成本所做的综合评价。功能是产品所具有的能满足用户某种需求的一种属性，在使用中才能最终体现出来，由用户确定和认可。产品功能不是越高越好，而是视用户的要求而定。成本是指产品的寿命周期成本（Life Cycle Cost，LCC），即一个产品从开发、设计、制造到使用全过程的耗费。

价值工程（Value Engineering，VE）是以功能分析为核心，力求以最低寿命周期成本可靠地实现必要功能的系统活动。

价值工程的着眼点是产品的功能，而不是产品自身。蕴藏于产品内部的功能恰恰是用户所需，厂商向用户提供某种产品，其实质是向用户提供产品的某些具体功能。

价值工程的目的在于以最低寿命周期成本可靠地实现必要功能。既不片面强调功能的完善，也不过分突出成本的降低，而是系统地分析功能和成本。

价值工程活动致力于创新，通过方案、功能、工艺、技术等的创新，达到功能和成本的匹配。

价值工程是一项系统活动，需要收集信息、设计、采购、制造、使用等各方面协同工作，发挥集体智慧的作用。

在实施价值工程时，一般体现如下思维过程：它（功能）能否被取消？它可否与其他部分合并？有无更好的办法来实现它？这就是价值工程的基本思维方式。

价值工程工作程序的关键内容包括：对象选择、功能分析、功能评价、方案创新、方案评价。

对象选择就是遴选开展价值工程活动的具体对象。产品、部件、零件、工序、活动等都可以成为价值工程对象。

功能分析是价值工程的核心，具体包括功能定义、功能分类、功能整理三部分内容。功能分析是"肢解"整体功能，将整体功能"化整为零"的过程，以此可以充分、彻底地了解和认识对象的所有"零星"功能及其相互关系和对基本功能的贡献。

功能评价是实际度量每一"零星"功能价值的过程。通过具体价值度量，发现过剩功能，提示改进重点。

方案创新就是依据功能分析、功能评价揭示的改进方向，进行产品设计、工艺设计等方面的再创造，以有效提升产品价值。

第二次世界大战期间，通用电气（GE）公司工程师 Miles 受命采购石棉板。而战争使美国市场的原材料供应十分紧张，该产品的货源不稳定且价格昂贵。Miles 开始针对这一问题研究材料代用问题。通用电气公司将石棉板铺设在喷漆车间的地板上，功能是避免引起火灾。Miles 基于此分析，在市场上找到了一种同样可以起到防火作用的防火纸，并且成本低、易采购。但依据当时美国的《消防法》，防火纸这种代用材料是不能通过消防审查的。Miles 依据他的分析据理力争，最终消防局批准了这种代用材料的使用。这就是美国历史上的"石棉事件"。据此，Miles 开始对产品的功能、费用、价值等进行深入、系统的研究，1947年他的研究成果以《价值分析》发表，标志着价值分析这门学科的正式诞生。Miles 还总结出一套开展价值工程工作的原则，用于指导价值工程活动的开展：分析问题要避免一般化、概念化，要做具体分析；收集一切可用的性能和成本资料；将最好、最可靠的性能和成本情况作为标杆；打破现有框框，进行创新和提高；发挥真正的独创性；找出障碍，克服障碍；充分利用有关专家，扩大专业知识面；对于重要的工序转换，要换算成费用认真考虑；尽量采用专业化工厂的现成产品；利用和购买专业化工厂的生产技术；采用专门的生产工艺；尽量采用标准；以"我是否这样花自己的钱"作为标准。

1954 年，美国海军应用了这一方法，并改称为价值工程。这种节约资源、提高效用、降低成本的有效方法，引起了世界各国的普遍重视。20 世纪 50 年代，日本和联邦德国学习和引进了这一方法。1965 年前后，日本开始广泛应用。我国于 1979 年引进价值工程，现在它已在机械、电气、化工、纺织、建材、冶金、物资等多种行业中应用。

13.1 概述

13.1.1 价值的内涵

分析 Miles 的思维过程，可以总结出 Miles 思考的一般"路径"——"Miles 式思考"：行为的目的是什么？——追踪、探究行为背后的目的；有多少路径可选？——搜索实现目的的手段；哪条路径最合理？——比较判断手段的性价比，选择最合理的路径。"Miles 式思考"的逻辑思维过程实质上就是价值判断过程。目的和实现目的的手段的匹配判断就是价值判断。人们理性的、正确的行为都是在价值判断后做出的。

所谓价值，就是目的和实现目的手段的合理匹配。价值工程中的"价值"是一个比较的概念，比较达成目标后得到的"满足"和达成目标过程中"付出"的比例关系，其含义不同于政治经济学中的价值概念。Miles 认为，"企业在全国竞争中的长期成功，在于不断向顾客出售最佳价值。换言之，'竞争'决定了企业必须采取'使价值令人满意'的方针，以达到产品或服务富有竞争力的结果。这种最佳价值由两个条件所决定：功能和成本"；"如果一项产品或服务有恰当的功能和成本，则一般就认为有良好的价值；反之，则认为没有良好的价值。按此定义，几乎可以确切地说，价值或由于增加功能或由于降低成本而增加"。

"价值"受"满足"和"付出"双因素影响。不同的人对于同一事物有着不同的利益、需要和目的，在同一事物上的"满足"程度存在差别，因而对同一事物的"价值"会有不同的认识。例如对手机"价值"的判断，有人把它作为一种通信工具，强调其通信的功能或在通信中体现出的"价值"；而有的人除了上述追求之外，还把它作为一种时尚和饰物，追求通信之外的其他功能或要求。

价值导向是指人们的行为受价值判断结论的引导。当人们对某件事情有了"高价值"或"值得"的判断后，就会有趋向这件事的原动力，就会变得积极、主动；相反，当人们得出的判断结论是"无价值"或"不值得"时，就会背向这个目标，变得消极、懈怠。

13.1.2 价值的分类

1. 厂商价值

在厂商的立场上，"满足"就是获得的经营收益，"付出"就是耗费的生产成本。所以厂商要比较经营收益和生产成本的关系，即

$$厂商价值 = \frac{经营收益}{生产成本} \tag{13-1}$$

2. 用户价值

在用户的角度也有类似的两个问题：其一是需要的"满足"程度，即效用；其二是得到"满足"的花费。用户要比较效用与花费的关系，即

$$用户价值 = \frac{效用}{花费} \tag{13-2}$$

3. 产品价值

厂商价值和用户价值无疑是通过产品来传递和体现的。产品价值是指产品所具有的功能与凝结在这种功能中的成本的比例关系，即

$$产品价值 = \frac{功能}{成本} \tag{13-3}$$

或

$$V = F/C \tag{13-4}$$

式中　V——产品价值；
　　　F——功能；
　　　C——成本。

价值是对功能和成本所做的综合评价。

功能是指对象能够满足某种需求的一种属性，如住宅的功能是提供遮风避雨的空间，建筑基础的功能是承受荷载等。功能凝结在产品实体中，又不等同于产品实体；功能通过使用而体现出来，表现为性能、使用价值等；功能承载着用户的需求，产品（商品）通过功能传递其价值。

成本是指产品的寿命周期成本（Life Cycle Cost，LCC），即一个产品从开发、设计、制造到使用全过程的耗费。具体来说，它包括产品在研制、设计、生产和销售过程中所发生的生产费用和在使用过程中所发生的人工、能源、维修等使用费用，即产品或作业在寿命周期内所需的全部费用。

一般来讲，寿命周期成本包括生产成本和使用成本两部分。产品寿命周期成本、生产成本、使用成本与功能之间的关系如图 13-1 所示。

在图 13-1 中：C_1 表示生产成本，随着产品功能的增加，生产成本越来越高；C_2 表示使用成本，随着产品功能的增加，使用成本越来越低；C 表示寿命周期成本，$C = C_1 + C_2$，它的变化趋势随着产品功能的增加，先下降，然后上升。从图 13-1 可以看出，在 F_1 点，产品功能较少，此时虽然生产成本较低，但由于不能满足使用者的基本需

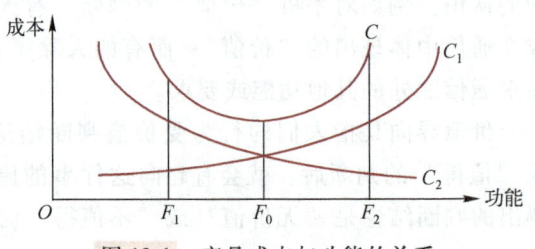

图 13-1　产品成本与功能的关系

要，使用成本较高，因而寿命周期成本较高；在 F_2 点，虽然使用成本较低，但由于存在着过剩的功能，因而导致生产成本过高，同样寿命周期成本也较高；只有在 F_0 点，产品功能既能满足用户的需求，又使得寿命周期成本比较低，体现了比较理想的功能与成本之间的关

系,也就是产品的价值比较大。

厂商价值本质上反映了生产者剩余,用户价值本质上体现着消费者剩余。对于既定的产品(商品),厂商价值和用户价值是反比例函数:

$$用户价值 = 产品价值 \times \frac{1}{厂商价值} \quad (13-5)$$

上式说明,对于既定产品而言,用户价值追求和厂商价值追求共同存在于一个矛盾体内。而从社会经济角度看,用户价值和厂商价值的总和反映着社会福利总水平。所以在社会经济活动中,既应该满足用户的价值要求,又应该满足厂商的价值要求,力争实现两个价值的最大化。提高用户价值和厂商价值的唯一途径是提高产品价值。

13.1.3 提高产品价值的基本途径

提高产品价值有五种基本途径,见表13-1。

表 13-1 提高产品价值的基本途径

途 径	功 能	成 本	价 值
1	↑	→	↑
2	→	↓	↑
3	↑	↓	↑↑
4	↑↑	↑	↑
5	↓	↓↓	↑

13.1.4 价值工程的内涵

价值工程是以功能分析为核心,力求以最低寿命周期成本可靠地实现必要功能的系统活动。

价值工程
及特征

价值工程的着眼点是产品的功能,而不是产品自身,这是价值工程技术的突出特点。厂商向用户提供某种产品,其实质是向用户提供产品的某些具体功能。蕴藏于产品内部以不同形态表现出来的产品功能恰恰是用户所需。提高用户效用的根本是丰富和充分释放产品中凝聚着的功能。价值工程着眼于功能分析,抓住了事物的本质,并因此使人们的视野不再局限于产品自身,而是更加开阔,所以价值工程活动往往有事半功倍之效。

价值工程活动的目的在于以最低寿命周期成本可靠地实现必要功能。既不片面强调功能的完善,也不过分突出成本的降低,而是把功能和成本有机地统一起来进行系统分析、研究,谋求功能和成本的匹配。

价值工程活动致力于创新,通过功能分析、功能评价发现问题,激发创新欲望和灵感,实现产品的创新。通过产品创新,达到功能和成本的匹配。

价值工程是一项系统活动,需要收集信息、设计、采购、制造、使用等各方面协同工作,发挥集体智慧的作用。

应该说,在产品形成的各个阶段都可以应用价值工程以提高其价值。在项目策划阶段,进行充分的用户需求调查、分析,准确把握用户的功能要求,提示产品设计方向;在决策阶段,认真进行备选方案价值分析和价值判断,通过价值判断为投资把关;在产品设计阶段,既保证用户基本功能的充分实现,又最大限度地抛弃多余或过剩功能;在生产(施工)阶段,精心组织生产(施工),经济、高效地实现蓝图、愿望;在使用阶段,正确、科学使用产品,做好日常维护、保养等。

13.1.5 价值工程的工作程序与内容

价值工程的工作过程,实质就是针对产品的功能和成本提出问题、分析问题、解决问题的过程。针对价值工程的研究对象,整个活动是围绕着以下七个基本问题的明确和解决而系统地展开的:

1) 价值工程的研究对象是什么?
2) 对象的用途是什么?
3) 对象的成本是多少?
4) 对象的价值是多少?
5) 有无其他方法可以实现同样的功能?
6) 新方案的成本是多少?
7) 新方案能满足对象的功能要求吗?

以上这七个问题决定了价值工程的一般工作程序与内容,见表 13-2。

表 13-2 价值工程的一般工作程序与内容

阶段	步骤	工作内容	对应的价值工程的基本问题
准备阶段	1) 对象选择 2) 组成价值工程工作小组 3) 制订工作计划	・根据客观需要,选择 VE 对象并明确目标与限制条件和分析范围 ・工作小组成员应是各有关方面熟悉对象的专业人员 ・工作计划包括具体执行人、执行日期和工作目标等内容	1) 价值工程的研究对象是什么? 2) 它是干什么用的?
分析阶段	4) 收集、整理信息数据 5) 功能分析 6) 功能评价	・收集、整理与对象有关的一切信息数据 ・简明、正确地绘制出功能系统图 ・改进原对象,创立新对象,确定功能目标成本	3) 它的成本是多少? 4) 它的价值是多少?
创新阶段	7) 方案创新 8) 方案评价 9) 提案编写	・通过创造性思维和活动,提出各项实现功能的方案 ・从技术、经济和社会等方面评价,从中选出最优方案 ・将选出的方案及各有关技术、经济资料编写成正式提案	5) 有其他方法能实现这个功能吗? 6) 新的方案成本是多少?
实施阶段	10) 审批 11) 实施与检查 12) 成果鉴定	・主管部门对提案组织审查 ・制订实施计划,组织实施并做追踪检查 ・根据提案实施后的技术经济效果进行成果鉴定	7) 新的方案能满足对象的功能要求吗?

由于价值工程的应用范围广泛,其活动形式也不尽相同,因此,在实际应用中,可参照这个工作程序与内容,根据研究对象的具体情况,应用价值工程的基本原理和方法,考虑具

体的实施步骤和方法。但对象选择、功能分析、功能评价、方案创新、方案评价是该工作程序中的关键内容,是不能缺少的。

13.1.6 价值工程的逻辑

价值工程的基本逻辑是:功能能被取消吗——是否冗余、是否不必要?功能可以和其他功能合并吗——能否化繁为简、合理归并?有无更好的实现功能的路径和手段——路径穷尽、优化了吗?

价值工程的基本逻辑围绕着"功能"展开,步步深入。通过上述"三大问",引导我们对问题的认识不断深化、不断开阔,从而实现方案优化。

价值工程的逻辑

13.2 对象选择与信息收集

13.2.1 价值工程的对象选择

1. 对象选择的原则

开展价值工程活动,首先要正确选择价值工程活动的对象。一个企业有许多种产品,每种产品又由许多要素或成分组成。只有正确选择价值工程分析的对象,抓住关键,才能取得明显的效果。价值工程选择对象一般应遵循下列几个原则:

(1) 根据社会需求的程度选择对象
1) 优先考虑对国计民生有重大影响的产品。
2) 优先考虑市场需求量大或有潜在需求的产品。
3) 优先考虑用户对其质量不太满意的产品。

(2) 根据产品的设计性能选择对象
1) 优先考虑结构复杂、零部件多的产品。
2) 优先考虑技术落后、工艺繁杂、材料性能差的产品。
3) 优先考虑体积大、重量大、耗用紧缺物资多的产品。

(3) 从生产成本的角度选择对象
1) 优先考虑工艺落后、生产成本高的产品。
2) 优先考虑原材料消耗多、次品率高、废品率高的产品。

(4) 根据社会生态环境的要求选择对象
1) 优先考虑能耗高的产品。
2) 优先考虑"三废"问题严重的产品。

价值工程对象选择是逐步缩小研究范围、寻找目标、确定主攻方向的过程。

2. 对象选择的方法

(1) 经验分析法

经验分析法凭借参加者的经验,对影响产品价值的环境、人员、设备、材料、工艺等相关因素进行全面综合分析后,选择开展价值工程活动的对象。这种方法的优点是能充分发挥和利用各种人才优势,简单易行,经济实用;缺点是没有定量分析,同时受分析人员水平和主观因素影响较大,因此,它的使用必须要以工作人员具有丰富的经验为前提。

(2) 百分比法

百分比法是指通过分析各拟选对象对两个或两个以上的技术、经济指标影响程度的大小(百分比)来确定价值工程研究对象的方法。下面举例予以说明。

【例 13-1】
某企业有四种建筑产品,其成本和利润见表 13-3,试用百分比法确定其价值工程的研究对象。

解: 由表 13-3 可知,产品 C 的成本占总成本的 22.8%,而其利润却只占总利润的 16.9%,成本所占的比重明显高于利润所占的比重,因此,产品 C 应作为价值工程的重点研究对象。

表 13-3 某企业建筑产品成本和利润

产品名称	A	B	C	D	合计
成本(万元)	100	200	130	140	570
比重(%)	17.5	35.1	22.8	24.6	100
利润(万元)	10	22	10	17	59
比重(%)	16.9	37.3	16.9	28.9	100

百分比法的优点是,当企业在一定时期内要提高某些经济指标且拟选对象数目不多时,此方法具有较强的针对性和有效性;缺点是此方法不够系统和全面。

(3) 价值指数法

价值指数法根据价值的表达式 $V=F/C$,在产品成本已知的基础上,将产品功能定量化,就可以计算出产品价值,然后根据价值指数的大小来确定价值工程的研究对象。

价值指数法一般适用于产品功能单一、可计量,产品性能和生产特点可比的系列产品或零部件的价值工程对象选择的情况。

(4) ABC 管理法

ABC 管理(ABC Analysis)法是指根据事物的经济、技术等方面的主要特征,运用数理统计方法,进行统计、排列和分析,抓住主要矛盾,区分重点与一般,从而有区别地采取管理方式的一种定量管理方法,又称帕累托分析法、主次因分析法、ABC 分析法、分类管理法、重点管理法。它以某一具体事项为对象,进行数量分析,以该对象各个组成部分与总体的比重为依据,按比重大小的顺序排列,并根据一定的比重或累计比重标准,将各组成部分分为 A、B、C 三类,A 类是管理的重点,B 类是次重点,C 类是一般。

ABC 管理法就是要寻求关键的少数,并把它作为价值工程的对象。通常把全部产品(零部件)分成 A、B、C 三类。A 类数量约占总数的 10%,成本约占总成本的 70%~80%;B 类数量占总数的 10%~20%,成本约占总成本的 10%~20%;C 类数量约占总数的 70%~80%,成本约占总成本的 10%,如图 13-2 所示。A 类产品(零部件)数量少而成本比重大,是产品成本中举足轻重的关键种类,应列为价值工程的对象;B 类产品(零部件)只做一般分析;C 类产品(零部件)虽然数量多,但对整体成本影响不大,暂不做分析。

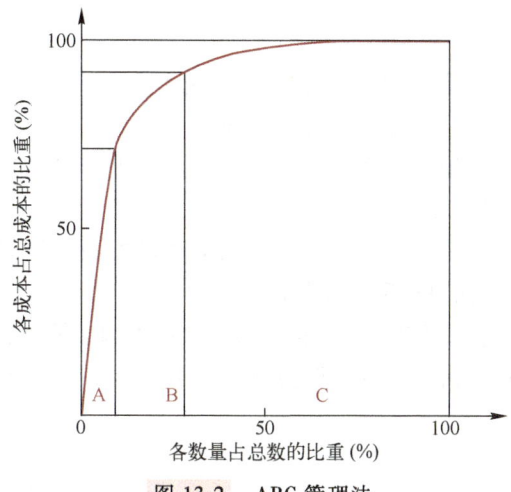

图 13-2　ABC 管理法

13.2.2　价值工程的信息收集

信息是指一切对实现价值工程目标有益的知识、情况和资料。为了实现价值工程的目的，获得价值高的改进方案，必须掌握价值工程对象产生、发展和衰退的全过程信息。信息收集是价值工程活动的重要环节，它可以使人们明确价值分析的目标。信息越多，价值工程活动的效果就越显著。

1. 收集信息的原则

（1）目的性

价值工程收集信息必须围绕致力于以最低寿命周期成本可靠地实现必要功能这个目的来进行。这样可以做到有的放矢，提高工作效率。

（2）完整性

收集的信息必须是系统的、完整的，这样才可以防止分析问题的片面性，从而进行正确的分析判断。

（3）准确性

信息是决策的依据，不准确的信息常常导致错误的决策，如果收集到的信息失真，就可能导致价值工程工作的失误。

（4）适时性

适时性是指收集的信息应当是先进的、不过时的。这样才可能对价值工程活动有启发、有帮助、有益处。

（5）计划性

为了保证收集到的信息有目的性、完整性、准确性、适时性，就必须加强信息收集的计划性，通过编制计划更进一步明确收集的目的、内容、范围、适当的时间和可靠的信息来源，从而提高收集信息的工作质量。

（6）条理性

对收集到的各种信息资料，要有一个去粗取精、去伪存真的加工整理过程，将这些信息资料整理得系统有序，便于使用分析。

2. 收集信息的内容

价值工程所研究的对象不同，收集信息的内容也不完全一致。例如，对于一般工业企业的产品分析来说，应收集的信息包括以下几个方面：

1）用户方面的资料。指用户对产品的意见和要求，如产品的使用目的、使用条件、使用中的故障情况及使用是否合理等。

2）技术方面的资料。指企业内外、国内外同类产品的技术资料，如设计特点、加工工艺、设备、材料、技术以及优缺点和存在的问题等。

3）经济方面的资料。指同类产品的价格、成本、成本构成情况、价格指数和有关定额等。

4）本企业的基本资料。指企业的经营方针、经营目标、生产能力及限制条件、销售情况等。

3. 收集信息的方法

（1）询问法

询问法一般有面谈、电话询问、书面询问、计算机网络询问等方式。询问法将要调查的内容告诉被调查者，并请他认真回答，从而获得满足自己需要的信息。

（2）查阅法

查阅各种书籍、刊物、专利信息、产品样本、目录、广告、报纸、录音、论文等，来寻找与调查内容有联系的有关信息。

（3）观察法

通过派遣调查人员到现场直接观察，收集信息。这就要求调查人员十分熟悉各种情况，并要求他们具备较敏锐的洞察力和观察问题、分析问题的能力。运用这种方法可以收集到第一手资料。同时可以采用录音、摄像、拍照等工具协助收集。

（4）购买法

通过购买元件、样品、模型、样机、产品、科研资料、设计图、专利等来获取有关的信息。

（5）试销、试用法

这种方法将生产出的样品采取试销、试用的方式来获取有关信息。利用这种方法，必须同时将调查表发给试销、试用的单位和个人，请他们把使用情况和意见随时填写在调查表上，按规定期限寄回来。

13.3 功能分析

价值工程的突出特征是摆脱以实体为中心的研究模式，实行以功能为中心的研究。功能分析是价值工程活动的中心环节，它决定了价值工程活动的有效程度。

功能分析是指对价值工程对象的功能进行具体分类、描述和整理，并进行系统的分析、研究，科学地确定其必要功能，去掉不合理的功能，使产品功能结构更合理。通过功能分析，对对象应具备的功能加以确定，明确功能特性的要求，弄清楚产品各功能之间的关系，保留必要功能，剔除不必要的功能，平衡功能间的比重，使产品的功能结构更加合理，提高产品价值。

功能分析包括功能定义、功能分类、功能整理三部分内容。

13.3.1　功能定义

功能定义就是指根据已有的信息，用简明、准确、抽象的语言从本质上对价值工程研究对象的每一项功能进行明确界定，并与其他功能相区分，通俗地说就是回答"这是什么"和"它是干什么用的"。

功能定义应包括给价值工程对象的整体和构成对象的组成部分下定义。

功能定义是价值工程活动获得成功的基础，是决定价值工程活动方向的阶段。它有以下几个方面的重要作用：

1）有利于正确认识和准确界定产品及零部件的功能。价值工程活动的核心是功能分析。功能定义是功能分析的基础。通过功能定义能够正确认识产品和零部件的每一个功能，以此准确界定每一个功能的属性、类别，从而把握住问题的实质。

2）有利于恰当地进行功能评价。功能评价就是通过定量计算揭示每一个功能的价值，为方案创新工作提供依据。因此，首先要充分认识功能。如果产品的功能都没有搞清楚，则实现这些必要功能的最低成本便无法确定，也就不可能进行功能评价。功能定义是功能评价的先决条件。

3）有利于开拓设计思路。功能定义要摆脱现行结构框架的束缚，让人们把注意力从产品（零部件）实体本身转移到产品（零部件）所承载的功能上来。这样就能开拓设计思路，有利于功能的改进和创新。

功能定义要发挥上述作用，就要符合一定的要求，一般应满足以下几个条件：

1）确切、简洁。功能定义要确切，不可含糊；定义表达要简洁，一般可用一个动词和一个名词来释义。例如：手表的功能定义为"显示时间"；电冰箱的功能定义为"冷藏食物"；电线的功能定义为"传送电流"等。

2）抽象、概括。对功能的描述要适当抽象和概括，不要过分具体、直白，即功能定义中的动词要尽量采用比较抽象的词汇。例如，定义一种在零件上做孔的工艺的功能；若定义为"钻孔"，人们自然会联想到用钻床；如果定义为"打孔"，人们就会想到除了钻床以外，还可以用冲床、激光等方法；如果定义为"做孔"，人们不仅会想到上述方法，而且还会想到在零件上直接铸造出或锻造出孔来。可见，动词"钻""打""做"虽然仅一字之差，但一个比一个抽象，更容易开阔思路。

3）可测量性、定量性。功能的定义要尽可能做到定量表达，即功能定义中的名词要尽量使用可测量的词汇，以利于功能评价及创新方案的提出和选择。例如，电线功能定义为"传电"就不如定义为"传送电流"好，发电机的功能定义为"发电"就不如定义为"发出电能"好。

4）全面性、系统性。如果对象具有复合功能，要分别下定义，即一个功能下一个定义。切忌：只注意某些主要功能而忽略次要功能；或只注意表面功能，而忽视潜在的深层次功能；或只注意子系统的功能，而忽视了其与系统总功能间的关系。

13.3.2　功能分类

价值工程的研究对象往往会有几种不同的功能，为了便于功能分析，需要对功能进行分类，一般可有以下四种不同的分类方法：

1. 基本功能和辅助功能

基本功能是指与对象的主要目的直接有关的功能，是对象存在的主要理由；辅助功能是指为了更好地实现基本功能而附加的功能。一般来说，基本功能是必要功能，辅助功能有些是必要功能，有些可能是多余的功能。例如，手机的基本功能是满足用户的通信要求，辅助功能有游戏等，通信是手机的必要功能，游戏功能对于没有游戏机的用户来说是必要功能，但对有专门游戏机的用户来说不一定是必要功能。

2. 使用功能和品位功能

使用功能是指对象所具有的、与技术经济用途直接有关的功能；品位功能是指与使用者的精神感觉、主观意识有关的功能，如美学功能、外观功能、欣赏功能等。产品的使用功能和品位功能往往兼而有之，但根据用途和消费者的要求不同而有所侧重。

3. 不足功能和过剩功能

不足功能是指对象尚未满足使用者需求的必要功能；过剩功能是对象所具有的、超过使用者需求的功能，属于不必要功能。通过价值分析，可剔除那些过剩功能。

4. 必要功能和不必要功能

必要功能是指为满足使用者的要求而必须具备的功能；不必要功能是指对象（产品）所具有的、与满足使用者的需求无关的功能，又称多余功能。

价值工程通过对功能进行分门别类地分析，可以区分研究对象的基本功能和辅助功能、不足功能和过剩功能、必要功能和不必要功能，从而保证必要功能和基本功能，取消不必要功能和过剩功能，补充不足功能和辅助功能。区分使用功能和品位功能也可以发现不必要功能；严格按照用户的需求来设计产品，从而提高对象（产品）的功能价值。

13.3.3 功能整理

功能整理是指对价值工程对象的总体及其组成部分的功能进行研究和分析，确认必要功能，补充不足功能，剔除不必要功能，建立并绘制功能系统图的过程。其目的在于准确掌握使用者要求的功能及其水平。

功能系统图是指表示对象功能得以实现的功能逻辑关系图，其一般形式如图 13-3 所示。

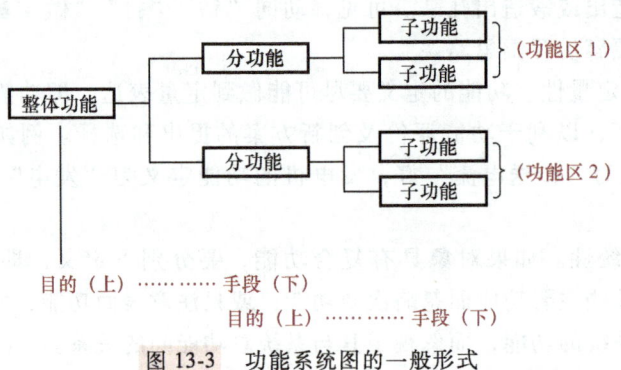

图 13-3 功能系统图的一般形式

在图 13-3 中，从整体功能开始，由左向右逐级展开，在相邻的两个功能之间，左边的功能（上级）称为右边功能（下级）的目的功能，而右边的功能（下级）称为左边功能

（上级）的手段功能。但就子功能来说，分功能又是它们的目的功能。目的功能相对手段功能而言，又称为上位功能，手段功能则称为下位功能。并列的分功能或子功能被称为并列功能或同位功能。由上述功能可组成相应的功能区。

例如建筑物的平屋顶，在对其功能进行定义的基础上，通过功能整理，可得到的功能系统图（图13-4）。

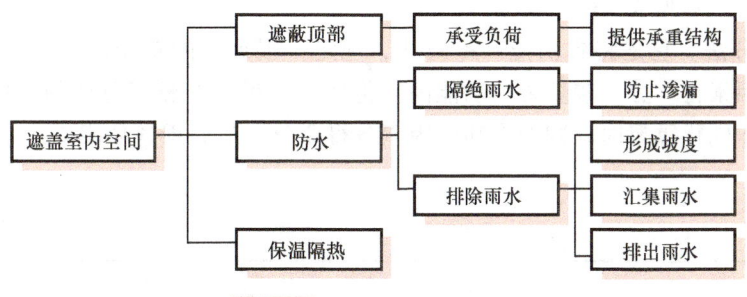

图 13-4 平屋顶功能系统图

13.4 功能评价

功能评价是指在功能分析的基础上，根据功能系统图，在同一级的各功能之间，运用一定的科学方法，计算并比较各功能价值的大小，从而寻找功能与成本在量上不匹配的具体改进目标的过程。

功能评价的方法可分为功能系数法与功能成本法两大类。

13.4.1 功能系数法

功能系数法又称相对值法，它通过评定各对象功能的重要程度，用功能系数来表示其功能程度的大小，然后将评价对象的功能系数与相对应的成本系数进行比较，得出该评价对象的价值系数，从而确定改进对象，并求出该对象的成本改进期望值。其表达式如下：

$$价值系数(VI) = \frac{功能系数(FI)}{成本系数(CI)} \tag{13-6}$$

其中，功能系数是指评价对象功能（如零部件等）在整体功能中所占的比率，又称功能评价系数、功能重要性系数等；成本系数是指评价对象的目前成本在全部成本中所占的比率。

功能系数法也包括两大工作内容，即成本系数的计算和功能系数的计算。

1. 成本系数的计算

成本系数可按下式计算：

$$成本系数\ CI_i = \frac{第\ i\ 个评价对象的目前成本}{全部成本} \tag{13-7}$$

2. 功能系数的计算

功能系数的计算是一个定性与定量相结合的过程，其主要步骤是评定功能分值。功能系数的计算方法很多，常用的有以下几种：

（1）强制确定法

强制确定法又称FD法，它是根据一定的评分规则，采用强制对比打分来评定评价对象功能系数的方法。

1）0-1评分法。它是将各功能一一对比，重要者得1分，不重要的得0分，然后为防止功能系数中出现0的情况，用各加1分的方法进行修正，最后用修正得分除以总得分即为功能系数。其计算过程见表13-4。

2）0-4评分法。它是将各功能一一对比，规定：很重要的功能因素得4分，另一个很不重要的功能因素得0分；较重要的功能因素得3分，另一个较不重要的功能因素得1分；同样重要或基本同样重要时，则两个功能因素各得2分。最后用各功能得分除以功能总得分即为功能系数。

表 13-4　0-1评分表

功能	F_1	F_2	F_3	F_4	F_5	得分（分）	修正得分（分）	FI_i
F_1	×	0	0	1	1	2	3	0.20
F_2	1	×	1	1	1	4	5	0.33
F_3	1	0	×	1	1	3	4	0.27
F_4	0	0	0	×	0	0	1	0.07
F_5	0	0	0	1	×	1	2	0.13
合计						10	15	1.00

【例 13-2】

某技术方案具有五项基本功能，经有关专家讨论对其功能的重要性达成以下共识：F_2和F_3同样重要，F_4和F_5同样重要，F_1相对于F_2较重要，F_1相对于F_4很重要，F_2相对于F_4较重要，试用0-4评分法来确定其功能系数。

解：依据题意及根据0-4评分法的基本原理，计算结果见表13-5。

表 13-5　0-4评分表

功能	F_1	F_2	F_3	F_4	F_5	得分（分）	FI_i
F_1	×	3	3	4	4	14	0.350
F_2	1	×	2	3	3	9	0.225
F_3	1	2	×	3	3	9	0.225
F_4	0	1	1	×	2	4	0.100
F_5	0	1	1	2	×	4	0.100
合计						40	1.000

强制确定法适用于评价对象在功能重要程度上的差异不太大并且评价对象子功能数目不太多的情况。

（2）倍比法

这种方法利用评价对象之间的相关性进行比较来定出功能系数，令最后一个评价对象得分为1，按对象之间的相互比值计算各功能的分值，见表13-6。

表13-6　倍比法计算功能系数

功　　能	相　对　比　值	得　　分	FI_i
F_1	$F_1 \div F_2 = 2$	9	0.51
F_2	$F_2 \div F_3 = 1.5$	4.5	0.26
F_3	$F_3 \div F_4 = 3$	3	0.17
F_4		1	0.06
合计		17.5	1.00

3. 价值系数的计算

根据式（13-6）即可计算出每一功能的价值系数 VI。

【例13-3】

某产品有四项功能，其功能系数已通过表13-7确定，现实成本也列入表13-7，试确定该产品的功能改进目标。

解：该产品的功能改进目标见表13-7。

表13-7　价值系数的计算表

功　　能①	功能系数（FI）②	现实成本（元）③	成本系数（CI）④=③÷1 130	价值系数（VI）⑤=②÷④	功能改进目标⑥
F_1	0.51	560	0.496	1.03	
F_2	0.26	300	0.265	0.98	
F_3	0.17	150	0.133	1.28	
F_4	0.06	120	0.106	0.57	
合计	1.00	1 130	1.000		

由表13-7可知，价值系数最低的是功能 F_4，应对其进行改进。

4. 确定功能改进目标

功能的价值系数计算出来以后，就需要进行分析，进而确定功能改进目标。一般来说，采用功能系数法所计算出的功能价值系数不外乎以下三种结果：

1）$VI=1$。此时评价对象的功能比重与成本比重大致平衡，匹配合理，可以认为功能的目前成本是比较合理的，不需改进。

2）$VI<1$。此时评价对象的成本比重大于其功能比重，表明相对于系统内的其他对象而言，目前成本偏高。应将其列为改进对象，改善方向主要是降低成本。

3）$VI>1$。此时评价对象的成本比重小于其功能比重。出现这种结果的原因可能有三个：其一，由于目前成本偏低，不能满足评价对象实现其应具有的功能的要求，致使对象功能偏低，应将其列为改进对象，改善方向是增加成本；其二，对象目前具有的功能已经超过了其应该具有的水平，也即存在过剩功能，也应将其列为改进对象，改善方向是降低功能水平；其三，对象在技术、经济等方面具有某些特殊性，在客观上存在着功能很重要而需要耗费的成本却很少的情况，在这种情况下一般就不必将其列为改进对象了。

13.4.2 功能成本法

功能成本法又称为绝对值法，它通过一定的测算方法，测定实现必要功能所必须消耗的最低成本，同时计算为实现必要功能所耗费的目前成本，经过分析、对比，求得对象的功能价值系数和成本降低期望值，从而确定价值工程的改进对象。其表达式如下：

$$功能价值系数(VI) = \frac{功能评价值(F)}{功能现实成本(C)} \qquad (13\text{-}8)$$

功能评价值（F）是指用户要求功能的最低成本，一般又称为目标成本，可通过经验估算和功能重要性系数计算。

功能现实成本（C）需根据传统的成本核算资料换算成的功能的目前成本。

通过功能价值系数（VI）的大小来确定改进对象。

【例 13-4】

已知某产品有四项功能，各功能的重要性系数、现实成本均已计算出，若目标成本（功能评价值）为 900 元，试求各功能的价值系数。

解：各功能的功能评价值、价值系数及成本降低期望值的计算结果见表 13-8。

表 13-8　价值系数计算

功能 ①	功能现实成本 (C)（元） ②	功能重要性系数 ③	功能评价值 (F)（元） ④=③×900	价值系数（VI） ⑤=④÷②	成本降低期望值（元） ⑥=②-④	改善顺序 ⑦
F_1	563	0.52	468	0.83	95	3
F_2	298	0.25	225	0.76	73	2
F_3	153	0.17	153	1.00	0	
F_4	116	0.06	54	0.47	62	1
合计	1 130	1.00	900	—	230	

13.5 方案创新与实施

通过功能分析和功能评价，对价值工程对象整体及其各功能的功能价值进行了分析、计算和评价，选出了价值低且成本改善期望大的作为重点改进对象。对对象的改进就要通过方案创新与评价来进行。以前各阶段都是价值工程的准备阶段，只有方案创新才是价值工程出成果的阶段，也是价值工程的重点和难点所在。

方案的创新阶段包括三方面的内容：改进方案的制定，改进方案的评价，价值工程活动成果的评价。同时也要回答三方面的问题：有无其他方案能够实现同样的功能？新方案的成本是多少？新方案能否满足要求？

13.5.1 方案创新

方案创新是指从提高对象的功能价值出发，针对应改进的具体目标，依据已建立的功能系统图和功能目标成本，通过创造性的思维活动，提出各种不同的实现功能方案的过程。

1. 方案创新的过程

方案创新的具体内容包括三个方面：提出改进方案、评价改进方案和审批改进方案。这三个方面又由七个步骤组成：提出初步方案、方案设计、试验研究、概略评价、详细评价、确定方案和实施方案。方案创新的过程如图 13-5 所示。

1）提出初步方案。方案创新是价值工程的生命，是价值工程目标得以实现的手段和途径。应针对功能成本不匹配的部位或环节开展技术创新活动，尽可能地多提设计构思。

2）方案设计。创新构思和设想，需要通过一定的载体来实现，这个载体就是具体的方案。通过方案设计、技术设计、工艺设计把初步设计具体化。

3）试验研究。对设计方案从技术上进行必要的试验论证研究，发现并消除问题。

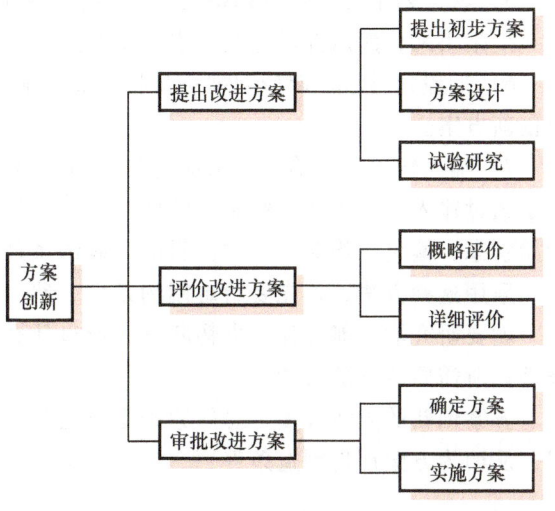

图 13-5 方案创新的过程

4）概略评价。对经过试验研究初步确定的方案进行概略技术经济分析，初步评价其技术的先进性和经济的合理性等。

5）详细评价。对通过概略评价的方案，在更高精度上从功能的可靠性、完善性、实用性、经济性等方面进行详细论证评价。

6）确定方案。将经过详细评价的方案作为最后的改进方案，正式提交有关部门审查，被批准后组织实施。

7）实施方案。实施方案是价值工程的最后一个环节，它是把美好的构思和设想通过产品这个载体变为现实的阶段。

2. 方案创新的方法

方案创新是价值工程活动成败的关键，主要依赖创造能力和创造性思维。在价值工程中常用的方案创新的方法有以下几种：

1）头脑风暴法。头脑风暴法采用会议的形式，组织对改进对象有较深了解的人员进行讨论、座谈（人数一般为 5~10 人），最后提出新的方案。讨论时应遵守以下几条规则：不允许批评别人的设想；欢迎自由奔放的思考，提出尽量多的方案；欢迎在别人意见的基础上补充和完善；会议的主持者应思想活跃，知识面广，善于引导，使会议气氛融洽，能使与会者广开思路，畅所欲言；会议应有记录，以便于整理研究。

2）哥顿法。哥顿法的指导思想是把要研究的问题适当抽象，以利于开拓思路，在研究到新方案时，会议主持人开始并不全部摊开要解决的问题，而是只对大家做一番抽象、笼统的介绍，要求大家提出各种设想，以激发出有价值的改进方案，待讨论到一定程度后才把中心议题提出来，以做进一步研究。

3）德尔菲法。德尔菲法又称专家调查法，是将要研究的方案分解为若干内容，以信函的方式分送给各有关专家，使他们在互不商量的情况下提出各种建议和设想，待专家将方案寄回后，组织者经过整理、分析，归纳出若干较合理的方案，再分送给各位专家进行分析、研究。如此经过几次反复后，专家意见趋向一致，最后形成比较集中的几个方案。

4）特性列举法。特性列举法一般多用于新产品设计。具体做法是把对设计对象的要求、功能特性一一列举出来，针对这些特性逐一研究实现它的手段，从而达到要求的特性。

5）缺点列举法。缺点列举法多用于老产品的改造。具体做法是把价值工程对象的缺点一一列举出来，然后针对这些缺点提出改进的方法。

6）期望列举法。期望列举法是将产品功能的要求和期望提出来，从而按照这些期望提出创新方案。

7）输入输出法。输入输出法是美国通用汽车公司在产品设计阶段所使用的一种方法。它是通过输入、输出和制约条件的研究，提出解决问题的方法。这里的输入是指研究对象的初始状态，输出是指对象的功能目的，制约条件是指实现功能的要求事项。

采用这种方法，首先要给定制约条件，然后设想输入和输出之间有无联系。如果没有联系，就要研究输入能与什么事物联系，通过什么手段才能达到输出的目的。这样逐步地深入来接近所需要达到的目的。

方案创新的方法很多，总的原则是要充分发挥有关人员的聪明才智，集思广益，多提方案，从而为方案评价创造条件。

13.5.2 方案评价

方案评价分为概略评价和详细评价两个阶段。概略评价是指对创造出的方案从技术、经济和社会三个方面进行初步研究，其目的是从众多的方案中粗略地筛选出一些优秀的方案，为详细评价做准备。详细评价是指在掌握大量数据资料的基础上，对概略评价获得的少数方案进行详尽的技术评价、经济评价、社会评价和综合评价，为提案的编写和审批提供依据。方案评价的内容和步骤如图 13-6 所示。

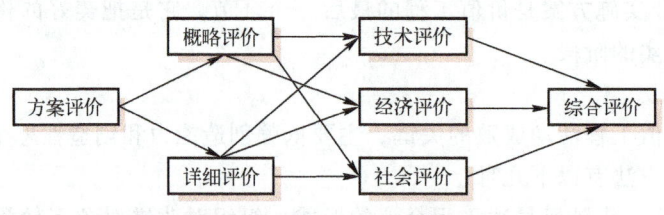

图 13-6　方案评价的内容和步骤

1. 技术评价

技术评价主要评价方案实现必要功能的程度，或改进方案的功能对用户的满足程度。技术评价力求把技术指标定量化，以便进行比较选择。它可以从以下几个方面进行评价：功能的实现程度（性能、质量、寿命等）；可靠性；可维修性；操作性；安全性；协调性；与环境的协调。

2. 经济评价

经济评价是在技术评价的基础上考察方案的经济性，评价内容主要是确定新方案的成本是否满足目标成本的要求。另外，对于销售类的产品对象，还可以从市场销售量的增加、市场竞争力的增强等方面进行全面的经济评价。

3. 社会评价

社会评价是对方案的社会效果的评价。社会评价主要包括以下几方面内容：方案是否符合国家规划；方案实施资源利用是否合理；方案实施是否达到国家关于环境保护颁布的有关规定；方案实施是否符合国家、社会的其他要求。

4. 综合评价

综合评价是在上述三种评价的基础上，可列出具体的评价项目和评分标准，然后进行综合评分，对整个方案做出综合的、整体的评价。综合评价时要综合考虑各指标因素之间重要性比重、各方案对评价指标的满足程度，从而判断和选择出最优方案。

13.5.3 方案评价的方法

方案评价的方法可分为定性评价法和定量评价法。

1. 定性评价法

定性评价法又称为优缺点评价法，是指根据评价项目详细列出各个方案的优缺点，分析其所存在的缺点能否克服，在比较的基础上选出最优方案的一种方法。这种方法简单、灵活而且全面；但是这种方法的评价结论较粗糙，缺乏定量依据，容易把一些相近的方案全部排除或难以选择。因而一般应与定量评价相结合运用。

2. 定量评价法

定量评价法是指用评分法评价每一方案的得分来选择方案的方法。

定量评价法有许多具体操作方法，下面介绍两种：

1）加权评分法。加权评分法又称 DARE 法，是指根据评价指标重要性程度和方案对评价指标的满足程度进行综合评价的方法。该方法的具体步骤为：

第一步，确定重要性程度系数 W_i。

第二步，确定方案对评价指标的满足程度系数 S_i。

第三步，确定方案的评分值。

其计算公式如下：

$$A_i = \sum W_i S_i \tag{13-9}$$

式中　A_i——某方案的加权评分值；

　　　W_i——某方案第 i 个评价指标的重要性程度系数；

　　　S_i——某方案第 i 个评价指标的满足程度系数。

最后，根据 A_i 的数值，选择总评分值最高的方案为最优方案。

【例 13-5】

某住宅设计有 A、B、C 三个备选方案，现由专家对各方案按适用、安全、美观、其他四项功能因素进行打分，并计算各方案单方造价以及四项功能的重要性程度系数（表 13-9），试仅就功能的满意程度对其三个备选方案进行比较。

表 13-9　某住宅项目方案评价统计表

	方案 A	方案 B	方案 C	重要性程度系数
适用	10	8	9	0.61
安全	10	9	8	0.22
美观	9	6	7	0.12
其他	9	6	6	0.05
合计	—	—	—	1
单方造价（元/m²）	762	598	683	—

解： 首先利用加权评分法计算各方案的功能评价总分，见表 13-10。

然后进行分析和优选。通过计算可以看出，单从功能的满意程度来进行比较，各方案功能排列依次为方案 A、方案 C、方案 B，逐渐递减。因此，单从功能的满意程度来进行比较，应选方案 A。

表 13-10　某住宅项目方案评价计算表

	方案 A		方案 B		方案 C		重要性程度系数
	S_i	$S_i W_i$	S_i	$S_i W_i$	S_i	$S_i W_i$	W_i
适用	10	6.10	8	4.88	9	5.49	0.61
安全	10	2.20	9	1.98	8	1.76	0.22
美观	9	1.08	6	0.72	7	0.84	0.12
其他	9	0.45	6	0.30	6	0.30	0.05
合计	—	9.83	—	7.88	—	8.39	1
选择	采用		舍弃		备用		

2) 加法评分法与乘法评分法。这两种方法都是将评价项目按满足程度分为若干等级，确定各级评分标准并进行评分。

加法评分法是将各方案的每一个评价指标得分累计相加，评分值最高者确定为最优方案。

乘法评分法与加法评分法类似，只是将各方案的每一个评价指标得分累计相乘。由于总分值由乘积确定，所以方案之间分值差距较大，对比清晰。

13.5.4　方案的实施与总体效果评价

1. 方案实施

选出最佳方案后，为确保质量和为以后的审批提供依据需进行试验，试验通过后的方案可以作为正式提案。

在提案时，为使提案能被接受而实施，同时也为了减少实施中的压力或障碍，进行价值工程活动的主要人员要将原产品的技术经济指标、用户要求、存在的问题、提高价值的必要性、预计达到的目的等做出具体说明，并附上功能分析、改进依据、试验数据、设计图、方案评价及预计方案实施后的效果评价等有关资料，报主管部门审批。提案审批通过后，即可实施。

在实施过程中，价值工程活动小组要积极参与，跟踪检查，并与提案接受者进行很好的合作，取得他们的信任和协助，及时掌握具体情况，及时采取措施解决出现的问题，以保证方案顺利实施。

2. 价值工程成果评价

价值工程活动结束后，要对价值工程活动从技术、经济、社会效果方面进行总体效果评价和总结。

（1）技术成果评价

方案的技术成果评价是以用户所需的功能为依据，考察方案对必要功能的实现程度。可以按照规定的技术指标进行评价，如产品质量指标、寿命指标、安全指标等达到的程度。这种评价应尽量采用定量评价。

（2）经济成果评价

经济成果评价可根据需要，计算实施对能源、原材料消耗、劳动生产率、利润等指标的效果。一般应重点计算下列两项效果：

1) 投资效率（投资倍数）。其计算公式如下：

$$B = \frac{(C-F)Q - R}{R} \tag{13-10}$$

式中　B——价值工程活动效果（投资效率）；

　　　C——改进前单位成本；

　　　F——改进后单位成本；

　　　Q——年产量；

　　　R——价值工程活动经费（指活动人员的工资、试验费、调研费、资料费等）。

2) 成本降低率。其计算公式如下：

$$成本降低率 = \frac{价值工程后单件成本降低额}{价值工程前单件成本} \tag{13-11}$$

（3）社会效果评价

社会效果评价主要包括：填补国内外科学技术或品种发展的空白；对能源、贵重金属、稀缺物资等的节约；降低用户购买成本；防止或减少公害；改善环境等。

（4）价值工程工作总结

价值工程工作全部结束后，要进行总结。总结的内容是预定目标是否如期达到，与国内外同类产品相比还存在哪些差距，为什么存在这些差距；价值工程活动过程中，活动计划、工作方法、人员组织与安排、时间安排进度等还存在哪些优缺点；有哪些经验值得推广、哪些方法需要改进。

13.6　建设项目价值管理

13.6.1　价值管理的概念

价值管理（Value Management，VM）是一种系统化的、多专业的研究活动，通过项目的功能分析，用最低的全寿命周期成本最好地实现项目的价值。

VM包括价值规划（Value Planning，VP）、价值工程（Value Engineering，VE）、价值分

析(Value Analysis, VA)。VP、VE、VA 的思想和方法是一致的,但其时间范围不同。VM 的内涵(或实质)无异于 VE 和 VA,只是其外延扩展了。我国基本建设周期与价值管理的关系见表 13-11。

表 13-11 我国基本建设周期与价值管理的关系

VM						
VP	VE				VA	
决策阶段 (项目建议书及可行性研究)	方案设计	扩初设计	施工图设计	招标投标	工程施工	项目运行

VM 具有价值工程的"功能分析核心性、功能与寿命周期成本匹配性、创新性、系统性"等基本特征,所以 VM 和 VE 一脉相承,VM 是 VE 的丰富和发展。

相对于传统价值工程主要应用于价值生成阶段(制造阶段),VM 的应用范围拓展到了整个项目周期,特别是延伸到了价值确认阶段(决策阶段)。由于 VP 的作用,毫无疑问,VM 的成效会更显著。

13.6.2 全面价值管理

1. 全面价值管理概述

全面价值管理(Total Value Management, TVM)是以产品价值管理为基础,以顾客价值创造为手段,以企业社会价值提升与可持续发展为理念,以建立价值创造型企业为目标,谋求企业价值最大化创造的管理模式。

全面价值管理涵盖了产品价值管理、顾客价值管理和社会价值管理。全面价值管理的思想基础是可持续发展,关注厂商价值对社会价值的影响,自觉把厂商价值改进置于维护社会价值的框架下,积极追求厂商与社会的和谐融洽。

全面价值管理的核心是大系统——社会、公众与顾客、厂商与产品框架下的功能分析与价值判断。在大系统背景下,全面价值管理全面分析产品价值状态及其实现对系统要素和系统的影响,探究维护社会价值的产品价值和厂商价值的改进路径。谋求厂商价值、顾客价值和社会价值的有机统一,实现厂商价值的持续改进。全面价值管理的逻辑框架如图 13-7 所示。

全面价值管理是全要素、全过程、全寿命、全生态的价值管理。全要素价值管理是指对影响价值实现的每一生产力要素进行价值管理;全过程价值管理是指对价值形成的每一阶段进行价值管理;全寿命价值管理是指对价值产生和价值持续的完整寿命周期进行价值管理;全生态价值管理是指对价值存在的微观生态(产品与厂商)、中观生态(顾客与公众)和宏观生态(社会)进行价值管理。全面价值管理的基本框架如图 13-8 所示。

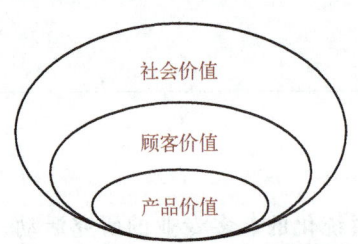

图 13-7 全面价值管理的逻辑框架

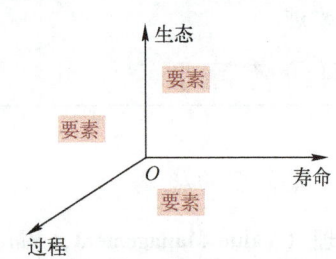

图 13-8 全面价值管理的基本框架

价值作为一个系统，要经过价值创意（规划或策划）、价值创造（增值）、价值使用、价值维持、价值控制（管理）等阶段。由于价值的珍重与稀缺，不仅要想方设法地创造、提高价值，还要科学合理地使用、维持价值，严格有序地控制、管理价值。

2. 建设项目价值规划

所谓价值规划或称价值策划，是指在项目实施前，针对项目方案进行系统的功能识别、功能规划，初步确定功能固化形式，设定项目功能及其基本实现途径，为项目决策提供依据的活动。

价值规划是价值管理的起点，也是价值管理的关键。价值规划是决策支持系统中的子系统。价值规划的目的在于为项目投资决策提供价值分析依据。项目决策显然对后续工作有重要影响，所以，价值管理越早越好。通过早期的价值管理——价值规划，为项目决策提供科学依据，提高决策的科学性，无疑对于投资目标的实现具有重要意义。所以，价值管理最大的意义在于使价值工程基本思想和方法延伸到项目决策阶段。建设项目的价值规划、价值工程和价值分析构成了完整的建设项目价值链，如图13-9所示。

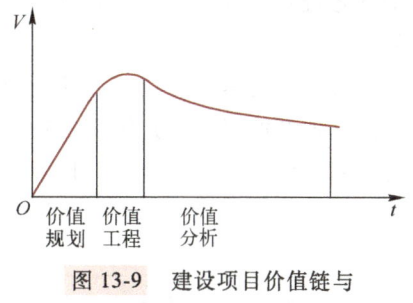

图13-9　建设项目价值链与价值管理过程

3. 建设项目价值工程

建设项目价值工程是指运用价值工程基本原理、基本方法，对建设项目的功能及其实现方式所做的系统优化。建设项目价值工程建立在建设项目价值规划基础上，是价值规划的延伸和深化。价值规划是在价值识别基础上做出的功能定位及功能固化，价值工程就是对功能及其固化方式进行优化；价值规划初步生成建设项目价值，价值工程就使建设项目价值增值和实现。

建设项目价值工程的目标是实现建设项目的最佳价值。显然，如果建设项目有恰当的功能和成本，则一般就认为有良好的价值；反之，则就认为没有良好的价值。所以，实现建设项目最佳价值的目标，或致力于增加建设项目的功能，而同时不会导致成本大幅攀升；或立足于降低建设项目寿命周期成本，并且同时保证必要功能的实现。

建设项目价值工程在项目实施阶段进行，位于建设项目价值链的中游。在这个阶段，要在价值规划的基础上，具体确定项目功能与工程标准、建筑形态与结构形式、建筑定位与结构尺寸、构造分布与材料选用等细部要求，并且按照这个要求把蓝图变成具体的建设项目。所以它是建设项目价值增值和实现的关键。建设项目价值工程的目的是在社会价值的框架下，对通过了价值规划"必要性检验"的功能，进行具体的"塑身检验"和"最优化检验"，保证实施方案的"价值最佳"。

建设项目价值工程主要是进行定量的功能分析和评价。建设项目价值工程活动的开展是按照分项工程—分部工程—单位工程—单项工程—建设项目的程序进行的，通过细部的优化，达到整体方案的"价值最佳"。

4. 建设项目价值分析

建设项目价值分析是指运用价值工程基本原理、基本方法，通过有效的技术和管理手段，使已经凝结在建设项目中的功能完整呈现，避免功能在时间的推移中不当"衰减"，并推动功能"再造"。建设项目价值分析以建设项目价值工程为基础,是价值工程的延伸和深化。价值工程是对功能及其固化方式进行的优化,并使建设项目价值增值和实现;价值分析是为建设项目的功能"释放"提供条件,展现并有效延续或"再造"建设项目的价值。

随着时间的推移,建设项目不断遭受磨损的侵蚀,因而使其功能和价值呈现劣化和贬损。因此帮助建设项目已经形成的功能"释放",并维持功能和价值良好是建设项目使用阶段的主要任务。与建设项目价值工程的目标相同,建设项目价值分析的目标就是维持建设项目的最佳价值。所以建设项目的价值分析,或致力于避免建设项目的功能"衰减",而同时不会导致成本大幅攀升;或立足于降低建设项目使用(运行)成本,并且同时保证必要功能的实现。

建设项目价值分析在项目使用(运行)和清理阶段进行。在这个阶段中,建设项目所凝聚的功能开始释放,并体现出对顾客需求的满足。所以,维持建设项目的最佳功能或价值状态,对于顾客、对于社会都是极具意义的。

练 习 题

1. 在某项目现浇楼板施工中,拟采用钢木组合模板体系或小钢模体系。经专家讨论,决定从模板总费用(F_1)、楼板浇筑质量(F_2)、模板人工费(F_3)、模板周转时间(F_4)、模板拆装便利性(F_5)五个指标对两种模板体系进行评价。用 0-1 评分法对五个指标重要性程度评分结果见表 13-12。

两种体系下各指标的得分见表 13-13。

表 13-12 指标评分结果

	F_1	F_2	F_3	F_4	F_5
F_1		0	1	1	1
F_2			1	1	1
F_3				0	1
F_4					1

表 13-13 指标的得分

	钢木组合模板	小钢模		钢木组合模板	小钢模
F_1	10	8	F_4	10	7
F_2	8	10	F_5	10	9
F_3	8	10			

经造价工程师估算,钢木组合模板体系总费用为 40 万元,楼板的模板人工费为 8.5 元/m²;小钢模体系总费用为 50 万元,楼板的模板人工费为 6.8 元/m²。项目的楼板工程量为 2.5 万 m²。

(1) 试确定各评价指标的重要性程度系数(即功能系数)。
(2) 试用价值工程方法选择模板体系。

2. 用 0-1 评分法评得某产品五项功能的重要性程度得分见表 13-14。

表 13-14 五项功能得分结果

	F_1	F_2	F_3	F_4	F_5
F_1		0	1	1	1
F_2			1	1	1
F_3				0	1
F_4					1

已知实现五项功能的现实成本分别为 1 520 万元、1 480 万元、4 700 万元、5 100 万元、3 400 万元。按照限额设计要求,产品的目标成本控制在 15 100 万元。试确定功能改进顺序及其改进值。

第 14 章　项目后评价

【内容提要】

(1) 项目后评价的含义和作用。
(2) 项目后评价的内容。
(3) 项目后评价报告。

【关键词】

项目后评价；技术方案的后评价；经济后评价；对比分析法；逻辑框架法；成功度评价法

【学习指导】

项目后评价是指在投资项目建设完成并投入生产运营一段时间后，运用科学、系统、规范的方法，对项目的准备、立项决策、设计施工、生产运营等全过程的投资活动进行总结评价，对项目实际取得的经济效益、社会效益和环境影响进行综合评价，从而判别项目预期目的实现程度的评价方法。通过对项目建设过程各阶段工作的总结和评价，对投资全过程的实际情况和预计情况进行比较研究，衡量和分析实际情况与预计情况的偏离程度，以达到总结经验，提出建议，改进工作，不断提高项目决策水平、管理水平和投资效益的目的。

项目后评价与前评价相比，评价的某些指标与方法类似，但在评价的主体、评价的作用、评价的依据、评价的内容、评价的阶段等许多方面都存在差异。因此，在对项目进行后评价时，应遵循其基本程序，选择合适的指标，进行分析研究。常用的后评价方法主要有对比分析法、逻辑框架法、成功度评价法等。具体运用时，应根据项目的实际情况，合理选择。

14.1 项目后评价概述

14.1.1 项目后评价的含义和特点

1. 项目后评价的含义

项目后评价是指在投资项目建设完成并投入生产运营一段时间后，运用科学、系统、规范的方法，对项目的准备、立项决策、设计施工、生产运营等全过程的投资活动进行总结评价，对项目实际取得的经济效益、社会效益和环境影响进行综合评价，从而判别项目预期目的实现程度的评价方法。通过对项目建设过程各阶段工作的总结和评价，对投资全过程的实际情况和预计情况进行比较研究，衡量和分析实际情况与预计情况的偏离程度，以达到总结经验、提出建议、改进工作、不断提高项目决策水平、管理水平和投资效益的目的。项目后评价是微观层次上的评价。项目后评价作为项目管理的反馈控制活动，是项目管理的一项重要内容，是项目建设程序中的重要环节。

2. 项目后评价的特点

项目后评价应当遵循独立、公正、客观、科学的原则，建立畅通、快捷的信息反馈机制，为建立和完善投资监管体系和责任追究制度服务。项目后评价与项目前评价相比，通常具有以下特点：

（1）现实性

项目后评价是以实际情况为基础，对项目建设、运营状态等据实进行分析研究，所依据的数据资料是项目运行中已经实际发生的真实数据。

（2）全面性

项目后评价是对投资项目投资和运营的全过程进行分析，既包括新建项目，也包括改扩建项目；既要对项目的投资效益进行评价，又要对项目的经营管理效果状况和发展潜力进行分析。

（3）反馈性

项目后评价通过对项目的投资和运营情况进行总结、分析和评价，检验项目决策、实施和生产运营的实际效果，并把结果反馈到决策部门，作为新项目的立项和评估的基础，以及调整投资规划和制定政策的依据，从而进一步提高决策和管理水平。

（4）广泛性

大中型投资项目一般综合性都比较强，因此项目后评价涉及的内容一般较多，范围较广，需要多个部门的各个有关专业人员参与合作。

14.1.2 项目后评价与前评价的区别

项目后评价与前评价有较大的区别，是同一对象的不同过程。它们在评价内容上要前后呼应，互相兼顾，但在以下几个方面又有明显的区别：

1. 评价主体不同

前评价主要由投资主体组织实施；后评价则是由投资运行的监督管理机构或单独设立的后评价机构进行，以上级决策机构为主，组织主管部门会同计划、财政、审计、设计、质量、司法等有关部门进行，以确保后评价的公正性和客观性。

2. 评价的作用不同

前评价以定量指标为主侧重于经济效益的评价，评价结果将作为项目取舍的直接依据；后评价是投资效果的各种信息反馈，不仅注重经济效益，还要考察项目的社会效益和环境影响，其评价结论主要是间接作用于未来投资项目的决策。

3. 评价的依据不同

前评价是项目实施前进行的评价，主要依据国家、行业和部门颁发的政策规定和参数标准，以及历史资料和经验性资料；后评价是项目实施后的评价，主要依据建成投产后项目实施的现实资料，并将有关各方情况进行对比，检测项目的实际情况与预测情况的差距，分析产生原因，提出改进措施。

4. 评价的内容不同

前评价分析和研究的主要内容是项目建设条件，工程设计方案，项目的实施计划及项目的经济、社会效益的评价和预测；后评价的主要内容除针对前评价上述内容进行再评价外，还要对项目决策和实施效率等进行评价，以及对项目实际运营状况进行深入的分析。

5. 评价的阶段不同

前评价属于项目前期工作，为投资决策提供依据；后评价则是在项目竣工投产后，对项目全过程的建设和运行情况及产生的效益进行评价。

14.1.3 项目后评价的作用

1. 总结建设项目管理的经验教训

项目后评价针对项目实际效果所反映出的项目建设全过程各阶段存在的问题，进行分析、研究，比较实际情况与预测情况的偏离程度，分析产生偏差的原因，提出相应切实可行的整改建议，促进项目改进运营状态，更好地发挥效益。因此，后评价可以对项目管理起到监督和改进作用，进而有效地指导未来的项目管理活动。

2. 促进项目决策科学化水平的提高

项目后评价通过对投资项目决策进行总结和检查，建立和完善项目后评价制度和科学的评价方法体系。通过分析各种反馈信息，检验基本建设程序各环节工作和生产经营所取得的实际效果，检测项目是否达到投资决策时所确定的目标，分析项目建设过程的立项、投资规模、技术选样、技术引进及所采取的管理方法和经营手段等是否正确、合理，从中得出有益的经验教训，纠正项目决策中存在的问题，为今后类似项目的投资决策提供借鉴依据，从而提高未来项目决策的科学化水平。

3. 为国家投资计划和政策的制定提供依据

项目后评价能够发现宏观投资管理中的不足和问题，国家可以据此及时修正某些不适合经济发展的技术经济政策，运用税收、利率、汇率和价格政策等宏观经济杠杆调整和控制投资规模和投资流向，协调各产业、各部门之间及其内部的投资比例关系，修订某些不恰当的经济参数和指标定额。同时运用法律的、经济的和行政的手段，建立和完善必要的法律法规、组织机构与相应的管理制度，加强项目投资管理，从而保证国家建设投资管理的科学性和有效性。

14.2 项目后评价的程序、内容和方法

14.2.1 项目后评价的程序

项目后评价的程序是指项目后评价工作开展的步骤，一般包括：选择后评价项目、制订项目后评价计划、确定项目后评价内容与范围、选择项目后评价机构和咨询专家、实施项目后评价及编写项目后评价报告。

1. 选择后评价项目

通常根据下列条件选择需要开展后评价的项目：
1）政府投资项目中规定需要进行后评价的项目。
2）特殊项目（如大型项目、复杂项目和试验性的新项目等）。
3）为即将实施的国家预算、宏观战略和规划制定提供信息的项目。
4）具有未来发展方向的有代表性的项目。
5）对行业或地区的投资发展有重要意义的项目。
6）竣工运营后与前评价的预测结果有重大变化的项目。
7）其他需要了解项目的作用和效果的项目。

原则上，为使项目的运营、管理更加完善和本着对投资者负责的态度，大、中型投资项目都应进行项目后评价。

2. 制订项目后评价计划

确定需要进行后评价的项目后，就要制订项目后评价计划。项目后评价计划要尽可能提早制订。因为一旦确定需要进行后评价，需要从项目的可行性论证开始，就注意收集和保存有关的信息资料。计划的内容要对后评价的预计时间、后评价范围、指标系统、技术方法以及人员机构等做出总体安排。

3. 确定项目后评价内容与范围

项目后评价以项目后评价任务书的形式确定各阶段的划分和时间安排，并对后评价的目的、内容、深度、范围和方法做出明确而具体的说明。项目后评价的主要内容包括对项目审批管理、项目实施内容、项目功能技术、资金管理效率、经济效益、公共效益方面进行全面、综合评价。项目后评价是重点对项目决策预期效果和项目实施后实际效果进行对比考核，分析变化原因，及时总结和反馈经验教训。

4. 选择项目后评价机构和咨询专家

项目后评价一般分为两个阶段：自我后评价和独立后评价。自我后评价通常由项目实施单位和项目使用单位并以项目使用单位为主来完成，重点是记录和收集项目运行的原始数据，从使用者的角度来进行后评价；独立后评价由独立的评价机构完成。评价机构接受任务后，要确定一名专业负责人，并由专业负责人组织相关专家成立后评价小组，评价小组成员与被评价项目没有经济和社会利益关系，以保证项目后评价的公正性。后评价机构也可聘请机构以外的独立后评价咨询专家，共同完成项目后评价任务，以增加公正性并提高评价质量。

5. 实施项目后评价

项目后评价的具体实施，根据不同类型的项目可能有所不同，从大的方面包括以下三个方面：

（1）收集项目后评价的相关信息资料

应尽可能全面地收集与后评价项目有关的原始资料，包括项目可行性研究报告、立项审批书、项目变更资料、竣工验收资料、决算审计报告、各项设计文件、项目运营情况的原始记录以及自我后评价报告等资料。

（2）进行项目后评价的现场调查

要预先做好现场调查设计，根据项目后评价内容的需要设计调查的内容和问题、调查对象、调查形式以及具体安排等。调查的内容要包括项目实施情况、项目预期目标的实现情况、项目各经济技术指标的合理性、项目产生的作用及影响等。

（3）整理与分析项目后评价资料

资料的整理过程中要注意资料的客观性和有效性，只有同时满足这两者要求的资料才是合格的资料，非正常条件下及偶然因素作用下获取的信息数据不应作为项目后评价的分析依据。分析主要从下述三个方面进行：其一，项目后评价结果与项目前评估预测结果的对比分析；其二，对项目后评价本身结果所做的分析；其三，对项目未来发展的分析。

6. 编写项目后评价报告

项目后评价报告是后评价工作中的最后一项，也是反映项目后评价工作成果最关键的一项。报告的编写以前述各项工作内容为依据，以评价原则为指导，客观、全面、公正地描述被评价项目的实施现状。项目后评价报告具有项目绩效评价、改善项目后续发展和提高项目决策人员水平的功能和作用。报告一般包括以下内容：

1）项目概况。它包括项目目标、建设内容、投资估算、前期审批情况、资金来源及到位情况、实施进度、工程质量、批准概算及执行情况等。

2）项目实施过程总结。它包括前期准备、建设实施、项目运行等。

3）项目效果评价。它包括对技术水平、财务及经济效益、社会效益、环境效益等的评价。

4）项目目标评价。它包括目标实现程度、差距及原因、持续能力等。

5）项目建设的主要经验教训和相关建议。

14.2.2 项目后评价的内容

项目后评价的内容可以有不同的划分方法。从项目运行过程的角度划分，项目后评价的内容主要包括：项目前期工作的后评价、项目实施的后评价、项目运营的后评价。从与项目前评价内容相对称的角度，项目后评价的内容可以分为项目建设必要性的后评价、项目生产建设条件的后评价、项目技术方案的后评价、项目经济后评价和项目影响后评价等。

1. 项目前期工作的后评价

项目前期工作的后评价内容主要包括：项目立项条件后评价、项目决策程序和方法后评价、项目决策阶段的经济后评价、项目勘察设计的后评价和项目前期工作管理后评价。

（1）项目立项条件后评价

项目立项条件后评价是指从实际情况出发，对产品方案、建设方案、工艺流程、设备方案、资源、原材料、能源、动力和运输条件等是否适应项目需要而进行的评价分析。

（2）项目决策程序和方法后评价

项目决策程序和方法后评价是指分析研究项目决策的政策依据、决策程序及决策方法、决策体系体制是否科学和完整，决策的效率如何，项目决策程序和方法是否符合我国现行的有关制度和规定的要求。由于它涉及了项目决策正确性的保障体系和监督机制，因此项目决策程序和方法后评价应是项目前期工作后评价的重点内容。

（3）项目决策阶段的经济后评价

这一阶段的主要内容有：在项目决策前，是否对投资项目的经济方面进行了认真的可行性研究工作；在决策时经济评价结论意见是否作为重要依据；根据投产运营后的实际情况，检验决策时采纳的经济评价结论意见的正确性程度。

(4) 项目勘察设计的后评价

项目勘察后评价的内容主要包括：承担项目勘察设计任务的单位的资格审查情况；签订设计合同情况；设计的质量和效率；设计依据、标准、规范、定额、取费标准（费率）是否符合国家的有关规定，是否满足建设单位和施工的实际需要；设计方案在技术上的可行性和经济上的合理性程度如何；可行性研究与设计工作的关系是否协调。

(5) 项目前期工作管理后评价

项目前期工作管理后评价主要是对项目筹建工作、决策工作、征地拆迁工作、安置补偿工作、勘察设计工作、招标投标工作、委托施工工作、"三通一平"（也有称"六通一平""七通一平"）工作、资金落实和物资落实工作等各方面的管理进行的后评价。

2. 项目实施的后评价

项目实施阶段主要是指从项目开工到竣工验收的一段时期。项目实施的后评价应包括：项目实施管理后评价、项目施工准备工作后评价、项目施工方式的后评价、项目施工管理的后评价、项目竣工验收和试生产后评价、项目生产准备后评价等。内容应包括项目变更情况、施工管理、建设资金的供应和使用、建设工期、建设成本、项目工程质量和安全情况、项目竣工验收、配套项目和辅助设施项目的建设、项目生产能力和单位生产能力投资等的评价。重点应放在对在建项目目标实现过程中发生的诸如超工期、超概算、工程质量差、效益低等原因的查找和说明上。

3. 项目运营的后评价

项目运营的后评价内容包括：项目生产经营管理后评价、项目生产条件后评价、项目达产情况后评价、项目投产对环境影响情况后评价、项目投产引起的社会效果情况后评价、项目的可持续发展情况后评价、项目资源投入和产出情况后评价和项目效益后评价。其中，项目效益后评价是项目运营后评价的核心，这是因为项目效益的好坏是评价项目成败的关键标志。项目效益后评价主要应评价生产经营和市场情况以及产品品种、质量和数量是否与项目前评价所做的预测相符，对项目的财务效益与经济效益与项目前评价所做结论进行对比分析。此外，还应重新提出对项目前景的预测，并提出进一步提高项目经济效益的具体建议和切实可行的对策措施。另外，对于利用外资的项目还应适当增加对引进技术和设备的使用、消化及吸收情况的后评价。

4. 项目建设必要性的后评价

项目建设必要性的后评价主要考察项目立项时的目标的实现程度。可以根据国内外市场上产品的实际供求状况来验证项目前评价时所做的市场需求预测是否正确，包括分析产品销售量、占领市场范围、持续时间、产品价格和产品市场竞争能力等方面的变化情况，并做出新的趋势预测。如果项目实施结果偏离预测目标较远，要分析产生偏离的原因，并提出相应的补救措施。项目建设必要性后评价的内容除重新分析和评价项目产品实际市场需求情况与预测情况的偏差及其原因外，还要重新评价建设项目是否符合国家产业政策、地区与行业规划、经济布局、项目规模经济等的要求。

5. 项目生产建设条件的后评价

项目生产建设条件的后评价一般应对照项目立项时所确定的目标和任务，分析和衡量项目的实际生产条件、建设条件,并与前评价的预测情况相比较,若两者存在较大的偏差,应分析其原因并提出对策建议。项目生产建设条件后评价的内容包括:厂址条件的再评价;实际影响建设项目建设条件的再评价;原料、辅助材料、燃料的种类、数量、来源渠道和供应方式的再评价;所需公用设施的数量、供应方式和供应条件的再评价;生产组织管理机构的设置、运行效率、招聘工人的方式、人员结构和人员培训的再评价等。

6. 项目技术方案的后评价

项目技术方案的后评价是对工程设计方案、项目实施方案的再评价。工程设计方案的再评价内容包括:项目构成范围的再评价;项目土建工程量的再评价;技术来源、主要技术工艺及设备选型和工艺流程的再评价。项目实施方案再评价的内容主要包括:项目施工方式和技术方案的再评价;项目实施进度、成本、质量的再评价等。

7. 项目经济后评价

项目经济后评价包括项目财务后评价和项目国民经济后评价两个组成部分。项目财务后评价从企业(项目)角度对项目投产后的实际财务效益进行评价,根据现行财务制度规定及项目建成投产后投入物和产出物的实际价格水平,重点分析总投资、产品总成本、企业收益率、贷款偿还期与当初预测值的差距,总结经验,提出改进建议;国民经济后评价是从国民经济角度出发,采用影子价格、影子汇率、影子工资和社会折现率等参数,对项目投产后的国民经济效益进行再评价。重点分析项目的实际成本效益和预测数值之间的差异,找出产生差异的原因,提出整改意见。

8. 项目影响后评价

项目影响后评价内容包括经济影响、环境影响和社会影响等,具体有以下几个方面:

(1) 经济影响后评价

经济影响后评价主要评价项目对所在地区、所属行业和国家所产生的经济方面的影响,如收入分配、就业、国内资源使用、技术进步等。

(2) 环境影响后评价

环境影响后评价一般包括对项目的污染控制、地区环境质量、自然资源利用和保护、区域生态平衡和环境管理的再评价等几个方面。

(3) 社会影响后评价

社会影响后评价重点再评价项目对所在地区和社会的影响,一般包括对贫困改善状况、社会福利的均衡性、妇女儿童等特殊群体的权益保护和资源与可持续发展的影响等内容。

14.2.3 项目后评价的方法

项目后评价的方法是进行后评价的手段和工具,没有切实可行的后评价方法,就无法开展后评价工作。项目后评价工作包含的内容十分广泛,分析方法上通常采用定量分析与定性分析相结合的方法。项目后评价最常用的方法主要有对比分析法、逻辑框架法、成功度评价法等。

1. 对比分析法

项目后评价采用的对比分析法有前后对比法、有无对比法及横向对比法。

(1) 前后对比法

项目后评价中的前后对比法是指将项目可行性研究和评估阶段所预测的项目的投入、产出、效益、费用等和相应的评价指标与项目竣工投产运行后的实际结果进行对比的一种方法。这种对比一般用于项目的效益评价和影响评价，是后评价的一个重要方法。

（2）有无对比法

项目后评价中的有无对比法是指将项目竣工投产运行后实际发生的情况与没有运行投资项目可能发生的情况进行对比，以度量项目真实效益的一种方法。有无对比法的关键是要求投入费用与产出效果的口径一致，也就是说，所度量的效果真正是由该项目所产生的。采用有无对比法进行项目后评价，需要大量可靠的数据，最好具备系统的项目监测资料，也可引用当地有效的统计资料。在进行对比分析时，先要确定评价内容和主要指标，选择可比的对象，通过建立对比表进行分析。这种对比方法也常用于项目的效益评价和影响评价。

（3）横向对比法

横向对比法是指将项目实施后所达到的技术经济指标与国内同类项目的平均水平、先进水平、国际先进水平等进行比较的一种方法。在当前世界经济一体化的大形势下，这一点显得十分必要，也为项目持续性评价提供了更高的参考标准。运用横向对比法进行项目后评价时，必须注意可比性的问题，比较时要把不同时期的数据资料折算到同一时期，使项目评价的价格基础保持同期性，同时也要保持费用、效益等计算口径相同。这既是技术经济效益分析的基本原则，也是项目后评价必须遵循的原则。

2. 逻辑框架法

逻辑框架法（Logical Framework Approach，LFA）是美国国际开发署在1970年开发并使用的一种设计、计划和评价的工具。目前大部分国际组织把该方法应用于援助项目的计划管理和后评价。逻辑框架法不是一种机械的方法程序，而是一种综合、系统地研究和分析问题的思维框架，它将几个内容相关且必须同步考虑的动态因素组合起来，通过分析相互之间的关系，从设计、策划、目标等方面来评价项目。逻辑框架法的核心是分析项目营运、实施的因果关系，揭示结果与内外原因之间的关系。

逻辑框架法把目标及因果关系分为以下四个层次：

1）目标。目标通常是指高层次的目标，即宏观计划、规划、政策和方针等。

2）目的。目的是指建设项目的直接效果和作用，一般应考虑项目为受益群体带来的效果。

3）产出物。产出物是指项目建成后提供的可直接计量的产品或服务。

4）投入物和活动。投入物和活动是指该项目实施过程中的资源投入量、项目建设的起止时间及工期。

逻辑框架法的模式一般可用矩阵表表示，见表14-1。

表14-1　逻辑框架法的矩阵表

层次描述	客观验证指标	验证方法	重要外部条件
目标/影响	目标指标	监测和监督手段及方法	实现目标的主要条件
目的/作用	目的指标	监测和监督手段及方法	实现目的的主要条件
产出物/结果	产出物定量指标	监测和监督手段及方法	实现产出的主要条件
投入物和活动/措施	投入物定量指标	监测和监督手段及方法	实现投入的主要条件

上述矩阵表表示了逻辑框架法的结构模式,它是 4×4 的矩阵模式。横行代表项目目标层次,按照因果关系,自下而上地列出项目的投入物和活动、产出物、目的和目标四个层次,包括实现这些目标所需要的检验方法和指标,说明目标层次之间的因果关系和重要的假定条件及前提;各竖列代表如何验证这些不同层次的目标,自左到右列出项目各目标层次的客观验证指标、验证方法以及相关的重要外部条件。采用专门的客观验证指标及其验证方法分析研究项目的资源消耗数量、质量和结果,对项目各个目标层次所得的结论进行专门分析和详细说明。整个逻辑框架分析的逻辑关系是由下至上的,就是从一个项目的投入在什么条件下能产出什么,有了这些产出在什么外部假设条件下又可以达到项目的直接目的,而达到这个目的后又在什么客观假设的必要或充分条件下最终实现项目的预期社会经济目标。

项目后评价通过逻辑框架法来分析项目原定的预期目标、各种目标的层次、目标实现程度和原因,评价项目的效果、作用和影响,国际上很多组织把逻辑框架法作为后评价的方法论原则之一。

2005 年 5 月,国资委对中央企业固定资产投资项目后评价工作制定了工作指南,其中,用逻辑框架法通过投入/活动、产出/建设内容、项目直接目的、项目宏观目标四个层面对项目进行分析和总结的模式给出了参考格式,见表 14-2。

表 14-2 国资委项目后评价逻辑框架表

项目描述	可客观验证的指标			原因分析		项目可持续能力
	原定指标	实现指标	差别或变化	内部原因	外部原因	
项目宏观目标						
项目直接目的						
产出/建设内容						
投入/活动						

3. 成功度评价法

成功度评价法是一种综合评价方法,是以逻辑框架法分析的项目目标的实现程度、经济效益分析的结论为基础,以项目目标和经济效益为核心进行全面系统评价,得到项目成功度。

进行项目成功度评价首先必须明确项目成功的标准,再选择与项目相关的评价指标并确定其对应的重要性权重,通过指标重要性分析和单项成功度结论的综合,即可得到整个项目的成功度指标。

成功度评价法是依靠评价专家或专家组的经验,根据项目各方面的执行情况并通过系统准则或目标判断表来评价项目总体的成功程度。进行成功度分析时,首先确立项目绩效衡量指标,然后根据如下评价等级对绩效衡量指标进行专家打分:

(1) 成功

成功表明项目各个目标都已经全面实现或超过,与成本相比,项目取得了巨大效益和影响。

(2) 基本成功

基本成功表明项目的大部分目标已经实现,与成本相比,项目达到了预期的效益和影响。

（3）部分成功

部分成功表明项目实现了原定的部分目标，与成本相比，项目只取得了一定的效益和影响，未取得预期的效益。

（4）不成功

不成功表明项目实现的目标非常有限，主要目标没有实现，与成本相比，项目几乎没有产生什么效益和影响。

（5）失败

失败表明项目的目标无法实现，即使建成后也无法正常营运，目标不得不终止。

项目的成功度评价是项目后评价中一项重要的工作，是项目评价专家组对项目后评论结论的集体定性。一个大型项目一般要对十几个重要的和次重要的综合评价指标进行定性分析，确定各项指标的等级。这些综合评价指标见表14-3。

表 14-3 项目成功度评价指标

项目执行指标	相关重要性	成功度	项目执行指标	相关重要性	成功度
宏观经济影响			进度管理		
扩大或增加能力			预算内费用管理		
良好的管理			项目依托条件		
对扶贫的影响			成本与效益		
教育			财务内部收益率		
卫生与健康			经济内部收益率		
对妇女、儿童的影响			财务持续性		
环境影响			机构的持续性		
社会影响			项目总持续能力		
对机构的影响			项目的总成功度		
技术进步					

附　　录

附录A　复利系数表

表 A-1　复利系数表（$i=1\%$）

n	$(F/P,i,n)$	$(P/F,i,n)$	$(F/A,i,n)$	$(A/F,i,n)$	$(A/P,i,n)$	$(P/A,i,n)$	$(F/G,i,n)$	$(A/G,i,n)$
1	1.010 0	0.990 1	1.000 0	1.000 0	1.010 0	0.990 1	0.000 0	0.000 0
2	1.020 1	0.980 3	2.010 0	0.497 5	0.507 5	1.970 4	1.000 0	0.497 5
3	1.030 3	0.970 6	3.030 1	0.330 0	0.340 0	2.941 0	3.010 0	0.993 4
4	1.040 6	0.961 0	4.060 4	0.246 3	0.256 3	3.902 0	6.040 1	1.487 6
5	1.051 0	0.951 5	5.101 0	0.196 0	0.206 0	4.853 4	10.100 5	1.980 1
6	1.061 5	0.942 0	6.152 0	0.162 5	0.172 5	5.795 5	15.201 5	2.471 0
7	1.072 1	0.932 7	7.213 5	0.138 6	0.148 6	6.728 2	21.353 5	2.960 2
8	1.082 9	0.923 5	8.285 7	0.120 7	0.130 7	7.651 7	28.567 1	3.447 8
9	1.093 7	0.914 3	9.368 5	0.106 7	0.116 7	8.566 0	36.852 7	3.933 7
10	1.104 6	0.905 3	10.462 2	0.095 6	0.105 6	9.471 3	46.221 3	4.417 9
11	1.115 7	0.896 3	11.566 8	0.086 5	0.096 5	10.367 6	56.683 5	4.900 5
12	1.126 8	0.887 4	12.682 5	0.078 8	0.088 8	11.255 1	68.250 3	5.381 5
13	1.138 1	0.878 7	13.809 3	0.072 4	0.082 4	12.133 7	80.932 8	5.860 7
14	1.149 5	0.870 0	14.947 4	0.066 9	0.076 9	13.003 7	94.742 1	6.338 4
15	1.161 0	0.861 3	16.096 9	0.062 1	0.072 1	13.865 1	109.689 6	6.814 3
16	1.172 6	0.852 8	17.257 9	0.057 9	0.067 9	14.717 9	125.786 4	7.288 6
17	1.184 3	0.844 4	18.430 4	0.054 3	0.064 3	15.562 3	143.044 3	7.761 3
18	1.196 1	0.836 0	19.614 7	0.051 0	0.061 0	16.398 3	161.474 8	8.232 3
19	1.208 1	0.827 7	20.810 9	0.048 1	0.058 1	17.226 0	181.089 5	8.701 7
20	1.220 2	0.819 5	22.019 0	0.045 4	0.055 4	18.045 6	201.900 4	9.169 4
21	1.232 4	0.811 4	23.239 2	0.043 0	0.053 0	18.857 0	223.919 4	9.635 4
22	1.244 7	0.803 4	24.471 6	0.040 9	0.050 9	19.660 4	247.158 6	10.099 8
23	1.257 2	0.795 4	25.716 3	0.038 9	0.048 9	20.455 8	271.630 2	10.562 6
24	1.269 7	0.787 6	26.973 5	0.037 1	0.047 1	21.243 4	297.346 5	11.023 7
25	1.282 4	0.779 8	28.243 2	0.035 4	0.045 4	22.023 2	324.320 0	11.483 1
26	1.295 3	0.772 0	29.525 6	0.033 9	0.043 9	22.795 2	352.563 1	11.940 9
27	1.308 2	0.764 4	30.820 9	0.032 4	0.042 4	23.559 6	382.088 8	12.397 1
28	1.321 3	0.756 8	32.129 1	0.031 1	0.041 1	24.316 4	412.909 7	12.851 6
29	1.334 5	0.749 3	33.450 4	0.029 9	0.039 9	25.065 8	445.038 8	13.304 4
30	1.347 8	0.741 9	34.784 9	0.028 7	0.038 7	25.807 7	478.489 2	13.755 7
31	1.361 3	0.734 6	36.132 7	0.027 7	0.037 7	26.542 3	513.274 0	14.205 2
32	1.374 9	0.727 3	37.494 1	0.026 7	0.036 7	27.269 6	549.406 8	14.653 2
33	1.388 7	0.720 1	38.869 0	0.025 7	0.035 7	27.989 7	586.900 9	15.099 5
34	1.402 6	0.713 0	40.257 7	0.024 8	0.034 8	28.702 7	625.769 9	15.544 1
35	1.416 6	0.705 9	41.660 3	0.024 0	0.034 0	29.408 6	666.027 6	15.987 1
36	1.430 8	0.698 9	43.076 9	0.023 2	0.033 2	30.107 5	707.687 8	16.428 5
37	1.445 1	0.692 0	44.507 6	0.022 5	0.032 5	30.799 5	750.764 7	16.868 2
38	1.459 5	0.685 2	45.952 7	0.021 8	0.031 8	31.484 7	795.272 4	17.306 3
39	1.474 1	0.678 4	47.412 3	0.021 1	0.031 1	32.163 0	841.225 1	17.742 8
40	1.488 9	0.671 7	48.886 4	0.020 5	0.030 5	32.834 7	888.637 3	18.177 6
41	1.503 8	0.665 0	50.375 2	0.019 9	0.029 9	33.499 7	937.523 7	18.610 8
42	1.518 8	0.658 4	51.879 0	0.019 3	0.029 3	34.158 1	987.898 9	19.042 4
43	1.534 0	0.651 9	53.397 8	0.018 7	0.028 7	34.810 0	1 039.777 9	19.472 3
44	1.549 3	0.645 4	54.931 8	0.018 2	0.028 2	35.455 5	1 093.175 7	19.900 6
45	1.564 8	0.639 1	56.481 1	0.017 7	0.027 7	36.094 5	1 148.107 5	20.327 3
46	1.580 5	0.632 7	58.045 9	0.017 2	0.027 2	36.727 2	1 204.588 5	20.752 4
47	1.596 3	0.626 5	59.626 3	0.016 8	0.026 8	37.353 7	1 262.634 4	21.175 8
48	1.612 2	0.620 3	61.222 6	0.016 3	0.026 3	37.974 0	1 322.260 8	21.597 6
49	1.628 3	0.614 1	62.834 8	0.015 9	0.025 9	38.588 1	1 383.483 4	22.017 8
50	1.644 6	0.608 0	64.463 2	0.015 5	0.025 5	39.196 1	1 446.318 2	22.436 3

附 录

表 A-2 复利系数表（$i=2\%$）

n	(F/P,i,n)	(P/F,i,n)	(F/A,i,n)	(A/F,i,n)	(A/P,i,n)	(P/A,i,n)	(F/G,i,n)	(A/G,i,n)
1	1.020 0	0.980 4	1.000 0	1.000 0	1.020 0	0.980 4	0.000 0	0.000 0
2	1.040 4	0.961 2	2.020 0	0.495 0	0.515 0	1.941 6	1.000 0	0.495 0
3	1.061 2	0.942 3	3.060 4	0.326 8	0.346 8	2.883 9	3.020 0	0.986 8
4	1.082 4	0.923 8	4.121 6	0.242 6	0.262 6	3.807 7	6.080 4	1.475 2
5	1.104 1	0.905 7	5.204 0	0.192 2	0.212 2	4.713 5	10.202 0	1.960 4
6	1.126 2	0.888 0	6.308 1	0.158 5	0.178 5	5.601 4	15.406 0	2.442 0
7	1.148 7	0.870 6	7.434 3	0.134 5	0.154 5	6.472 0	21.714 2	2.920 8
8	1.171 7	0.853 5	8.583 0	0.116 5	0.136 5	7.325 5	29.148 5	3.396 1
9	1.195 1	0.836 8	9.754 6	0.102 5	0.122 5	8.162 2	37.731 4	3.868 1
10	1.219 0	0.820 3	10.949 7	0.091 3	0.111 3	8.982 6	47.486 0	4.336 7
11	1.243 4	0.804 3	12.168 7	0.082 2	0.102 2	9.786 8	58.435 8	4.802 1
12	1.268 2	0.788 5	13.412 1	0.074 6	0.094 6	10.575 3	70.604 5	5.264 2
13	1.293 6	0.773 0	14.680 3	0.068 1	0.088 1	11.348 4	84.016 6	5.723 1
14	1.319 5	0.757 9	15.973 9	0.062 6	0.082 6	12.106 2	98.696 9	6.178 6
15	1.345 9	0.743 0	17.293 4	0.057 8	0.077 8	12.849 3	114.670 8	6.630 9
16	1.372 8	0.728 4	18.639 3	0.053 7	0.073 7	13.577 7	131.964 3	7.079 9
17	1.400 2	0.714 2	20.012 1	0.050 0	0.070 0	14.291 9	150.603 5	7.525 6
18	1.428 2	0.700 2	21.412 3	0.046 7	0.066 7	14.992 0	170.615 6	7.968 1
19	1.456 8	0.686 4	22.840 6	0.043 8	0.063 8	15.678 5	192.027 9	8.407 3
20	1.485 9	0.673 0	24.297 4	0.041 2	0.061 2	16.351 4	214.868 5	8.843 3
21	1.515 7	0.659 8	25.783 3	0.038 8	0.058 8	17.011 2	239.165 9	9.276 0
22	1.546 0	0.646 8	27.299 0	0.036 6	0.056 6	17.658 0	264.949 2	9.705 5
23	1.576 9	0.634 2	28.845 0	0.034 7	0.054 7	18.292 2	292.248 2	10.131 7
24	1.608 4	0.621 7	30.421 9	0.032 9	0.052 9	18.913 9	321.093 1	10.554 7
25	1.640 6	0.609 5	32.030 3	0.031 2	0.051 2	19.523 5	351.515 0	10.974 5
26	1.673 4	0.597 6	33.670 9	0.029 7	0.049 7	20.121 0	383.545 3	11.391 0
27	1.706 9	0.585 9	35.344 3	0.028 3	0.048 3	20.706 9	417.216 2	11.804 3
28	1.741 0	0.574 4	37.051 2	0.027 0	0.047 0	21.281 3	452.560 5	12.214 5
29	1.775 8	0.563 1	38.792 2	0.025 8	0.045 8	21.844 4	489.611 7	12.621 4
30	1.811 4	0.552 1	40.568 1	0.024 6	0.044 6	22.396 5	528.404 0	13.025 1
31	1.847 6	0.541 2	42.379 4	0.023 6	0.043 6	22.937 7	568.972 0	13.425 7
32	1.884 5	0.530 6	44.227 0	0.022 6	0.042 6	23.468 3	611.351 5	13.823 0
33	1.922 2	0.520 2	46.111 6	0.021 7	0.041 7	23.988 6	655.578 5	14.217 1
34	1.960 7	0.510 0	48.033 8	0.020 8	0.040 8	24.498 6	701.690 1	14.608 3
35	1.999 9	0.500 0	49.994 5	0.020 0	0.040 0	24.998 6	749.723 9	14.996 1
36	2.039 9	0.490 2	51.994 4	0.019 2	0.039 2	25.488 8	799.718 4	15.380 9
37	2.080 7	0.480 6	54.034 3	0.018 5	0.038 5	25.969 5	851.712 7	15.762 5
38	2.122 3	0.471 2	56.114 9	0.017 8	0.037 8	26.440 6	905.747 0	16.140 9
39	2.164 7	0.461 9	58.237 2	0.017 2	0.037 2	26.902 6	961.861 9	16.516 3
40	2.208 0	0.452 9	60.402 0	0.016 6	0.036 6	27.355 5	1 020.099 2	16.888 5
41	2.252 2	0.444 0	62.610 0	0.016 0	0.036 0	27.799 5	1 080.501 1	17.257 6
42	2.297 2	0.435 3	64.862 2	0.015 4	0.035 4	28.234 8	1 143.111 2	17.623 7
43	2.343 2	0.426 8	67.159 5	0.014 9	0.034 9	28.661 6	1 207.973 4	17.986 6
44	2.390 1	0.418 4	69.502 7	0.014 4	0.034 4	29.080 0	1 275.132 9	18.346 5
45	2.437 9	0.410 2	71.892 7	0.013 9	0.033 9	29.490 2	1 344.635 5	18.703 4
46	2.486 6	0.402 2	74.330 6	0.013 5	0.033 5	29.892 3	1 416.528 2	19.057 0
47	2.536 3	0.394 3	76.817 2	0.013 0	0.033 0	30.286 6	1 490.858 8	19.407 9
48	2.587 1	0.386 5	79.353 5	0.012 6	0.032 6	30.673 1	1 567.676 0	19.755 6
49	2.638 8	0.379 0	81.940 6	0.012 2	0.032 2	31.052 1	1 647.029 5	20.100 3
50	2.691 6	0.371 5	84.579 4	0.011 8	0.031 8	31.423 6	1 728.970 1	20.442 0

表 A-3 复利系数表（$i=3\%$）

n	$(F/P,i,n)$	$(P/F,i,n)$	$(F/A,i,n)$	$(A/F,i,n)$	$(A/P,i,n)$	$(P/A,i,n)$	$(F/G,i,n)$	$(A/G,i,n)$
1	1.030 0	0.970 9	1.000 0	1.000 0	1.030 0	0.970 9	0.000 0	0.000 0
2	1.060 9	0.942 6	2.030 0	0.492 6	0.522 6	1.913 5	1.000 0	0.492 6
3	1.092 7	0.915 1	3.090 9	0.323 5	0.353 5	2.828 6	3.030 0	0.980 3
4	1.125 5	0.888 5	4.183 6	0.239 0	0.269 0	3.717 1	6.120 9	1.463 1
5	1.159 3	0.862 6	5.309 1	0.188 4	0.218 4	4.579 7	10.304 5	1.940 9
6	1.194 1	0.837 5	6.468 4	0.154 6	0.184 6	5.417 2	15.613 7	2.413 8
7	1.229 9	0.813 1	7.662 5	0.130 5	0.160 5	6.230 3	22.082 1	2.881 9
8	1.266 8	0.789 4	8.892 3	0.112 5	0.142 5	7.019 7	29.744 5	3.345 0
9	1.304 8	0.766 4	10.159 1	0.098 4	0.128 4	7.786 1	38.636 9	3.803 2
10	1.343 9	0.744 1	11.463 9	0.087 2	0.117 2	8.530 2	48.796 0	4.256 5
11	1.384 2	0.722 4	12.807 8	0.078 1	0.108 1	9.252 6	60.259 9	4.704 9
12	1.425 8	0.701 4	14.192 0	0.070 5	0.100 5	9.954 0	73.067 7	5.148 5
13	1.468 5	0.681 0	15.617 8	0.064 0	0.094 0	10.635 0	87.259 7	5.587 2
14	1.512 6	0.661 1	17.086 3	0.058 5	0.088 5	11.296 1	102.877 5	6.021 0
15	1.558 0	0.641 9	18.598 9	0.053 8	0.083 8	11.937 9	119.963 8	6.450 0
16	1.604 7	0.623 2	20.156 9	0.049 6	0.079 6	12.561 1	138.562 7	6.874 2
17	1.652 8	0.605 0	21.761 6	0.046 0	0.076 0	13.166 1	158.719 6	7.293 6
18	1.702 4	0.587 4	23.414 4	0.042 7	0.072 7	13.753 5	180.481 2	7.708 1
19	1.753 5	0.570 3	25.116 9	0.039 8	0.069 8	14.323 8	203.895 6	8.117 9
20	1.806 1	0.553 7	26.870 4	0.037 2	0.067 2	14.877 5	229.012 5	8.522 9
21	1.860 3	0.537 5	28.676 5	0.034 9	0.064 9	15.415 0	255.882 9	8.923 1
22	1.916 1	0.521 9	30.536 8	0.032 7	0.062 7	15.936 9	284.559 3	9.318 6
23	1.973 6	0.506 7	32.452 9	0.030 8	0.060 8	16.443 6	315.096 1	9.709 3
24	2.032 8	0.491 9	34.426 5	0.029 0	0.059 0	16.935 5	347.549 0	10.095 4
25	2.093 8	0.477 6	36.459 3	0.027 4	0.057 4	17.413 1	381.975 5	10.476 8
26	2.156 6	0.463 7	38.553 0	0.025 9	0.055 9	17.876 8	418.434 7	10.853 5
27	2.221 3	0.450 2	40.709 6	0.024 6	0.054 6	18.327 0	456.987 8	11.225 5
28	2.287 9	0.437 1	42.930 9	0.023 3	0.053 3	18.764 1	497.697 4	11.593 0
29	2.356 6	0.424 3	45.218 9	0.022 1	0.052 1	19.188 5	540.628 3	11.955 8
30	2.427 3	0.412 0	47.575 4	0.021 0	0.051 0	19.600 4	585.847 2	12.314 1
31	2.500 1	0.400 0	50.002 7	0.020 0	0.050 0	20.000 4	633.422 6	12.667 8
32	2.575 1	0.388 3	52.502 8	0.019 0	0.049 0	20.388 8	683.425 3	13.016 9
33	2.652 3	0.377 0	55.077 8	0.018 2	0.048 2	20.765 8	735.928 0	13.361 6
34	2.731 9	0.366 0	57.730 2	0.017 3	0.047 3	21.131 8	791.005 9	13.701 8
35	2.813 9	0.355 4	60.462 1	0.016 5	0.046 5	21.487 2	848.736 1	14.037 5
36	2.898 3	0.345 0	63.275 9	0.015 8	0.045 8	21.832 3	909.198 1	14.368 8
37	2.985 2	0.335 0	66.174 2	0.015 1	0.045 1	22.167 2	972.474 1	14.695 7
38	3.074 8	0.325 2	69.159 0	0.014 5	0.044 5	22.492 5	1 038.648 3	15.018 2
39	3.167 0	0.315 8	72.234 2	0.013 8	0.043 8	22.808 2	1 107.807 8	15.336 3
40	3.262 0	0.306 6	75.401 3	0.013 3	0.043 3	23.114 8	1 180.042 0	15.650 2
41	3.359 9	0.297 6	78.663 3	0.012 7	0.042 7	23.412 4	1 255.443 3	15.959 7
42	3.460 7	0.289 0	82.023 2	0.012 2	0.042 2	23.701 4	1 334.106 5	16.265 0
43	3.564 5	0.280 5	85.483 9	0.011 7	0.041 7	23.981 9	1 416.129 7	16.566 0
44	3.671 5	0.272 4	89.048 4	0.011 2	0.041 2	24.254 3	1 501.613 6	16.862 9
45	3.781 6	0.264 4	92.719 9	0.010 8	0.040 8	24.518 7	1 590.662 0	17.155 6
46	3.895 0	0.256 7	96.501 5	0.010 4	0.040 4	24.775 4	1 683.381 9	17.444 1
47	4.011 9	0.249 3	100.396 5	0.010 0	0.040 0	25.024 7	1 779.883 4	17.728 5
48	4.132 3	0.242 0	104.408 4	0.009 6	0.039 6	25.266 7	1 880.279 9	18.008 9
49	4.256 2	0.235 0	108.540 6	0.009 2	0.039 2	25.501 7	1 984.688 3	18.285 2
50	4.383 9	0.228 1	112.796 9	0.008 9	0.038 9	25.729 8	2 093.228 9	18.557 5

表 A-4　复利系数表（$i=4\%$）

n	(F/P,i,n)	(P/F,i,n)	(F/A,i,n)	(A/F,i,n)	(A/P,i,n)	(P/A,i,n)	(F/G,i,n)	(A/G,i,n)
1	1.040 0	0.961 5	1.000 0	1.000 0	1.040 0	0.961 5	0.000 0	0.000 0
2	1.081 6	0.924 6	2.040 0	0.490 2	0.530 2	1.886 1	1.000 0	0.490 2
3	1.124 9	0.889 0	3.121 6	0.320 3	0.360 3	2.775 1	3.040 0	0.973 9
4	1.169 9	0.854 8	4.246 5	0.235 5	0.275 5	3.629 9	6.161 6	1.451 0
5	1.216 7	0.821 9	5.416 3	0.184 6	0.224 6	4.451 8	10.408 1	1.921 6
6	1.265 3	0.790 3	6.633 0	0.150 8	0.190 8	5.242 1	15.824 4	2.385 7
7	1.315 9	0.759 9	7.898 3	0.126 6	0.166 6	6.002 1	22.457 4	2.843 3
8	1.368 6	0.730 7	9.214 2	0.108 5	0.148 5	6.732 7	30.355 7	3.294 4
9	1.423 3	0.702 6	10.582 8	0.094 5	0.134 5	7.435 3	39.569 9	3.739 1
10	1.480 2	0.675 6	12.006 1	0.083 3	0.123 3	8.110 9	50.152 7	4.177 3
11	1.539 5	0.649 6	13.486 4	0.074 1	0.114 1	8.760 5	62.158 8	4.609 0
12	1.601 0	0.624 6	15.025 8	0.066 2	0.106 6	9.385 1	75.645 1	5.034 3
13	1.665 1	0.600 6	16.626 8	0.060 1	0.100 1	9.985 6	90.670 9	5.453 3
14	1.731 7	0.577 5	18.291 9	0.054 7	0.094 7	10.563 1	107.297 8	5.865 9
15	1.800 9	0.555 3	20.023 6	0.049 9	0.089 9	11.118 4	125.589 7	6.272 1
16	1.873 0	0.533 9	21.824 5	0.045 8	0.085 8	11.652 3	145.613 3	6.672 0
17	1.947 9	0.513 4	23.697 5	0.042 2	0.082 2	12.165 7	167.437 8	7.065 5
18	2.025 8	0.493 6	25.645 4	0.039 0	0.079 0	12.659 3	191.135 3	7.453 0
19	2.106 8	0.474 6	27.671 2	0.036 1	0.076 1	13.133 9	216.780 7	7.834 2
20	2.191 1	0.456 4	29.778 1	0.033 6	0.073 6	13.590 3	244.452 0	8.209 1
21	2.278 8	0.438 8	31.969 2	0.031 3	0.071 3	14.029 2	274.230 0	8.577 9
22	2.369 9	0.422 0	34.248 0	0.029 2	0.069 2	14.451 1	306.199 2	8.940 7
23	2.464 7	0.405 7	36.617 9	0.027 3	0.067 3	14.856 8	340.447 2	9.297 3
24	2.563 3	0.390 1	39.082 6	0.025 6	0.065 6	15.247 0	377.065 1	9.647 9
25	2.665 8	0.375 1	41.645 9	0.024 0	0.064 0	15.622 1	416.147 7	9.992 5
26	2.772 5	0.360 7	44.311 7	0.022 6	0.062 6	15.982 8	457.793 6	10.331 2
27	2.883 4	0.346 8	47.084 2	0.021 2	0.061 2	16.329 6	502.105 4	10.664 0
28	2.998 7	0.333 5	49.967 6	0.020 0	0.060 0	16.663 1	549.189 6	10.990 9
29	3.118 7	0.320 7	52.966 3	0.018 9	0.058 9	16.983 7	599.157 2	11.312 0
30	3.243 4	0.308 3	56.084 9	0.017 8	0.057 8	17.292 0	652.123 4	11.627 4
31	3.373 1	0.296 5	59.328 3	0.016 9	0.056 9	17.588 5	708.208 4	11.937 1
32	3.508 1	0.285 1	62.701 5	0.015 9	0.055 9	17.873 6	767.536 7	12.241 1
33	3.648 4	0.274 1	66.209 5	0.015 1	0.055 1	18.147 6	830.238 2	12.539 6
34	3.794 3	0.263 6	69.857 9	0.014 3	0.054 3	18.411 2	896.447 7	12.832 4
35	3.946 1	0.253 4	73.652 2	0.013 6	0.053 6	18.664 6	966.305 6	13.119 8
36	4.103 9	0.243 7	77.598 3	0.012 9	0.052 9	18.908 3	1 039.957 8	13.401 8
37	4.268 1	0.234 3	81.702 2	0.012 2	0.052 2	19.142 6	1 117.556 2	13.678 4
38	4.438 8	0.225 3	85.970 3	0.011 6	0.051 6	19.367 9	1 199.258 4	13.949 7
39	4.616 4	0.216 6	90.409 1	0.011 1	0.051 1	19.584 5	1 285.228 7	14.215 7
40	4.801 0	0.208 3	95.025 5	0.010 5	0.050 5	19.792 8	1 375.637 9	14.476 5
41	4.993 1	0.200 3	99.826 5	0.010 0	0.050 0	19.993 1	1 470.663 4	14.732 2
42	5.192 8	0.192 6	104.819 6	0.009 5	0.049 5	20.185 6	1 570.489 9	14.982 8
43	5.400 5	0.185 2	110.012 4	0.009 1	0.049 1	20.370 8	1 675.309 5	15.228 4
44	5.616 5	0.178 0	115.412 9	0.008 7	0.048 7	20.548 8	1 785.321 9	15.469 0
45	5.841 2	0.171 2	121.029 4	0.008 3	0.048 3	20.720 0	1 900.734 8	15.704 7
46	6.074 8	0.164 6	126.870 6	0.007 9	0.047 9	20.884 7	2 021.764 2	15.935 6
47	6.317 8	0.158 3	132.945 4	0.007 5	0.047 5	21.042 9	2 148.634 8	16.161 8
48	6.570 5	0.152 2	139.263 2	0.007 2	0.047 2	21.195 1	2 281.580 2	16.383 5
49	6.833 3	0.146 3	145.833 7	0.006 9	0.046 9	21.341 5	2 420.843 4	16.600 0
50	7.106 7	0.140 7	152.667 1	0.006 6	0.046 6	21.482 2	2 566.677 1	16.812 2

表 A-5 复利系数表（$i=5\%$）

n	(F/P,i,n)	(P/F,i,n)	(F/A,i,n)	(A/F,i,n)	(A/P,i,n)	(P/A,i,n)	(F/G,i,n)	(A/G,i,n)
1	1.050 0	0.952 4	1.000 0	1.000 0	1.050 0	0.952 4	0.000 0	0.000 0
2	1.102 5	0.907 0	2.050 0	0.487 8	0.537 8	1.859 4	1.000 0	0.487 8
3	1.157 6	0.863 8	3.152 5	0.317 2	0.367 2	2.723 2	3.050 0	0.967 5
4	1.215 5	0.822 7	4.310 1	0.232 0	0.282 0	3.546 0	6.202 5	1.439 1
5	1.276 3	0.783 5	5.525 6	0.181 0	0.231 0	4.329 5	10.512 6	1.902 5
6	1.340 1	0.746 2	6.801 9	0.147 0	0.197 0	5.075 7	16.038 3	2.357 9
7	1.407 1	0.710 7	8.142 0	0.122 8	0.172 8	5.786 4	22.840 2	2.805 2
8	1.477 5	0.676 8	9.549 1	0.104 7	0.154 7	6.463 2	30.982 2	3.244 5
9	1.551 3	0.644 6	11.026 6	0.090 7	0.140 7	7.107 8	40.531 3	3.675 8
10	1.628 9	0.613 9	12.577 9	0.079 5	0.129 5	7.721 7	51.557 9	4.099 1
11	1.710 3	0.584 7	14.206 8	0.070 4	0.120 4	8.306 4	64.135 7	4.514 4
12	1.795 9	0.556 8	15.917 1	0.062 8	0.112 8	8.863 3	78.342 5	4.921 9
13	1.885 6	0.530 3	17.713 0	0.056 5	0.106 5	9.393 6	94.259 7	5.321 5
14	1.979 9	0.505 1	19.598 6	0.051 0	0.101 0	9.898 6	111.972 6	5.713 3
15	2.078 9	0.481 0	21.578 6	0.046 3	0.096 3	10.379 7	131.571 3	6.097 3
16	2.182 9	0.458 1	23.657 5	0.042 3	0.092 3	10.837 8	153.149 8	6.473 6
17	2.292 0	0.436 3	25.840 4	0.038 7	0.088 7	11.274 1	176.807 3	6.842 3
18	2.406 6	0.415 5	28.132 4	0.035 5	0.085 5	11.689 6	202.647 7	7.203 4
19	2.527 0	0.395 7	30.539 0	0.032 7	0.082 7	12.085 3	230.780 1	7.556 9
20	2.653 3	0.376 9	33.066 0	0.030 2	0.080 2	12.462 2	261.319 1	7.903 0
21	2.786 0	0.358 9	35.719 3	0.028 0	0.078 0	12.821 2	294.385 0	8.241 6
22	2.925 3	0.341 8	38.505 2	0.026 0	0.076 0	13.163 0	330.104 3	8.573 0
23	3.071 5	0.325 6	41.430 5	0.024 1	0.074 1	13.488 6	368.609 5	8.897 1
24	3.225 1	0.310 1	44.502 0	0.022 5	0.072 5	13.798 6	410.040 0	9.214 0
25	3.386 4	0.295 3	47.727 1	0.021 0	0.071 0	14.093 9	454.542 0	9.523 8
26	3.555 7	0.281 2	51.113 5	0.019 6	0.069 6	14.375 2	502.269 1	9.826 6
27	3.733 5	0.267 8	54.669 1	0.018 3	0.068 3	14.643 0	553.382 5	10.122 4
28	3.920 1	0.255 1	58.402 6	0.017 1	0.067 1	14.898 1	608.051 7	10.411 4
29	4.116 1	0.242 9	62.322 7	0.016 0	0.066 0	15.141 1	666.454 2	10.693 6
30	4.321 9	0.231 4	66.438 8	0.015 1	0.065 1	15.372 5	728.777 0	10.969 1
31	4.538 0	0.220 4	70.760 8	0.014 1	0.064 1	15.592 8	795.215 8	11.238 1
32	4.764 9	0.209 9	75.298 8	0.013 3	0.063 3	15.802 7	865.976 6	11.500 5
33	5.003 2	0.199 9	80.063 8	0.012 5	0.062 5	16.002 5	941.275 4	11.756 6
34	5.253 3	0.190 4	85.067 0	0.011 8	0.061 8	16.192 9	1 021.339 2	12.006 3
35	5.516 0	0.181 3	90.320 3	0.011 1	0.061 1	16.374 2	1 106.406 1	12.249 8
36	5.791 8	0.172 7	95.836 3	0.010 4	0.060 4	16.546 9	1 196.726 5	12.487 2
37	6.081 4	0.164 4	101.628 1	0.009 8	0.059 8	16.711 3	1 292.562 8	12.718 6
38	6.385 5	0.156 6	107.709 5	0.009 3	0.059 3	16.867 9	1 394.190 9	12.944 0
39	6.704 8	0.149 1	114.095 0	0.008 8	0.058 8	17.017 0	1 501.900 5	13.163 6
40	7.040 0	0.142 0	120.799 8	0.008 3	0.058 3	17.159 1	1 615.995 5	13.377 5
41	7.392 0	0.135 3	127.839 8	0.007 8	0.057 8	17.294 4	1 736.795 3	13.585 7
42	7.761 6	0.128 8	135.231 8	0.007 4	0.057 4	17.423 2	1 864.635 0	13.788 4
43	8.149 7	0.122 7	142.993 3	0.007 0	0.057 0	17.545 9	1 999.866 8	13.985 7
44	8.557 2	0.116 9	151.143 0	0.006 6	0.056 6	17.662 8	2 142.860 1	14.177 7
45	8.985 0	0.111 3	159.700 2	0.006 3	0.056 3	17.774 1	2 294.003 1	14.364 4
46	9.434 3	0.106 0	168.685 2	0.005 9	0.055 9	17.880 1	2 453.703 3	14.546 1
47	9.906 0	0.100 9	178.119 4	0.005 6	0.055 6	17.981 0	2 622.388 4	14.722 6
48	10.401 3	0.096 1	188.025 4	0.005 3	0.055 3	18.077 2	2 800.507 9	14.894 3
49	10.921 3	0.091 6	198.426 7	0.005 0	0.055 0	18.168 7	2 988.533 3	15.061 1
50	11.467 4	0.087 2	209.348 0	0.004 8	0.054 8	18.255 9	3 186.959 9	15.223 3

表 A-6　复利系数表（$i=6\%$）

n	(F/P,i,n)	(P/F,i,n)	(F/A,i,n)	(A/F,i,n)	(A/P,i,n)	(P/A,i,n)	(F/G,i,n)	(A/G,i,n)
1	1.060 0	0.943 4	1.000 0	1.000 0	1.060 0	0.943 4	0.000 0	0.000 0
2	1.123 6	0.890 0	2.060 0	0.485 4	0.545 4	1.833 4	1.000 0	0.485 4
3	1.191 0	0.839 6	3.183 6	0.314 1	0.374 1	2.673 0	3.060 0	0.961 2
4	1.262 5	0.792 1	4.374 6	0.228 6	0.288 6	3.465 1	6.243 6	1.427 2
5	1.338 2	0.747 3	5.637 1	0.177 4	0.237 4	4.212 4	10.618 2	1.883 6
6	1.418 5	0.705 0	6.975 3	0.143 4	0.203 4	4.917 3	16.255 3	2.330 4
7	1.503 6	0.665 1	8.393 8	0.119 1	0.179 1	5.582 4	23.230 6	2.767 6
8	1.593 8	0.627 4	9.897 5	0.101 0	0.161 0	6.209 8	31.624 5	3.195 2
9	1.689 5	0.591 9	11.491 3	0.087 0	0.147 0	6.801 7	41.521 9	3.613 3
10	1.790 8	0.558 4	13.180 8	0.075 9	0.135 9	7.360 1	53.013 2	4.022 0
11	1.898 3	0.526 8	14.971 6	0.066 8	0.126 8	7.886 9	66.194 0	4.421 3
12	2.012 2	0.497 0	16.869 9	0.059 3	0.119 3	8.383 8	81.165 7	4.811 3
13	2.132 9	0.468 8	18.882 1	0.053 0	0.113 0	8.852 7	98.035 6	5.192 0
14	2.260 9	0.442 3	21.015 1	0.047 6	0.107 6	9.295 0	116.917 8	5.563 5
15	2.396 6	0.417 3	23.276 0	0.043 0	0.103 0	9.712 2	137.932 8	5.926 0
16	2.540 4	0.393 6	25.672 5	0.039 0	0.099 0	10.105 9	161.208 8	6.279 4
17	2.692 8	0.371 4	28.212 9	0.035 4	0.095 4	10.477 3	186.881 3	6.624 0
18	2.854 3	0.350 3	30.905 7	0.032 4	0.092 4	10.827 6	215.094 2	6.959 7
19	3.025 6	0.330 5	33.760 0	0.029 6	0.089 6	11.158 1	245.999 9	7.286 7
20	3.207 1	0.311 8	36.785 6	0.027 2	0.087 2	11.469 9	279.759 9	7.605 1
21	3.399 6	0.294 2	39.992 7	0.025 0	0.085 0	11.764 1	316.545 4	7.915 1
22	3.603 5	0.277 5	43.392 3	0.023 0	0.083 0	12.041 6	356.538 2	8.216 6
23	3.819 7	0.261 8	46.995 8	0.021 3	0.081 3	12.303 4	399.930 5	8.509 9
24	4.048 9	0.247 0	50.815 6	0.019 7	0.079 7	12.550 4	446.926 3	8.795 1
25	4.291 9	0.233 0	54.864 5	0.018 2	0.078 2	12.783 4	497.741 9	9.072 2
26	4.549 4	0.219 8	59.156 4	0.016 9	0.076 9	13.003 2	552.606 4	9.341 4
27	4.822 3	0.207 4	63.705 8	0.015 7	0.075 7	13.210 5	611.762 8	9.602 9
28	5.111 7	0.195 6	68.528 1	0.014 6	0.074 6	13.406 2	675.468 5	9.856 8
29	5.418 4	0.184 6	73.639 8	0.013 6	0.073 6	13.590 7	743.996 6	10.103 2
30	5.743 5	0.174 1	79.058 2	0.012 6	0.072 6	13.764 8	817.636 4	10.342 2
31	6.088 1	0.164 3	84.801 7	0.011 8	0.071 8	13.929 1	896.694 6	10.574 0
32	6.453 4	0.155 0	90.889 8	0.011 0	0.071 0	14.084 0	981.496 3	10.798 8
33	6.840 6	0.146 2	97.343 2	0.010 3	0.070 3	14.230 2	1 072.386 1	11.016 6
34	7.251 0	0.137 9	104.183 8	0.009 6	0.069 6	14.368 1	1 169.729 2	11.227 6
35	7.686 1	0.130 1	111.434 8	0.009 0	0.069 0	14.498 2	1 273.913 0	11.431 9
36	8.147 3	0.122 7	119.120 9	0.008 4	0.068 4	14.621 0	1 385.347 8	11.629 8
37	8.636 1	0.115 8	127.268 1	0.007 9	0.067 9	14.736 8	1 504.468 6	11.821 3
38	9.154 3	0.109 2	135.904 2	0.007 4	0.067 4	14.846 0	1 631.736 8	12.006 5
39	9.703 5	0.103 1	145.058 5	0.006 9	0.066 9	14.949 1	1 767.641 0	12.185 7
40	10.285 7	0.097 2	154.762 0	0.006 5	0.066 5	15.046 3	1 912.699 4	12.359 0
41	10.902 9	0.091 7	165.047 7	0.006 1	0.066 1	15.138 0	2 067.461 4	12.526 4
42	11.557 0	0.086 5	175.950 5	0.005 7	0.065 7	15.224 5	2 232.509 1	12.688 3
43	12.250 5	0.081 6	187.507 6	0.005 3	0.065 3	15.306 2	2 408.459 6	12.844 6
44	12.985 5	0.077 0	199.758 0	0.005 0	0.065 0	15.383 2	2 595.967 2	12.995 6
45	13.764 6	0.072 7	212.743 5	0.004 7	0.064 7	15.455 8	2 795.725 2	13.141 3
46	14.590 5	0.068 5	226.508 1	0.004 4	0.064 4	15.524 4	3 008.468 7	13.281 9
47	15.465 9	0.064 7	241.098 6	0.004 1	0.064 1	15.589 0	3 234.976 9	13.417 7
48	16.393 9	0.061 0	256.564 5	0.003 9	0.063 9	15.650 0	3 476.075 5	13.548 5
49	17.377 5	0.057 5	272.958 4	0.003 7	0.063 7	15.707 6	3 732.640 0	13.674 8
50	18.420 2	0.054 3	290.335 9	0.003 4	0.063 4	15.761 9	4 005.598 4	13.796 4

表 A-7　复利系数表（$i=7\%$）

n	(F/P,i,n)	(P/F,i,n)	(F/A,i,n)	(A/F,i,n)	(A/P,i,n)	(P/A,i,n)	(F/G,i,n)	(A/G,i,n)
1	1.070 0	0.934 6	1.000 0	1.000 0	1.070 0	0.934 6	0.000 0	0.000 0
2	1.144 9	0.873 4	2.070 0	0.483 1	0.553 1	1.808 0	1.000 0	0.483 1
3	1.225 0	0.816 3	3.214 9	0.311 1	0.381 1	2.624 3	3.070 0	0.954 9
4	1.310 8	0.762 9	4.439 9	0.225 2	0.295 2	3.387 2	6.284 9	1.415 5
5	1.402 6	0.713 0	5.750 7	0.173 9	0.243 9	4.100 2	10.724 8	1.865 0
6	1.500 7	0.666 3	7.153 3	0.139 8	0.209 8	4.766 5	16.475 6	2.303 2
7	1.605 8	0.622 7	8.654 0	0.115 6	0.185 6	5.389 3	23.628 9	2.730 4
8	1.718 2	0.582 0	10.259 8	0.097 5	0.167 5	5.971 3	32.282 9	3.146 5
9	1.838 5	0.543 9	11.978 0	0.083 5	0.153 5	6.515 2	42.542 7	3.551 7
10	1.967 2	0.508 3	13.816 4	0.072 4	0.142 4	7.023 6	54.520 7	3.946 1
11	2.104 9	0.475 1	15.783 6	0.063 4	0.133 4	7.498 7	68.337 1	4.329 6
12	2.252 2	0.444 0	17.888 5	0.055 9	0.125 9	7.942 7	84.120 7	4.702 5
13	2.409 8	0.415 0	20.140 6	0.049 7	0.119 7	8.357 7	102.009 2	5.064 8
14	2.578 5	0.387 8	22.550 5	0.044 3	0.114 3	8.745 5	122.149 8	5.416 7
15	2.759 0	0.362 4	25.129 0	0.039 8	0.109 8	9.107 9	144.700 3	5.758 3
16	2.952 2	0.338 7	27.888 1	0.035 9	0.105 9	9.446 6	169.829 3	6.089 7
17	3.158 8	0.316 6	30.840 2	0.032 4	0.102 4	9.763 2	197.717 4	6.411 0
18	3.379 9	0.295 9	33.999 0	0.029 4	0.099 4	10.059 1	228.557 6	6.722 5
19	3.616 5	0.276 5	37.379 0	0.026 8	0.096 8	10.335 6	262.556 6	7.024 2
20	3.869 7	0.258 4	40.995 5	0.024 4	0.094 4	10.594 0	299.935 6	7.316 3
21	4.140 6	0.241 5	44.865 2	0.022 3	0.092 3	10.835 5	340.931 1	7.599 0
22	4.430 4	0.225 7	49.005 7	0.020 4	0.090 4	11.061 2	385.796 3	7.872 5
23	4.740 5	0.210 9	53.436 1	0.018 7	0.088 7	11.272 2	434.802 0	8.136 9
24	5.072 4	0.197 1	58.176 7	0.017 2	0.087 2	11.469 3	488.238 2	8.392 2
25	5.427 4	0.184 2	63.249 0	0.015 8	0.085 8	11.653 6	546.414 8	8.639 1
26	5.807 4	0.172 2	68.676 5	0.014 6	0.084 6	11.825 8	609.663 9	8.877 3
27	6.213 9	0.160 9	74.483 8	0.013 4	0.083 4	11.986 7	678.340 3	9.107 2
28	6.648 8	0.150 4	80.697 7	0.012 4	0.082 4	12.137 1	752.824 2	9.328 9
29	7.114 3	0.140 6	87.346 5	0.011 4	0.081 4	12.277 7	833.521 8	9.542 7
30	7.612 3	0.131 4	94.460 8	0.010 6	0.080 6	12.409 0	920.868 4	9.748 7
31	8.145 1	0.122 8	102.073 0	0.009 8	0.079 8	12.531 8	1 015.329 2	9.947 1
32	8.715 3	0.114 7	110.218 2	0.009 1	0.079 1	12.646 6	1 117.402 2	10.138 1
33	9.325 3	0.107 2	118.933 4	0.008 4	0.078 4	12.753 8	1 227.620 4	10.321 9
34	9.978 1	0.100 2	128.258 8	0.007 8	0.077 8	12.854 0	1 346.553 8	10.498 7
35	10.676 6	0.093 7	138.236 9	0.007 2	0.077 2	12.947 7	1 474.812 5	10.668 7
36	11.423 9	0.087 5	148.913 5	0.006 7	0.076 7	13.035 2	1 613.049 4	10.832 1
37	12.223 6	0.081 8	160.337 4	0.006 2	0.076 2	13.117 0	1 761.962 9	10.989 1
38	13.079 3	0.076 5	172.561 0	0.005 8	0.075 8	13.193 5	1 922.300 3	11.139 8
39	13.994 8	0.071 5	185.640 3	0.005 4	0.075 4	13.264 9	2 094.861 3	11.284 5
40	14.974 5	0.066 8	199.635 1	0.005 0	0.075 0	13.331 7	2 280.501 6	11.423 3
41	16.022 7	0.062 4	214.609 6	0.004 7	0.074 7	13.394 1	2 480.136 7	11.556 5
42	17.144 3	0.058 3	230.632 2	0.004 3	0.074 3	13.452 4	2 694.746 3	11.684 2
43	18.344 4	0.054 5	247.776 5	0.004 0	0.074 0	13.507 0	2 925.378 5	11.806 5
44	19.628 5	0.050 9	266.120 9	0.003 8	0.073 8	13.557 9	3 173.155 0	11.923 7
45	21.002 5	0.047 6	285.749 3	0.003 5	0.073 5	13.605 5	3 439.275 9	12.036 0
46	22.472 6	0.044 5	306.751 8	0.003 3	0.073 3	13.650 0	3 725.025 2	12.143 5
47	24.045 7	0.041 6	329.224 4	0.003 0	0.073 0	13.691 6	4 031.776 9	12.246 3
48	25.728 9	0.038 9	353.270 1	0.002 8	0.072 8	13.730 5	4 361.001 3	12.344 7
49	27.529 9	0.036 3	378.999 0	0.002 6	0.072 6	13.766 8	4 714.271 4	12.438 7
50	29.457 0	0.033 9	406.528 9	0.002 5	0.072 5	13.800 7	5 093.270 4	12.528 7

表 A-8 复利系数表 ($i=8\%$)

n	(F/P,i,n)	(P/F,i,n)	(F/A,i,n)	(A/F,i,n)	(A/P,i,n)	(P/A,i,n)	(F/G,i,n)	(A/G,i,n)
1	1.080 0	0.925 9	1.000 0	1.000 0	1.080 0	0.925 9	0.000 0	0.000 0
2	1.166 4	0.857 3	2.080 0	0.480 8	0.560 8	1.783 3	1.000 0	0.480 8
3	1.259 7	0.793 8	3.246 4	0.308 0	0.388 0	2.577 1	3.080 0	0.948 7
4	1.360 5	0.735 0	4.506 1	0.221 9	0.301 9	3.312 1	6.326 4	1.404 0
5	1.469 3	0.680 6	5.866 6	0.170 5	0.250 5	3.992 7	10.832 5	1.846 5
6	1.586 9	0.630 2	7.335 9	0.136 3	0.216 3	4.622 9	16.699 1	2.276 3
7	1.713 8	0.583 5	8.922 8	0.112 1	0.192 1	5.206 4	24.035 0	2.693 7
8	1.850 9	0.540 3	10.636 6	0.094 0	0.174 0	5.746 6	32.957 8	3.098 5
9	1.999 0	0.500 2	12.487 6	0.080 1	0.160 1	6.246 9	43.594 5	3.491 0
10	2.158 9	0.463 2	14.486 6	0.06 90	0.149 0	6.710 1	56.082 0	3.871 3
11	2.331 6	0.428 9	16.645 5	0.060 1	0.140 1	7.139 0	70.568 6	4.239 5
12	2.518 2	0.397 1	18.977 1	0.052 7	0.132 7	7.536 1	87.214 1	4.595 7
13	2.719 6	0.367 7	21.495 3	0.046 5	0.126 5	7.903 8	106.191 2	4.940 2
14	2.937 2	0.340 5	24.214 9	0.041 3	0.121 3	8.244 2	127.686 5	5.273 1
15	3.172 2	0.315 2	27.152 1	0.036 8	0.116 8	8.559 5	151.901 4	5.594 5
16	3.425 9	0.291 9	30.324 3	0.033 0	0.113 0	8.851 4	179.053 5	5.904 6
17	3.700 0	0.270 3	33.750 2	0.029 6	0.109 6	9.121 6	209.377 8	6.203 7
18	3.996 0	0.250 2	37.450 2	0.026 7	0.106 7	9.371 9	243.128 0	6.492 0
19	4.315 7	0.231 7	41.446 3	0.024 1	0.104 1	9.603 6	280.578 3	6.769 7
20	4.661 0	0.214 5	45.762 0	0.021 9	0.101 9	9.818 1	322.024 6	7.036 9
21	5.033 8	0.198 7	50.422 9	0.019 8	0.099 8	10.016 8	367.786 5	7.294 0
22	5.436 5	0.183 9	55.456 8	0.018 0	0.098 0	10.200 7	418.209 4	7.541 2
23	5.871 5	0.170 3	60.893 3	0.016 4	0.096 4	10.371 1	473.666 2	7.778 6
24	6.341 2	0.157 7	66.764 8	0.015 0	0.095 0	10.528 8	534.559 5	8.006 6
25	6.848 5	0.146 0	73.105 9	0.013 7	0.093 7	10.674 8	601.324 2	8.225 5
26	7.396 4	0.135 2	79.954 4	0.012 5	0.092 5	10.810 0	674.430 2	8.435 2
27	7.988 1	0.125 2	87.350 8	0.011 4	0.091 4	10.935 2	754.384 6	8.636 3
28	8.627 1	0.115 9	95.338 8	0.010 5	0.090 5	11.051 1	841.735 4	8.828 9
29	9.317 3	0.107 3	103.965 9	0.009 6	0.089 6	11.158 4	937.074 2	9.013 3
30	10.062 7	0.099 4	113.283 2	0.008 8	0.088 8	11.257 8	1 041.040 1	9.189 7
31	10.867 7	0.092 0	123.345 9	0.008 1	0.088 1	11.349 8	1 154.323 4	9.358 4
32	11.737 1	0.085 2	134.213 5	0.007 5	0.087 5	11.435 0	1 277.669 2	9.519 7
33	12.676 0	0.078 9	145.950 6	0.006 9	0.086 9	11.513 9	1 411.882 8	9.673 7
34	13.690 1	0.073 0	158.626 7	0.006 3	0.086 3	11.586 9	1 557.833 4	9.820 8
35	14.785 3	0.067 6	172.316 8	0.005 8	0.085 8	11.654 6	1 716.460 0	9.961 1
36	15.968 2	0.062 6	187.102 1	0.005 3	0.085 3	11.717 2	1 888.776 8	10.094 9
37	17.245 6	0.058 0	203.070 3	0.004 9	0.084 9	11.775 2	2 075.879 0	10.222 5
38	18.625 3	0.053 7	220.315 9	0.004 5	0.084 5	11.828 9	2 278.949 3	10.344 0
39	20.115 3	0.049 7	238.941 2	0.004 2	0.084 2	11.878 6	2 499.265 3	10.459 7
40	21.724 5	0.046 0	259.056 5	0.003 9	0.083 9	11.924 6	2 738.206 5	10.569 9
41	23.462 5	0.042 6	280.781 0	0.003 6	0.083 6	11.967 2	2 997.263 0	10.674 7
42	25.339 5	0.039 5	304.243 5	0.003 3	0.083 3	12.006 7	3 278.044 0	10.774 4
43	27.366 6	0.036 5	329.583 0	0.003 0	0.083 0	12.043 2	3 582.287 6	10.869 2
44	29.556 0	0.033 8	356.949 6	0.002 8	0.082 8	12.077 1	3 911.870 6	10.959 6
45	31.920 4	0.031 3	386.505 6	0.002 6	0.082 6	12.108 4	4 268.820 2	11.044 7
46	34.474 1	0.029 0	418.426 1	0.002 4	0.082 4	12.137 4	4 655.325 8	11.125 8
47	37.232 0	0.026 9	452.900 2	0.002 2	0.082 2	12.164 3	5 073.751 9	11.202 5
48	40.210 6	0.024 9	490.132 2	0.002 0	0.082 0	12.189 1	5 526.652 1	11.275 8
49	43.427 4	0.023 0	530.342 7	0.001 9	0.081 9	12.212 2	6 016.784 2	11.345 1
50	46.901 6	0.021 3	573.770 2	0.001 7	0.081 7	12.233 5	6 547.127 0	11.410 7

表 A-9　复利系数表（$i=9\%$）

n	$(F/P,i,n)$	$(P/F,i,n)$	$(F/A,i,n)$	$(A/F,i,n)$	$(A/P,i,n)$	$(P/A,i,n)$	$(F/G,i,n)$	$(A/G,i,n)$
1	1.090 0	0.917 4	1.000 0	1.000 0	1.090 0	0.917 4	0.000 0	0.000 0
2	1.188 1	0.841 7	2.090 0	0.478 5	0.568 5	1.759 1	1.000 0	0.478 5
3	1.295 0	0.772 2	3.278 1	0.305 1	0.395 1	2.531 3	3.090 0	0.942 6
4	1.411 6	0.708 4	4.573 1	0.218 7	0.308 7	3.239 7	6.368 1	1.392 5
5	1.538 6	0.649 9	5.984 7	0.167 1	0.257 1	3.889 7	10.941 2	1.828 2
6	1.677 1	0.596 3	7.523 3	0.132 9	0.222 9	4.485 9	16.925 9	2.249 8
7	1.828 0	0.547 0	9.200 4	0.108 7	0.198 7	5.033 0	24.449 3	2.657 4
8	1.992 6	0.501 9	11.028 5	0.090 7	0.180 7	5.534 8	33.649 7	3.051 2
9	2.171 9	0.460 4	13.021 0	0.076 8	0.166 8	5.995 2	44.678 2	3.431 2
10	2.367 4	0.422 4	15.192 9	0.065 8	0.155 8	6.417 7	57.699 2	3.797 8
11	2.580 4	0.387 5	17.560 3	0.056 9	0.146 9	6.805 2	72.892 1	4.151 0
12	2.812 7	0.355 5	20.140 7	0.049 7	0.139 7	7.160 7	90.452 4	4.491 0
13	3.065 8	0.326 2	22.953 4	0.043 6	0.133 6	7.486 9	110.593 2	4.818 2
14	3.341 7	0.299 2	26.019 2	0.038 4	0.128 4	7.786 2	133.546 5	5.132 6
15	3.642 5	0.274 5	29.360 9	0.034 1	0.124 1	8.060 7	159.565 7	5.434 6
16	3.970 3	0.251 9	33.003 4	0.030 3	0.120 3	8.312 6	188.926 7	5.724 5
17	4.327 6	0.231 1	36.973 7	0.027 0	0.117 0	8.543 6	221.930 1	6.002 4
18	4.717 1	0.212 0	41.301 3	0.024 2	0.114 2	8.755 6	258.903 8	6.268 7
19	5.141 7	0.194 5	46.018 5	0.021 7	0.111 7	8.950 1	300.205 1	6.523 6
20	5.604 4	0.178 4	51.160 1	0.019 5	0.109 5	9.128 5	346.223 6	6.767 4
21	6.108 8	0.163 7	56.764 5	0.017 6	0.107 6	9.292 2	397.383 7	7.000 6
22	6.658 6	0.150 2	62.873 3	0.015 9	0.105 9	9.442 4	454.148 2	7.223 2
23	7.257 9	0.137 8	69.531 9	0.014 4	0.104 4	9.580 2	517.021 5	7.435 2
24	7.911 1	0.126 4	76.789 8	0.013 0	0.103 0	9.706 6	586.553 5	7.638 2
25	8.623 1	0.116 0	84.700 9	0.011 8	0.101 8	9.822 6	663.343 3	7.831 6
26	9.399 2	0.106 4	93.324 0	0.010 7	0.100 7	9.929 0	748.044 2	8.015 6
27	10.245 1	0.097 6	102.723 1	0.009 7	0.099 7	10.026 6	841.368 2	8.190 6
28	11.167 1	0.089 5	112.968 2	0.008 9	0.098 9	10.116 1	944.091 3	8.357 1
29	12.172 2	0.082 2	124.135 4	0.008 1	0.098 1	10.198 3	1 057.059 5	8.515 4
30	13.267 7	0.075 4	136.307 5	0.007 3	0.097 3	10.273 7	1 181.194 9	8.665 7
31	14.461 8	0.069 1	149.575 2	0.006 7	0.096 7	10.342 8	1 317.502 4	8.808 8
32	15.763 3	0.063 4	164.037 0	0.006 1	0.096 1	10.406 2	1 467.077 6	8.943 6
33	17.182 0	0.058 2	179.800 3	0.005 6	0.095 6	10.464 4	1 631.114 6	9.071 8
34	18.728 4	0.053 4	196.982 3	0.005 1	0.095 1	10.517 8	1 810.914 9	9.193 3
35	20.414 0	0.049 0	215.710 8	0.004 6	0.094 6	10.566 8	2 007.897 3	9.308 3
36	22.251 2	0.044 9	236.124 7	0.004 2	0.094 2	10.611 8	2 223.608 0	9.417 1
37	24.253 8	0.041 2	258.375 9	0.003 9	0.093 9	10.653 0	2 459.732 8	9.520 0
38	26.436 7	0.037 8	282.629 8	0.003 5	0.093 5	10.690 8	2 718.108 7	9.617 2
39	28.816 0	0.034 7	309.066 5	0.003 2	0.093 2	10.725 5	3 000.738 5	9.709 0
40	31.409 4	0.031 8	337.882 5	0.003 0	0.093 0	10.757 4	3 309.804 9	9.795 7
41	34.236 3	0.029 2	369.291 9	0.002 7	0.092 7	10.786 6	3 647.687 4	9.877 2
42	37.317 5	0.026 8	403.528 1	0.002 5	0.092 5	10.813 4	4 016.979 3	9.954 6
43	40.676 1	0.024 6	440.845 7	0.002 3	0.092 3	10.838 0	4 420.507 4	10.027 3
44	44.337 0	0.022 6	481.521 8	0.002 1	0.092 1	10.860 5	4 861.353 1	10.095 8
45	48.327 3	0.020 7	525.858 7	0.001 9	0.091 9	10.881 2	5 342.874 8	10.160 3
46	52.676 7	0.019 0	574.186 0	0.001 7	0.091 7	10.900 2	5 868.733 6	10.221 0
47	57.417 6	0.017 4	626.862 8	0.001 6	0.091 6	10.917 6	6 442.919 6	10.278 0
48	62.585 2	0.016 0	684.280 4	0.001 5	0.091 5	10.933 6	7 069.782 3	10.331 7
49	68.217 9	0.014 7	746.865 6	0.001 3	0.091 3	10.948 2	7 754.062 8	10.382 1
50	74.357 5	0.013 4	815.083 6	0.001 2	0.091 2	10.961 7	8 500.928 4	10.429 5

表 A-10　复利系数表（$i=10\%$）

n	$(F/P,i,n)$	$(P/F,i,n)$	$(F/A,i,n)$	$(A/F,i,n)$	$(A/P,i,n)$	$(P/A,i,n)$	$(F/G,i,n)$	$(A/G,i,n)$
1	1.100 0	0.909 1	1.000 0	1.000 0	1.100 0	0.909 1	0.000 0	0.000 0
2	1.210 0	0.826 4	2.100 0	0.476 2	0.576 2	1.735 5	1.000 0	0.476 2
3	1.331 0	0.751 3	3.310 0	0.302 1	0.402 1	2.486 9	3.100 0	0.936 6
4	1.464 1	0.683 0	4.641 0	0.215 5	0.315 5	3.169 9	6.410 0	1.381 2
5	1.610 5	0.620 9	6.105 1	0.163 8	0.263 8	3.790 8	11.051 0	1.810 1
6	1.771 6	0.564 5	7.715 6	0.129 6	0.229 6	4.355 3	17.156 1	2.223 6
7	1.948 7	0.513 2	9.487 2	0.105 4	0.205 4	4.868 4	24.871 7	2.621 6
8	2.143 6	0.466 5	11.435 9	0.087 4	0.187 4	5.334 9	34.358 9	3.004 5
9	2.357 9	0.424 1	13.579 5	0.073 6	0.173 6	5.759 0	45.794 8	3.372 4
10	2.593 7	0.385 5	15.937 4	0.062 7	0.162 7	6.144 6	59.374 2	3.725 5
11	2.853 1	0.350 5	18.531 2	0.054 0	0.154 0	6.495 1	75.311 7	4.064 1
12	3.138 4	0.318 6	21.384 3	0.046 8	0.146 8	6.813 7	93.842 8	4.388 4
13	3.452 3	0.289 7	24.522 7	0.040 8	0.140 8	7.103 4	115.227 1	4.698 8
14	3.797 5	0.263 3	27.975 0	0.035 7	0.135 7	7.366 7	139.749 8	4.995 5
15	4.177 2	0.239 4	31.772 5	0.031 5	0.131 5	7.606 1	167.724 8	5.278 9
16	4.595 0	0.217 6	35.949 7	0.027 8	0.127 8	7.823 7	199.497 3	5.549 3
17	5.054 5	0.197 8	40.544 7	0.024 7	0.124 7	8.021 6	235.447 0	5.807 1
18	5.559 9	0.179 9	45.599 2	0.021 9	0.121 9	8.201 4	275.991 7	6.052 6
19	6.115 9	0.163 5	51.159 1	0.019 5	0.119 5	8.364 9	321.590 9	6.286 1
20	6.727 5	0.148 6	57.275 0	0.017 5	0.117 5	8.513 6	372.750 0	6.508 1
21	7.400 2	0.135 1	64.002 5	0.015 6	0.115 6	8.648 7	430.025 0	6.718 9
22	8.140 3	0.122 8	71.402 7	0.014 0	0.114 0	8.771 5	494.027 5	6.918 9
23	8.954 3	0.111 7	79.543 0	0.012 6	0.112 6	8.883 2	565.430 2	7.108 5
24	9.849 7	0.101 5	88.497 3	0.011 3	0.111 3	8.984 7	644.973 3	7.288 1
25	10.834 7	0.092 3	98.347 1	0.010 2	0.110 2	9.077 0	733.470 6	7.458 0
26	11.918 2	0.083 9	109.181 8	0.009 2	0.109 2	9.160 9	831.817 7	7.618 6
27	13.110 0	0.076 3	121.099 9	0.008 3	0.108 3	9.237 2	940.999 4	7.770 4
28	14.421 0	0.069 3	134.209 9	0.007 5	0.107 5	9.306 6	1 062.099 4	7.913 7
29	15.863 1	0.063 0	148.630 9	0.006 7	0.106 7	9.369 6	1 196.309 3	8.048 9
30	17.449 4	0.057 3	164.494 0	0.006 1	0.106 1	9.426 9	1 344.940 2	8.176 2
31	19.194 3	0.052 1	181.943 4	0.005 5	0.105 5	9.479 0	1 509.434 2	8.296 2
32	21.113 8	0.047 4	201.137 8	0.005 0	0.105 0	9.526 4	1 691.377 7	8.409 1
33	23.225 2	0.043 1	222.251 5	0.004 5	0.104 5	9.569 4	1 892.515 4	8.515 2
34	25.547 7	0.039 1	245.476 7	0.004 1	0.104 1	9.608 6	2 114.767 0	8.614 9
35	28.102 4	0.035 6	271.024 4	0.003 7	0.103 7	9.644 2	2 360.243 7	8.708 6
36	30.912 7	0.032 3	299.126 8	0.003 3	0.103 3	9.676 5	2 631.268 1	8.796 5
37	34.003 9	0.029 4	330.039 5	0.003 0	0.103 0	9.705 9	2 930.394 9	8.878 9
38	37.404 3	0.026 7	364.043 4	0.002 7	0.102 7	9.732 7	3 260.434 3	8.956 2
39	41.144 8	0.024 3	401.447 8	0.002 5	0.102 5	9.757 0	3 624.477 8	9.028 5
40	45.259 3	0.022 1	442.592 6	0.002 3	0.102 3	9.779 1	4 025.925 6	9.096 2
41	49.785 2	0.020 1	487.851 8	0.002 0	0.102 0	9.799 1	4 468.518 1	9.159 6
42	54.763 7	0.018 3	537.637 0	0.001 9	0.101 9	9.817 4	4 956.369 9	9.218 8
43	60.240 1	0.016 6	592.400 7	0.001 7	0.101 7	9.834 0	5 494.006 9	9.274 1
44	66.264 1	0.015 1	652.640 8	0.001 5	0.101 5	9.849 1	6 086.407 6	9.325 8
45	72.890 5	0.013 7	718.904 8	0.001 4	0.101 4	9.862 8	6 739.048 4	9.374 0
46	80.179 5	0.012 5	791.795 3	0.001 3	0.101 3	9.875 3	7 457.953 2	9.419 0
47	88.197 5	0.011 3	871.974 9	0.001 1	0.101 1	9.886 6	8 249.748 5	9.461 0
48	97.017 2	0.010 3	960.172 3	0.001 0	0.101 0	9.896 9	9 121.723 4	9.500 1
49	106.719 0	0.009 4	1 057.189 6	0.000 9	0.100 9	9.906 3	10 081.895 7	9.536 5
50	117.390 9	0.008 5	1 163.908 5	0.000 9	0.100 9	9.914 8	11 139.085 3	9.570 4

表 A-11　复利系数表（$i=12\%$）

n	(F/P,i,n)	(P/F,i,n)	(F/A,i,n)	(A/F,i,n)	(A/P,i,n)	(P/A,i,n)	(F/G,i,n)	(A/G,i,n)
1	1.120 0	0.892 9	1.000 0	1.000 0	1.120 0	0.892 9	0.000 0	0.000 0
2	1.254 4	0.797 2	2.120 0	0.471 7	0.591 7	1.690 1	1.000 0	0.471 7
3	1.404 9	0.711 8	3.374 4	0.296 3	0.416 3	2.401 8	3.120 0	0.924 6
4	1.573 5	0.635 5	4.779 3	0.209 2	0.329 2	3.037 3	6.494 4	1.358 9
5	1.762 3	0.567 4	6.352 8	0.157 4	0.277 4	3.604 8	11.273 7	1.774 6
6	1.973 8	0.506 6	8.115 2	0.123 2	0.243 2	4.111 4	17.626 6	2.172 0
7	2.210 7	0.452 3	10.089 0	0.099 1	0.219 1	4.563 8	25.741 8	2.551 5
8	2.476 0	0.403 9	12.299 7	0.081 3	0.201 3	4.967 6	35.830 8	2.913 1
9	2.773 1	0.360 6	14.775 7	0.067 7	0.187 7	5.328 2	48.130 5	3.257 4
10	3.105 8	0.322 0	17.548 7	0.057 0	0.177 0	5.650 2	62.906 1	3.584 7
11	3.478 5	0.287 5	20.654 6	0.048 4	0.168 4	5.937 7	80.454 9	3.895 3
12	3.896 0	0.256 7	24.133 1	0.041 4	0.161 4	6.194 4	101.109 4	4.189 7
13	4.363 5	0.229 2	28.029 1	0.035 7	0.155 7	6.423 5	125.242 6	4.468 3
14	4.887 1	0.204 6	32.392 6	0.030 9	0.150 9	6.628 2	153.271 7	4.731 9
15	5.473 6	0.182 7	37.279 7	0.026 8	0.146 8	6.810 9	185.664 3	4.980 3
16	6.130 4	0.163 1	42.753 3	0.023 4	0.143 4	6.974 0	222.944 0	5.214 7
17	6.866 0	0.145 6	48.883 7	0.020 5	0.140 5	7.119 6	265.697 3	5.435 3
18	7.690 0	0.130 0	55.749 7	0.017 9	0.137 9	7.249 7	314.581 0	5.642 7
19	8.612 8	0.116 1	63.439 7	0.015 8	0.135 8	7.365 8	370.330 7	5.837 5
20	9.646 3	0.103 7	72.052 4	0.013 9	0.133 9	7.469 4	433.770 4	6.020 2
21	10.803 8	0.092 6	81.698 7	0.012 2	0.132 2	7.562 0	505.822 8	6.191 3
22	12.100 3	0.082 6	92.502 6	0.010 8	0.130 8	7.644 6	587.521 5	6.351 4
23	13.552 3	0.073 8	104.602 9	0.009 6	0.129 6	7.718 4	680.024 1	6.501 0
24	15.178 6	0.065 9	118.155 2	0.008 5	0.128 5	7.784 3	784.627 0	6.640 6
25	17.000 1	0.058 8	133.333 9	0.007 5	0.127 5	7.843 1	902.782 3	6.770 8
26	19.040 1	0.052 5	150.333 9	0.006 7	0.126 7	7.895 7	1 036.116 1	6.892 1
27	21.324 9	0.046 9	169.374 0	0.005 9	0.125 9	7.942 6	1 186.450 1	7.004 9
28	23.883 9	0.041 9	190.698 9	0.005 2	0.125 2	7.984 4	1 355.824 1	7.109 8
29	26.749 9	0.037 4	214.582 8	0.004 7	0.124 7	8.021 8	1 546.522 9	7.207 1
30	29.959 9	0.033 4	241.332 7	0.004 1	0.124 1	8.055 2	1 761.105 7	7.297 4
31	33.555 1	0.029 8	271.292 6	0.003 7	0.123 7	8.085 0	2 002.438 4	7.381 1
32	37.581 7	0.026 6	304.847 7	0.003 3	0.123 3	8.111 6	2 273.731 0	7.458 6
33	42.091 5	0.023 8	342.429 4	0.002 9	0.122 9	8.135 4	2 578.578 7	7.530 2
34	47.142 5	0.021 2	384.521 0	0.002 6	0.122 6	8.156 6	2 921.008 2	7.596 5
35	52.799 6	0.018 9	431.663 5	0.002 3	0.122 3	8.175 5	3 305.529 1	7.657 7
36	59.135 6	0.016 9	484.463 1	0.002 1	0.122 1	8.192 4	3 737.192 6	7.714 1
37	66.231 8	0.015 1	543.598 7	0.001 8	0.121 8	8.207 5	4 221.655 8	7.766 1
38	74.179 7	0.013 5	609.830 5	0.001 6	0.121 6	8.221 0	4 765.254 4	7.814 1
39	83.081 2	0.012 0	684.010 2	0.001 5	0.121 5	8.233 0	5 375.085 0	7.858 2
40	93.051 0	0.010 7	767.091 4	0.001 3	0.121 3	8.243 8	6 059.095 2	7.898 8
41	104.217 1	0.009 6	860.142 4	0.001 2	0.121 2	8.253 4	6 826.186 6	7.936 1
42	116.723 1	0.008 6	964.359 5	0.001 0	0.121 0	8.261 9	7 686.329 0	7.970 4
43	130.729 9	0.007 6	1 081.082 6	0.000 9	0.120 9	8.269 6	8 650.688 5	8.001 9
44	146.417 5	0.006 8	1 211.812 5	0.000 8	0.120 8	8.276 4	9 731.771 1	8.030 8
45	163.987 6	0.006 1	1 358.230 0	0.000 7	0.120 7	8.282 5	10 943.583 6	8.057 2
46	183.666 1	0.005 4	1 522.217 6	0.000 7	0.120 7	8.288 0	12 301.813 6	8.081 5
47	205.706 1	0.004 9	1 705.883 8	0.000 6	0.120 6	8.292 8	1 3 824.031 3	8.103 7
48	230.390 8	0.004 3	1 911.589 8	0.000 5	0.120 5	8.297 2	15 529.915 0	8.124 1
49	258.037 7	0.003 9	2 141.980 6	0.000 5	0.120 5	8.301 0	17 441.504 8	8.142 7
50	289.002 2	0.003 5	2 400.018 2	0.000 4	0.120 4	8.304 5	19 583.485 4	8.159 7

表 A-12 复利系数表（$i=15\%$）

n	(F/P,i,n)	(P/F,i,n)	(F/A,i,n)	(A/F,i,n)	(A/P,i,n)	(P/A,i,n)	(F/G,i,n)	(A/G,i,n)
1	1.150 0	0.869 6	1.000 0	1.000 0	1.150 0	0.869 6	0.000 0	0.000 0
2	1.322 5	0.756 1	2.150 0	0.465 1	0.615 1	1.625 7	1.000 0	0.465 1
3	1.520 9	0.657 5	3.472 5	0.288 0	0.438 0	2.283 2	3.150 0	0.907 1
4	1.749 0	0.571 8	4.993 4	0.200 3	0.350 3	2.855 0	6.622 5	1.326 3
5	2.011 4	0.497 2	6.742 4	0.148 3	0.298 3	3.352 2	11.615 9	1.722 8
6	2.313 1	0.432 3	8.753 7	0.114 2	0.264 2	3.784 5	18.358 3	2.097 2
7	2.660 0	0.375 9	11.066 8	0.090 4	0.240 4	4.160 4	27.112 0	2.449 8
8	3.059 0	0.326 9	13.726 8	0.072 9	0.222 9	4.487 3	38.178 8	2.781 3
9	3.517 9	0.284 3	16.785 8	0.059 6	0.209 6	4.771 6	51.905 6	3.092 2
10	4.045 6	0.247 2	20.303 7	0.049 3	0.199 3	5.018 8	68.691 5	3.383 2
11	4.652 4	0.214 9	24.349 3	0.041 1	0.191 1	5.233 7	88.995 2	3.654 9
12	5.350 3	0.186 9	29.001 7	0.034 5	0.184 5	5.420 6	113.344 4	3.908 2
13	6.152 8	0.162 5	34.351 9	0.029 1	0.179 1	5.583 1	142.346 1	4.143 8
14	7.075 7	0.141 3	40.504 7	0.024 7	0.174 7	5.724 5	176.698 0	4.362 4
15	8.137 1	0.122 9	47.580 4	0.021 0	0.171 0	5.847 4	217.202 7	4.565 0
16	9.357 6	0.106 9	55.717 5	0.017 9	0.167 9	5.954 2	264.783 1	4.752 2
17	10.761 3	0.092 9	65.075 1	0.015 4	0.165 4	6.047 2	320.500 6	4.925 1
18	12.375 5	0.080 8	75.836 4	0.013 2	0.163 2	6.128 0	385.575 7	5.084 3
19	14.231 8	0.070 3	88.211 8	0.011 3	0.161 3	6.198 2	461.412 1	5.230 7
20	16.366 5	0.061 1	102.443 6	0.009 8	0.159 8	6.259 3	549.623 9	5.365 1
21	18.821 5	0.053 1	118.810 1	0.008 4	0.158 4	6.312 5	652.067 5	5.488 3
22	21.644 7	0.046 2	137.631 6	0.007 3	0.157 3	6.358 7	770.877 6	5.601 0
23	24.891 5	0.040 2	159.276 4	0.006 3	0.156 3	6.398 8	908.509 2	5.704 0
24	28.625 2	0.034 9	184.167 8	0.005 4	0.155 4	6.433 8	1 067.785 6	5.797 9
25	32.919 0	0.030 4	212.793 0	0.004 7	0.154 7	6.464 1	1 251.953 4	5.883 4
26	37.856 8	0.026 4	245.712 0	0.004 1	0.154 1	6.490 6	1 464.746 5	5.961 2
27	43.535 3	0.023 0	283.568 8	0.003 5	0.153 5	6.513 5	1 710.458 4	6.031 9
28	50.065 6	0.020 0	327.104 1	0.003 1	0.153 1	6.533 5	1 994.027 2	6.096 0
29	57.575 5	0.017 4	377.169 7	0.002 7	0.152 7	6.550 9	2 321.131 3	6.154 1
30	66.211 8	0.015 1	434.745 1	0.002 3	0.152 3	6.566 0	2 698.301 0	6.206 6
31	76.143 5	0.013 1	500.956 9	0.002 0	0.152 0	6.579 1	3 133.046 1	6.254 1
32	87.565 1	0.011 4	577.100 5	0.001 7	0.151 7	6.590 5	3 634.003 0	6.297 0
33	100.699 8	0.009 9	664.665 5	0.001 5	0.151 5	6.600 5	4 211.103 5	6.335 7
34	115.804 8	0.008 6	765.365 4	0.001 3	0.151 3	6.609 1	4 875.769 0	6.370 5
35	133.175 5	0.007 5	881.170 2	0.001 1	0.151 1	6.616 6	5 641.134 4	6.401 9
36	153.151 9	0.006 5	1 014.345 7	0.001 0	0.151 0	6.623 1	6 522.304 5	6.430 1
37	176.124 6	0.005 7	1 167.497 5	0.000 9	0.150 9	6.628 8	7 536.650 2	6.455 4
38	202.543 3	0.004 9	1 343.622 2	0.000 7	0.150 7	6.633 8	8 704.147 7	6.478 1
39	232.924 8	0.004 3	1 546.165 5	0.000 6	0.150 6	6.638 0	10 047.769 9	6.498 5
40	267.863 5	0.003 7	1 779.090 3	0.000 6	0.150 6	6.641 8	11 593.935 4	6.516 8
41	308.043 1	0.003 2	2 046.953 9	0.000 5	0.150 5	6.645 0	13 373.025 7	6.533 1
42	354.249 5	0.002 8	2 354.996 9	0.000 4	0.150 4	6.647 8	15 419.979 6	6.547 8
43	407.387 0	0.002 5	2 709.246 5	0.000 4	0.150 4	6.650 3	17 774.976 5	6.560 9
44	468.495 0	0.002 1	3 116.633 4	0.000 3	0.150 3	6.652 4	20 484.223 0	6.572 5
45	538.769 3	0.001 9	3 585.128 5	0.000 3	0.150 3	6.654 3	23 600.856 4	6.583 0
46	619.584 7	0.001 6	4 123.897 7	0.000 2	0.150 2	6.655 9	27 185.984 9	6.592 3
47	712.522 4	0.001 4	4 743.482 4	0.000 2	0.150 2	6.657 3	31 309.882 6	6.600 6
48	819.400 7	0.001 2	5 456.004 7	0.000 2	0.150 2	6.658 5	36 053.365 0	6.608 0
49	942.310 8	0.001 1	6 275.405 5	0.000 2	0.150 2	6.659 6	41 509.369 7	6.614 6
50	1 083.657	0.000 9	7 217.716 3	0.000 1	0.150 1	6.660 5	47 784.775 2	6.620 5

表 A-13　复利系数表（$i=20\%$）

n	$(F/P,i,n)$	$(P/F,i,n)$	$(F/A,i,n)$	$(A/F,i,n)$	$(A/P,i,n)$	$(P/A,i,n)$	$(F/G,i,n)$	$(A/G,i,n)$
1	1.200 0	0.833 3	1.000 0	1.000 0	1.200 0	0.833 3	0.000 0	0.000 0
2	1.440 0	0.694 4	2.200 0	0.454 5	0.654 5	1.527 8	1.000 0	0.454 5
3	1.728 0	0.578 7	3.640 0	0.274 7	0.474 7	2.106 5	3.200 0	0.879 1
4	2.073 6	0.482 3	5.368 0	0.186 3	0.386 3	2.588 7	6.840 0	1.274 2
5	2.488 3	0.401 9	7.441 6	0.134 4	0.334 4	2.990 6	12.208 0	1.640 5
6	2.986 0	0.334 9	9.929 9	0.100 7	0.300 7	3.325 5	19.649 6	1.978 8
7	3.583 2	0.279 1	12.915 9	0.077 4	0.277 4	3.604 6	29.579 5	2.290 2
8	4.299 8	0.232 6	16.499 1	0.060 6	0.260 6	3.837 2	42.495 4	2.575 6
9	5.159 8	0.193 8	20.798 9	0.048 1	0.248 1	4.031 0	58.994 5	2.836 4
10	6.191 7	0.161 5	25.958 7	0.038 5	0.238 5	4.192 5	79.793 4	3.073 9
11	7.430 1	0.134 6	32.150 4	0.031 1	0.231 1	4.327 1	105.752 1	3.289 3
12	8.916 1	0.112 2	39.580 5	0.025 3	0.225 3	4.439 2	137.902 5	3.484 1
13	10.699 3	0.093 5	48.496 6	0.020 6	0.220 6	4.532 7	177.483 0	3.659 7
14	12.839 2	0.077 9	59.195 9	0.016 9	0.216 9	4.610 6	225.979 6	3.817 5
15	15.407 0	0.064 9	72.035 1	0.013 9	0.213 9	4.675 5	285.175 5	3.958 8
16	18.488 4	0.054 1	87.442 1	0.011 4	0.211 4	4.729 6	357.210 6	4.085 1
17	22.186 1	0.045 1	105.930 6	0.009 4	0.209 4	4.774 6	444.652 8	4.197 6
18	26.623 3	0.037 6	128.116 7	0.007 8	0.207 8	4.812 2	550.583 3	4.297 5
19	31.948 0	0.031 3	154.740 0	0.006 5	0.206 5	4.843 5	678.700 0	4.386 1
20	38.337 6	0.026 1	186.688 0	0.005 4	0.205 4	4.869 6	833.440 0	4.464 3
21	46.005 1	0.021 7	225.025 6	0.004 4	0.204 4	4.891 3	1 020.128 0	4.533 4
22	55.206 1	0.018 1	271.030 7	0.003 7	0.203 7	4.909 4	1 245.153 6	4.594 1
23	66.247 4	0.015 1	326.236 9	0.003 1	0.203 1	4.924 5	1 516.184 3	4.647 5
24	79.496 8	0.012 6	392.484 2	0.002 5	0.202 5	4.937 1	1 842.421 2	4.694 3
25	95.396 2	0.010 5	471.981 1	0.002 1	0.202 1	4.947 6	2 234.905 4	4.735 2
26	114.475 5	0.008 7	567.377 3	0.001 8	0.201 8	4.956 3	2 706.886 5	4.770 9
27	137.370 6	0.007 3	681.852 8	0.001 5	0.201 5	4.963 6	3 274.263 8	4.802 0
28	164.844 7	0.006 1	819.223 3	0.001 2	0.201 2	4.969 7	3 956.116 6	4.829 1
29	197.813 6	0.005 1	984.068 0	0.001 0	0.201 0	4.974 7	4 775.339 9	4.852 7
30	237.376 3	0.004 2	1 181.881 6	0.000 8	0.200 8	4.978 9	5 759.407 8	4.873 1
31	284.851 6	0.003 5	1 419.257 9	0.000 7	0.200 7	4.982 4	6 941.289 4	4.890 8
32	341.821 9	0.002 9	1 704.109 5	0.000 6	0.200 6	4.985 4	8 360.547 3	4.906 1
33	410.186 3	0.002 4	2 045.931 4	0.000 5	0.200 5	4.987 8	10 064.656 8	4.919 4
34	492.223 5	0.002 0	2 456.117 6	0.000 4	0.200 4	4.989 8	12 110.588 1	4.930 8
35	590.668 2	0.001 7	2 948.341 1	0.000 3	0.200 3	4.991 5	14 566.705 7	4.940 6
36	708.801 9	0.001 4	3 539.009 4	0.000 3	0.200 3	4.992 9	17 515.046 9	4.949 1
37	850.562 2	0.001 2	4 247.811 2	0.000 2	0.200 2	4.994 1	21 054.056 2	4.956 4
38	1 020.674	0.001 0	5 098.373 5	0.000 2	0.200 2	4.995 1	25 301.867 5	4.962 7
39	1 224.809	0.000 8	6 119.048 2	0.000 2	0.200 2	4.995 9	30 400.241 0	4.968 1
40	1 469.771	0.000 7	7 343.857 8	0.000 1	0.200 1	4.996 6	36 519.289 2	4.972 8
41	1 763.725	0.000 6	8 813.629 4	0.000 1	0.200 1	4.997 2	43 863.147 0	4.976 7
42	2 116.471	0.000 5	10 577.355 3	0.000 1	0.200 1	4.997 6	52 676.776 4	4.980 1
43	2 539.765	0.000 4	12 693.826 3	0.000 1	0.200 1	4.998 0	63 254.131 7	4.983 1
44	3 047.718	0.000 3	15 233.591 6	0.000 1	0.200 1	4.998 4	75 947.958 1	4.985 6
45	3 657.262	0.000 3	18 281.309 9	0.000 1	0.200 1	4.998 6	91 181.549 7	4.987 7
46	4 388.714	0.000 2	21 938.571 9	0.000 0	0.200 0	4.998 9	109 462.859 6	4.989 5
47	5 266.457	0.000 2	26 327.286 3	0.000 0	0.200 0	4.999 1	131 401.431 6	4.991 1
48	6 319.748	0.000 2	31 593.743 6	0.000 0	0.200 0	4.999 2	157 728.717 9	4.992 4
49	7 583.698	0.000 1	37 913.492 3	0.000 0	0.200 0	4.999 3	189 322.461 5	4.993 5
50	9 100.438	0.000 1	45 497.190 8	0.000 0	0.200 0	4.999 5	227 235.953 8	4.994 5

表 A-14　复利系数表（$i=25\%$）

n	(F/P,i,n)	(P/F,i,n)	(F/A,i,n)	(A/F,i,n)	(A/P,i,n)	(P/A,i,n)	(F/G,i,n)	(A/G,i,n)
1	1.250 0	0.800 0	1.000 0	1.000 0	1.250 0	0.800 0	0.000 0	0.000 0
2	1.562 5	0.640 0	2.250 0	0.444 4	0.694 4	1.440 0	1.000 0	0.444 4
3	1.953 1	0.512 0	3.812 5	0.262 3	0.512 3	1.952 0	3.250 0	0.852 5
4	2.441 4	0.409 6	5.765 6	0.173 4	0.423 4	2.361 6	7.062 5	1.224 9
5	3.051 8	0.327 7	8.207 0	0.121 8	0.371 8	2.689 3	12.828 1	1.563 1
6	3.814 7	0.262 1	11.258 8	0.088 8	0.338 8	2.951 4	21.035 2	1.868 3
7	4.768 4	0.209 7	15.073 5	0.066 3	0.316 3	3.161 1	32.293 9	2.142 4
8	5.960 5	0.167 8	19.841 9	0.050 4	0.300 4	3.328 9	47.367 4	2.387 2
9	7.450 6	0.134 2	25.802 3	0.038 8	0.288 8	3.463 1	67.209 3	2.604 8
10	9.313 2	0.107 4	33.252 9	0.030 1	0.280 1	3.570 5	93.011 6	2.797 1
11	11.641 5	0.085 9	42.566 1	0.023 5	0.273 5	3.656 4	126.264 5	2.966 3
12	14.551 9	0.068 7	54.207 7	0.018 4	0.268 4	3.725 1	168.830 6	3.114 5
13	18.189 9	0.055 0	68.759 6	0.014 5	0.264 5	3.780 1	223.038 3	3.243 7
14	22.737 4	0.044 0	86.949 5	0.011 5	0.261 5	3.824 1	291.797 9	3.355 9
15	28.421 7	0.035 2	109.686 8	0.009 1	0.259 1	3.859 3	378.747 4	3.453 0
16	35.527 1	0.028 1	138.108 5	0.007 2	0.257 2	3.887 4	488.434 2	3.536 6
17	44.408 9	0.022 5	173.635 7	0.005 8	0.255 8	3.909 9	626.542 7	3.608 4
18	55.511 2	0.018 0	218.044 6	0.004 6	0.254 6	3.927 9	800.178 4	3.669 8
19	69.388 9	0.014 4	273.555 8	0.003 7	0.253 7	3.942 4	1 018.223 0	3.722 2
20	86.736 2	0.011 5	342.944 7	0.002 9	0.252 9	3.953 9	1 291.778 8	3.766 7
21	108.420 2	0.009 2	429.680 9	0.002 3	0.252 3	3.963 1	1 634.723 5	3.804 5
22	135.525 3	0.007 4	538.101 1	0.001 9	0.251 9	3.970 5	2 064.404 3	3.836 5
23	169.406 6	0.005 9	673.626 4	0.001 5	0.251 5	3.976 4	2 602.505 4	3.863 5
24	211.758 2	0.004 7	843.032 9	0.001 2	0.251 2	3.981 1	3 276.131 8	3.886 1
25	264.697 8	0.003 8	1 054.791 2	0.000 9	0.250 9	3.984 9	4 119.164 7	3.905 2
26	330.872 2	0.003 0	1 319.489 0	0.000 8	0.250 8	3.987 9	5 173.955 9	3.921 2
27	413.590 3	0.002 4	1 650.361 2	0.000 6	0.250 6	3.990 3	6 493.444 9	3.934 6
28	516.987 9	0.001 9	2 063.951 5	0.000 5	0.250 5	3.992 3	8 143.806 1	3.945 7
29	646.234 9	0.001 5	2 580.939 4	0.000 4	0.250 4	3.993 8	10 207.757 7	3.955 1
30	807.793 6	0.001 2	3 227.174 3	0.000 3	0.250 3	3.995 0	12 788.697 1	3.962 8
31	1 009.742	0.001 0	4 034.967 8	0.000 2	0.250 2	3.996 0	16 015.871 3	3.969 3
32	1 262.177	0.000 8	5 044.709 8	0.000 2	0.250 2	3.996 8	20 050.839 2	3.974 6
33	1 577.721	0.000 6	6 306.887 2	0.000 2	0.250 2	3.997 5	25 095.549 0	3.979 1
34	1 972.152	0.000 5	7 884.609 1	0.000 1	0.250 1	3.998 0	31 402.436 2	3.982 8
35	2 465.190	0.000 4	9 856.761 3	0.000 1	0.250 1	3.998 4	39 287.045 3	3.985 8
36	3 081.487	0.000 3	12 321.951 6	0.000 1	0.250 1	3.998 7	49 143.806 6	3.988 3
37	3 851.859	0.000 3	15 403.439 6	0.000 1	0.250 1	3.999 0	61 465.758 2	3.990 4
38	4 814.824	0.000 2	19 255.299 4	0.000 1	0.250 1	3.999 2	76 869.197 8	3.992 1
39	6 018.531	0.000 2	24 070.124 3	0.000 0	0.250 0	3.999 3	96 124.497 2	3.993 5
40	7 523.163	0.000 1	30 088.655 4	0.000 0	0.250 0	3.999 5	120 194.621 5	3.994 7
41	9 403.954	0.000 1	37 611.819 2	0.000 0	0.250 0	3.999 6	150 283.276 9	3.995 6
42	1 1 754.94	0.000 1	47 015.774 0	0.000 0	0.250 0	3.999 7	187 895.096 1	3.996 4
43	14 693.67	0.000 1	58 770.717 5	0.000 0	0.250 0	3.999 7	234 910.870 2	3.997 1
44	18 367.09	0.000 1	73 464.396 9	0.000 0	0.250 0	3.999 8	293 681.587 7	3.997 6
45	22 958.87	0.000 0	91 831.496 2	0.000 0	0.250 0	3.999 8	367 145.984 6	3.998 0
46	28 698.59	0.000 0	114 790.370 2	0.000 0	0.250 0	3.999 9	458 977.480 8	3.998 4
47	35 873.24	0.000 0	143 488.962 7	0.000 0	0.250 0	3.999 9	573 767.851 0	3.998 7
48	44 841.55	0.000 0	179 362.203 4	0.000 0	0.250 0	3.999 9	717 256.813 7	3.998 9
49	56 051.93	0.000 0	224 203.754 2	0.000 0	0.250 0	3.999 9	896 619.017 2	3.999 1
50	70 064.92	0.000 0	280 255.692 9	0.000 0	0.250 0	3.999 9	1 120 822.771 5	3.999 3

表 A-15　复利系数表（$i=30\%$）

n	(F/P,i,n)	(P/F,i,n)	(F/A,i,n)	(A/F,i,n)	(A/P,i,n)	(P/A,i,n)	(F/G,i,n)	(A/G,i,n)
1	1.300 0	0.769 2	1.000 0	1.000 0	1.300 0	0.769 2	0.000 0	0.000 0
2	1.690 0	0.591 7	2.300 0	0.434 8	0.734 8	1.360 9	1.000 0	0.434 8
3	2.197 0	0.455 2	3.990 0	0.250 6	0.550 6	1.816 1	3.300 0	0.827 1
4	2.856 1	0.350 1	6.187 0	0.161 6	0.461 6	2.166 2	7.290 0	1.178 3
5	3.712 9	0.269 3	9.043 1	0.110 6	0.410 6	2.435 6	13.477 0	1.490 3
6	4.826 8	0.207 2	12.756 0	0.078 4	0.378 4	2.642 7	22.520 1	1.765 4
7	6.274 9	0.159 4	17.582 8	0.056 9	0.356 9	2.802 1	35.276 1	2.006 3
8	8.157 3	0.122 6	23.857 7	0.041 9	0.341 9	2.924 7	52.859 0	2.215 6
9	10.604 5	0.094 3	32.015 0	0.031 2	0.331 2	3.019 0	76.716 7	2.396 3
10	13.785 8	0.072 5	42.619 5	0.023 5	0.323 5	3.091 5	108.731 7	2.551 2
11	17.921 6	0.055 8	56.405 3	0.017 7	0.317 7	3.147 3	151.351 2	2.683 3
12	23.298 1	0.042 9	74.327 0	0.013 5	0.313 5	3.190 3	207.756 5	2.795 2
13	30.287 5	0.033 0	97.625 0	0.010 2	0.310 2	3.223 3	282.083 5	2.889 5
14	39.373 8	0.025 4	127.912 5	0.007 8	0.307 8	3.248 7	379.708 5	2.968 5
15	51.185 9	0.019 5	167.286 3	0.006 0	0.306 0	3.268 2	507.621 0	3.034 4
16	66.541 7	0.015 0	218.472 2	0.004 6	0.304 6	3.283 2	674.907 3	3.089 2
17	86.504 2	0.011 6	285.013 9	0.003 5	0.303 5	3.294 8	893.379 5	3.134 5
18	112.455 4	0.008 9	371.518 0	0.002 7	0.302 7	3.303 7	1 178.393 4	3.171 8
19	146.192 0	0.006 8	483.973 4	0.002 1	0.302 1	3.310 5	1 549.911 4	3.202 5
20	190.049 6	0.005 3	630.165 5	0.001 6	0.301 6	3.315 8	2 033.884 9	3.227 5
21	247.064 5	0.004 0	820.215 1	0.001 2	0.301 2	3.319 8	2 664.050 3	3.248 0
22	321.183 9	0.003 1	1 067.279 6	0.000 9	0.300 9	3.323 0	3 484.265 4	3.264 6
23	417.539 1	0.002 4	1 388.463 5	0.000 7	0.300 7	3.325 4	4 551.545 0	3.278 1
24	542.800 8	0.001 8	1 806.002 6	0.000 6	0.300 6	3.327 2	5 940.008 6	3.289 0
25	705.641 0	0.001 4	2 348.803 3	0.000 4	0.300 4	3.328 6	7 746.011 1	3.297 9
26	917.333 3	0.001 1	3 054.444 3	0.000 3	0.300 3	3.329 7	10 094.814 5	3.305 0
27	1 192.533	0.000 8	3 971.777 6	0.000 3	0.300 3	3.330 5	13 149.258 8	3.310 7
28	1 550.293	0.000 6	5 164.310 9	0.000 2	0.300 2	3.331 2	17 121.036 4	3.315 3
29	2 015.381	0.000 5	6 714.604 2	0.000 1	0.300 1	3.331 7	22 285.347 4	3.318 9
30	2 619.995	0.000 4	8 729.985 5	0.000 1	0.300 1	3.332 1	28 999.951 6	3.321 9
31	3 405.994	0.000 3	11 349.981 1	0.000 1	0.300 1	3.332 4	37 729.937 1	3.324 2
32	4 427.792	0.000 2	14 755.975 5	0.000 1	0.300 1	3.332 6	49 079.918 2	3.326 1
33	5 756.130	0.000 2	19 183.768 1	0.000 1	0.300 1	3.332 8	63 835.893 7	3.327 6
34	7 482.969	0.000 1	24 939.898 5	0.000 0	0.300 0	3.332 9	83 019.661 8	3.328 8
35	9 727.860	0.000 1	32 422.868 1	0.000 0	0.300 0	3.333 0	107 959.560 3	3.329 7
36	12 646.21	0.000 1	42 150.728 5	0.000 0	0.300 0	3.333 1	140 382.428 4	3.330 5
37	16 440.08	0.000 1	54 796.947 1	0.000 0	0.300 0	3.333 1	182 533.156 9	3.331 1
38	21 372.10	0.000 0	71 237.031 2	0.000 0	0.300 0	3.333 2	237 330.103 9	3.331 6
39	27 783.74	0.000 0	92 609.140 5	0.000 0	0.300 0	3.333 2	308 567.135 1	3.331 9
40	36 118.86	0.000 0	120 392.882 7	0.000 0	0.300 0	3.333 2	401 176.275 6	3.332 2

表 A-16 复利系数表（$i=35\%$）

n	(F/P,i,n)	(P/F,i,n)	(F/A,i,n)	(A/F,i,n)	(A/P,i,n)	(P/A,i,n)	(F/G,i,n)	(A/G,i,n)
1	1.350 0	0.740 7	1.000 0	1.000 0	1.350 0	0.740 7	0.000 0	0.000 0
2	1.822 5	0.548 7	2.350 0	0.425 5	0.775 5	1.289 4	1.000 0	0.425 5
3	2.460 4	0.406 4	4.172 5	0.239 7	0.589 7	1.695 9	3.350 0	0.802 9
4	3.321 5	0.301 1	6.632 9	0.150 8	0.500 8	1.996 9	7.522 5	1.134 1
5	4.484 0	0.223 0	9.954 4	0.100 5	0.450 5	2.220 0	14.155 4	1.422 0
6	6.053 4	0.165 2	14.438 4	0.069 3	0.419 3	2.385 2	24.109 8	1.669 8
7	8.172 2	0.122 4	20.491 9	0.048 8	0.398 8	2.507 5	38.548 2	1.881 1
8	11.032 4	0.090 6	28.664 0	0.034 9	0.384 9	2.598 2	59.040 0	2.059 7
9	14.893 7	0.067 1	39.696 4	0.025 2	0.375 2	2.665 3	87.704 0	2.209 4
10	20.106 6	0.049 7	54.590 2	0.018 3	0.368 3	2.715 0	127.400 5	2.333 8
11	27.143 9	0.036 8	74.696 7	0.013 4	0.363 4	2.751 9	181.990 6	2.436 4
12	36.644 2	0.027 3	101.840 6	0.009 8	0.359 8	2.779 2	256.687 3	2.520 5
13	49.469 7	0.020 2	138.484 8	0.007 2	0.357 2	2.799 4	358.527 9	2.588 8
14	66.784 1	0.015 0	187.954 4	0.005 3	0.355 3	2.814 4	497.012 7	2.644 3
15	90.158 5	0.011 1	254.738 5	0.003 9	0.353 9	2.825 5	684.967 1	2.688 9
16	121.713 9	0.008 2	344.897 0	0.002 9	0.352 9	2.833 7	939.705 6	2.724 5
17	164.313 8	0.006 1	466.610 9	0.002 1	0.352 1	2.839 8	1 284.602 5	2.753 0
18	221.823 6	0.004 5	630.924 7	0.001 6	0.351 6	2.844 3	1 751.213 4	2.775 6
19	299.461 9	0.003 3	852.748 3	0.001 2	0.351 2	2.847 6	2 382.138 1	2.793 5
20	404.273 6	0.002 5	1 152.210 3	0.000 9	0.350 9	2.850 1	3 234.886 4	2.807 5

表 A-17 复利系数表（$i=40\%$）

n	(F/P,i,n)	(P/F,i,n)	(F/A,i,n)	(A/F,i,n)	(A/P,i,n)	(P/A,i,n)	(F/G,i,n)	(A/G,i,n)
1	1.400 0	0.714 3	1.000 0	1.000 0	1.400 0	0.714 3	0.000 0	0.000 0
2	1.960 0	0.510 2	2.400 0	0.416 7	0.816 7	1.224 5	1.000 0	0.416 7
3	2.744 0	0.364 4	4.360 0	0.229 4	0.629 4	1.588 9	3.400 0	0.779 8
4	3.841 6	0.260 3	7.104 0	0.140 8	0.540 8	1.849 2	7.760 0	1.092 3
5	5.378 2	0.185 9	10.945 6	0.091 4	0.491 4	2.035 2	14.864 0	1.358 0
6	7.529 5	0.132 8	16.323 8	0.061 3	0.461 3	2.168 0	25.809 6	1.581 1
7	10.541 4	0.094 9	23.853 4	0.041 9	0.441 9	2.262 8	42.133 4	1.766 4
8	14.757 9	0.067 8	34.394 7	0.029 1	0.429 1	2.330 6	65.986 8	1.918 5
9	20.661 0	0.048 4	49.152 6	0.020 3	0.420 3	2.379 0	100.381 5	2.042 2
10	28.925 5	0.034 6	69.813 7	0.014 3	0.414 3	2.413 6	149.534 2	2.141 9
11	40.495 7	0.024 7	98.739 1	0.010 1	0.410 1	2.438 3	219.347 8	2.221 1
12	56.693 9	0.017 6	139.234 8	0.007 2	0.407 2	2.455 9	318.087 0	2.284 5
13	79.371 5	0.012 6	195.928 7	0.005 1	0.405 1	2.468 5	457.321 7	2.334 1
14	111.120 1	0.009 0	275.300 2	0.003 6	0.403 6	2.477 5	653.250 4	2.372 9
15	155.568 1	0.006 4	386.420 2	0.002 6	0.402 6	2.483 9	928.550 6	2.403 0
16	217.795 3	0.004 6	541.988 3	0.001 8	0.401 8	2.488 5	1 314.970 8	2.426 2
17	304.913 5	0.003 3	759.783 7	0.001 3	0.401 3	2.491 8	1 856.959 2	2.444 1
18	426.878 9	0.002 3	1 064.697 1	0.000 9	0.400 9	2.494 1	2 616.742 8	2.457 7
19	597.630 4	0.001 7	1 491.576 0	0.000 7	0.400 7	2.495 8	3 681.440 0	2.468 2
20	836.682 6	0.001 2	2 089.206 4	0.000 5	0.400 5	2.497 0	5 173.016 0	2.476 1

附录 B F 分布临界值表

$$P\{F > F_\alpha(f_1, f_2)\} = \alpha$$
$$\alpha = 0.05$$

F_α \ f_1 f_2	1	2	3	4	5	6	7	8	12	24	$+\infty$
1	161.4	199.5	215.7	224.6	230.2	234.0	236.8	238.9	243.9	249.1	254.3
2	18.5	19.0	19.2	19.2	19.3	19.3	19.4	19.4	19.4	19.5	19.5
3	10.1	9.55	9.28	9.12	9.01	8.94	8.89	8.85	8.74	8.64	8.53
4	7.71	6.94	6.59	6.39	6.26	6.16	6.09	6.04	5.91	5.77	5.63
5	6.61	5.79	5.41	5.19	5.05	4.95	4.88	4.82	4.68	4.53	4.36
6	5.99	5.14	4.76	4.53	4.39	4.28	4.21	4.15	4.00	3.84	3.67
7	5.59	4.74	4.35	4.12	3.97	3.87	3.79	3.73	3.57	3.41	3.23
8	5.32	4.46	4.07	3.84	3.69	3.58	3.50	3.44	3.28	3.12	2.93
9	5.12	4.26	3.86	3.63	3.48	3.37	3.29	3.23	3.07	2.90	2.71
10	4.96	4.10	3.71	3.48	3.33	3.22	3.14	3.07	2.91	2.74	2.54
11	4.84	3.98	3.59	3.36	3.20	3.09	3.01	2.95	2.79	2.61	2.40
12	4.75	3.89	3.49	3.26	3.11	3.00	2.91	2.85	2.69	2.51	2.30
13	4.67	3.81	3.41	3.18	3.03	2.92	2.83	2.77	2.60	2.42	2.21
14	4.60	3.74	3.34	3.11	2.96	2.85	2.76	2.70	2.53	2.35	2.13
15	4.54	3.68	3.29	3.06	2.90	2.79	2.71	2.64	2.48	2.29	2.07
16	4.49	3.63	3.24	3.01	2.85	2.74	2.66	2.59	2.42	2.24	2.01
17	4.45	3.59	3.20	2.96	2.81	2.70	2.61	2.55	2.38	2.19	1.96
18	4.41	3.55	3.16	2.93	2.77	2.66	2.58	2.51	2.34	2.15	1.92
19	4.38	3.52	3.13	2.90	2.74	2.63	2.54	2.48	2.31	2.11	1.88
20	4.35	3.49	3.10	2.87	2.71	2.60	2.51	2.45	2.28	2.08	1.84
21	4.32	3.47	3.07	2.84	2.68	2.57	2.49	2.42	2.25	2.05	1.81
22	4.30	3.44	3.05	2.82	2.66	2.55	2.46	2.40	2.23	2.03	1.78
23	4.28	3.42	3.03	2.80	2.64	2.53	2.44	2.37	2.20	2.01	1.76
24	4.26	3.40	3.01	2.78	2.62	2.51	2.42	2.36	2.18	1.98	1.73
25	4.24	3.39	2.99	2.76	2.60	2.49	2.40	2.34	2.16	1.96	1.71
26	4.23	3.37	2.98	2.74	2.59	2.47	2.39	2.32	2.15	1.95	1.69
27	4.21	3.35	2.96	2.73	2.57	2.46	2.37	2.31	2.13	1.93	1.67
28	4.20	3.34	2.95	2.71	2.56	2.45	2.36	2.29	2.12	1.91	1.65
29	4.18	3.33	2.93	2.70	2.55	2.43	2.35	2.28	2.10	1.90	1.64
30	4.17	3.32	2.92	2.69	2.53	2.42	2.33	2.27	2.09	1.89	1.62
40	4.08	3.23	2.84	2.61	2.45	2.34	2.25	2.13	2.00	1.79	1.51
60	4.00	3.15	2.76	2.53	2.37	2.25	2.17	2.10	1.92	1.70	1.39
120	3.92	3.07	2.68	2.45	2.29	2.17	2.09	2.02	1.83	1.61	1.25
∞	3.84	3.00	2.60	2.37	2.21	2.10	2.01	1.94	1.75	1.52	1.00

附录 C t 分布临界值表

$$P\{|T|>t_\alpha\}=\alpha$$

f \ α	0.20	0.10	0.05	0.02	0.01	0.001
1	3.078	6.314	12.706	31.821	63.657	636.619
2	1.886	2.920	4.303	6.965	9.925	31.599
3	1.638	2.353	3.182	4.541	5.841	12.924
4	1.533	2.132	2.776	3.747	4.604	8.610
5	1.467	2.015	2.571	3.365	4.032	6.869
6	1.440	1.943	2.447	3.143	3.707	5.959
7	1.415	1.895	2.365	2.998	3.499	5.408
8	1.397	1.860	2.306	2.896	3.355	5.041
9	1.383	1.833	2.262	2.821	3.250	4.781
10	1.372	1.812	2.228	2.764	3.169	4.587
11	1.363	1.796	2.201	2.718	3.106	4.437
12	1.356	1.782	2.179	2.681	3.055	4.318
13	1.350	1.771	2.160	2.650	3.012	4.221
14	1.345	1.761	2.145	2.624	2.977	4.140
15	1.341	1.753	2.131	2.602	2.947	4.073
16	1.337	1.746	2.120	2.583	2.921	4.015
17	1.333	1.740	2.110	2.567	2.898	3.965
18	1.330	1.734	2.101	2.552	2.878	3.922
19	1.328	1.729	2.093	2.539	2.861	3.883
20	1.325	1.725	2.086	2.528	2.845	3.850
21	1.323	1.721	2.080	2.518	2.831	3.819
22	1.321	1.717	2.074	2.508	2.819	3.792
23	1.319	1.714	2.069	2.500	2.807	3.768
24	1.318	1.711	2.064	2.492	2.797	3.745
25	1.316	1.708	2.060	2.485	2.787	3.725
26	1.315	1.706	2.056	2.479	2.779	3.707
27	1.314	1.703	2.052	2.473	2.771	3.690
28	1.313	1.701	2.048	2.467	2.763	3.674
29	1.311	1.699	2.045	2.462	2.756	3.659
30	1.310	1.697	2.042	2.457	2.750	3.646
40	1.303	1.684	2.021	2.423	2.704	3.551
60	1.296	1.671	2.000	2.390	2.660	3.460
120	1.289	1.658	1.980	2.358	2.617	3.373
∞	1.282	1.645	1.960	2.326	2.576	3.291

参 考 文 献

[1] 郭献芳，潘智峰，焦俊，等. 工程经济学 [M]. 2版. 北京：中国电力出版社，2007.
[2] 郭献芳. 工程经济分析 [M]. 北京：化学工业出版社，2008.
[3] 谭大璐，赵世强. 工程经济学 [M]. 武汉：武汉理工大学出版社，2008.
[4] 戴大双. 项目融资 [M]. 北京：机械工业出版社，2005.
[5] 简迎辉，杨建基. 工程项目管理：融资理论与方法 [M]. 北京：中国水利水电出版社，2006.
[6] 郭凤平. 工程建设 BOT 项目融资及管理控制研究 [D]. 天津：天津大学，2005.
[7] 王志刚. 大连渔人码头项目融资的案例研究 [D]. 大连：大连理工大学，2002.
[8] 刘谷金. 财务管理 [M]. 北京：北京交通大学出版社，2010.
[9] 全国投资建设项目管理师考试专家委员会. 投资建设项目实施 [M]. 北京：中国计划出版社，2005.
[10] 国家发展和改革委员会，建设部. 建设项目经济评价方法与参数 [M]. 3版. 北京：中国计划出版社，2006.
[11] 张厚钧. 工程经济学 [M]. 北京：北京大学出版社，2009.
[12] 黄有亮，徐向阳，谈飞. 工程经济学 [M]. 2版. 南京：东南大学出版社，2006.
[13] THUESEN G J, FABRYCKY W J. 工程经济学（影印版）[M]. 北京：清华大学出版社，2005.
[14] 姜早龙. 工程经济学 [M]. 长沙：中南大学出版社，2005.
[15] 郭献芳. 建设项目全面价值管理研究 [D]. 天津：河北工业大学，2011.
[16] 刘晓君. 工程经济学 [M]. 3版. 北京：中国建筑工业出版社，2015.
[17] PARK C S. Contemporary engineering economics [M]. 6th ed. Upper Saddle River, New Jersey：Addison Wesley，2016.
[18] 傅家骥，程源. 技术经济学前沿问题 [M]. 北京：经济科学出版社，2003.
[19] 傅家骥，仝允桓. 工业技术经济学 [M]. 3版. 北京：清华大学出版社，2003.
[20] 邵颖红，黄瑜祥，邢爱芳. 工程经济学 [M]. 5版. 上海：同济大学出版社，2015.